La vorágine

Letras Hispánicas

José Eustasio Rivera

La vorágine

Edición de Montserrat Ordóñez

SEXTA EDICIÓN

CATEDRA

LETRAS HISPANICAS

1.ª edición, 1990
6.ª edición, 2006

© Herederos de José Eustasio Rivera
Ediciones Cátedra (Grupo Anaya, S. A.), 1990, 2006
Juan Ignacio Luca de Tena, 15. 28027 Madrid
Depósito legal: M. 4.683-2006
ISBN: 84-376-0935-6
Printed in Spain
Impreso en Fernández Ciudad, S. L.

Índice

Introducción

José Eustasio Rivera
(Archivo familiar José Eustasio Rivera)

José Eustasio Rivera

El más completo recuento de la vida de José Eustasio Rivera nos lo proporciona el crítico chileno Eduardo Neale Silva en su libro *Horizonte humano: vida de José Eustasio Rivera* (México, Fondo de Cultura Económica, 1960; reimpreso en 1986), obra que dedicó «A Colombia, gran nación, cuna de héroes, ciudadanos y letrados». Su estudio sigue siendo un documento básico de consulta que reúne años de investigación y de manejo de fuentes, escritas y orales, la mayoría irrecuperables en la actualidad. La historia literaria colombiana debe a Neale Silva un aporte invaluable y lúcido, un oportuno modelo de estudios crítico-biográficos, al que sólo se puede acusar de una actitud común en la mayoría de los biógrafos: la excesiva fascinación y admiración respecto a su objeto de estudio. De todas formas, la figura de Rivera aparece siempre llena de matices interesantes y contradictorios, tanto en la obra de Neale Silva como en los recuentos más breves que se encuentran en las historias literarias.

El 1 de diciembre de 1928 José Eustasio Rivera muere en Nueva York a los cuarenta años, posiblemente de un derrame cerebral, apenas vislumbrando el veloz éxito de su novela *La vorágine,* una de las obras más leídas de la literatura latinoamericana del siglo XX. Cuatro años antes había publicado la primera edición, y unos días antes de morir envió a Colombia los primeros ejemplares de la quinta edición corregida y revisada. Muere en plena producción,

11

lleno de ilusiones respecto a su obra literaria y a sus planes futuros.

Había nacido el 19 de febrero de 1888 en Neiva, Colombia, primer hijo varón después de cuatro niñas. Sus padres, Eustacio Rivera y Catalina Salas, lo llamaron «José Eustacio», con c. Siendo alumno de la Escuela Normal empezó a firmarse «José Eustasio», con s. Cuando le preguntaron las razones de ese cambio, contestó: «Lo cambié porque sí; no me vengan con filologías» (Neale Silva, HH, pág. 15). De alguna forma esta anécdota es representativa de su vida y su obra, en cuanto Rivera siempre mostró su capacidad de oponerse a las soluciones trilladas.

En 1890 la familia decide ir a vivir al campo, a una propiedad que tenían en el pueblo de Aguacaliente, y allí transcurren seis años de la vida de Rivera. Posteriormente estudia en el colegio de Santa Librada, en Neiva, y en el colegio San Luis Gonzaga, en Mesa de Elías. Lo expulsan de ambos planteles. En 1906 ingresa a la Escuela Normal de Bogotá, en donde permanece tres años. En esa época publica sus primeros poemas. Comienza a sufrir dolores de cabeza que más tarde, con fiebres y convulsiones, llegarán a dejarlo inconsciente. Lo nombran inspector escolar en Ibagué, Tolima, y dedica esos años, de 1909 a 1911, a sus intereses literarios, En esa época comienza a documentarse sobre la explotación del caucho en el Amazonas.

En 1912 ingresa a la Facultad de Derecho y Ciencias Políticas de la Universidad Nacional, en Bogotá, y se gradúa de abogado en 1917, con una tesis sobre liquidación de herencias. Durante esos años escribe dramas en verso, como *Juan Gil,* y sonetos que aparecerán más tarde en el volumen *Tierra de promisión.* Su fama de poeta va creciendo, sin que nadie sospeche sus capacidades de novelista. En 1916 visita Villavicencio y se deslumbra con los Llanos. Regresa ya graduado, contratado por un terrateniente de Casanare, pero su sentido de la justicia lo hace pasarse a defender la parte contraria y pierde su primer litigio. Aprende a vivir en el Llano, oye historias de la región y conoce a «personajes» que con variaciones incluirá en *La vorágine,* como Luis Franco Zapata y Alicia Hernández Carranza. A su regreso a Bogotá se integra a las tertulias del café Windsor de la llamada generación del Centenario, que incluye a Eduardo Castillo, Abel Marín, Miguel Rasch Isla, Ángel María Céspedes, entre otros. Desde joven tiene fama de conquistador, pero nunca se casa. Sus aventuras llegaron a granjearle entre sus amigos, más tarde, el sobrenombre de «Muley-Ren», por considerarlo personaje digno de un harén oriental (Neale Silva, HH, pagina 137).

En 1921 publica su primera obra, *Tierra de promisión,* que recoge 55 sonetos de los 168 que tenía escritos hasta 1918. Viaja a Perú, México y Estados Unidos, con una delegación colombiana. En 1922 empieza a escribir *La vorágine* en Sogamoso y termina la primera parte en septiembre. Este mismo año es designado secretario-abogado de la comisión limítrofe colombo-venezolana, lo que le permite acercarse al mundo de los ríos, las selvas y la explotación del caucho. La comisión baja por el Magdalena, pasa por las ciudades de la costa del Caribe hasta Puerto España en Trinidad, y ahí remonta el Orinoco hasta el río Meta. Rivera sigue hasta San Fernando de Atabapo, descubre el archivo del coronel Tomás Funes, incursiona por la estrella fluvial que forman los ríos Orinoco, Atabapo y Guaviare, y remonta el Inírida, además de otros ríos y caños. En este viaje sufre varios ataques de paludismo y escribe muchos capítulos de su novela. Con otro compañero de comisión, Melitón Escobar, decide retornar a Colombia tomando una larga ruta (muy distinta de la de Arturo Cova) que hoy parecería descabellada pero que en esa época era la más segura: remontar el Orinoco desde San Fernando de Atabapo, pasar por el Brazo Casiquiare hasta el Guainía, seguir por el río Negro hasta Manaos, salir al Atlántico por el Amazonas, volver al Caribe y llegar a Bogotá después de subir por el río Magdalena (Neale Silva, HH, págs. 232-260). Este viaje le permite continuar la recopilación de material para su novela. A su regreso fue nombrado suplente de su tío Pedro Rivera en la Cámara de Representantes y desarrolló una importante labor en defensa de los intereses nacionales, con denuncias que fueron recibidas con indiferencia.

A fines de abril de 1924 termina *La vorágine,* que aparece en noviembre del mismo año. Publica artículos sobre los problemas limítrofes entre Colombia y Perú y al año siguiente es elegido miembro de la comisión investigadora que vela por los intereses del país. Su informe provoca un gran escándalo y le crea más animadversiones. Publica en 1926 la segunda edición de *La vorágine,* con numerosas correcciones con las que trata de borrar los endecasílabos, alejandrinos y párrafos rimados que los críticos encontraron en la primera edición. En 1928 viaja a Cuba representando a Colombia en el Congreso Internacional de Emigración e Inmigración, y de ahí sigue a Nueva York, donde organiza la Editorial Andes, trabaja en una segunda novela que nunca se encontró y planea la traducción y la filmación de *La vorágine.* Su muerte prematura está rodeada de una leyenda negra que Neale Silva rebate con precisión pero que, como todas las leyendas, no desaparece nunca. Se dice que fue envenenado, que llevaba una vida de excesos, que lo mató el paludismo. Las metáforas del poeta mexicano Juan José Tablada lo resumen así, en 1929: «La muerte de Rivera fue una venganza de la selva; fue una flecha envenenada con curare que desde allá atravesó el continente y vino a herirlo a Nueva York». (Neale Silva, HH, págs. 445-446.)

Historia editorial de «La vorágine»

Así como el crítico chileno Eduardo Neale Silva ha hecho los más importantes aportes al estudio de la vida y de la obra de José Eustasio Rivera, el investigador colombiano Hernán Lozano ha publicado breves pero definitivos estudios sobre las traducciones de *La vorágine* y la historia editorial de la novela. En su artículo «Teratología editorial, piratería y clonaje» (1988), Lozano ha demostrado que el caso de *La vorágine* es uno de los más lamentables de la historia editorial de la literatura latinoamericana. Por una parte, están las cinco ediciones que aparecieron en vida de Rivera: la primera de noviembre de 1924 en la Editorial Cromos, la segunda y la tercera de 1925 y 1926 en la Editorial Minerva, así como la cuarta, que es una reimpresión de la tercera, con mínimas diferencias. Luego aparecen las ediciones de Nueva York de la Editorial Andes, la empresa constituida por Rivera, en donde se publican las ediciones identificadas como quinta y sexta (1928), y séptima, octava y novena (1929). Más que ediciones, son reimpresiones de la quinta edición de 1928, que el propio Rivera cuidó y corrigió.

Como señala Lozano, Rivera corrigió y reescribió la obra varias veces, lo que se hace evidente en las miles de variantes que se encuentran especialmente entre la primera, la segunda, la tercera y la quinta ediciones. Es obvio que este proceso de reescritura fue interrumpido por la muerte del autor, que seguramente hubiera continuado revisando su obra. Irónicamente, los editores se han encargado de seguir variando y mutilando el texto de Rivera, convirtiéndolo con frecuencia en el monstruo contrahecho que menciona Lozano. Por una parte, desaparecen o se intercalan los fragmentos iniciales. El vocabulario desaparece o se amplía arbitrariamente. Las separaciones entre los fragmentos se ignoran (41 en la primera parte, 40 en la segunda y 48 en la tercera), cuando no se esfuma un segmento completa o parcialmente. A esto se añaden las dificultades de las construcciones gramaticales y del léxico modernista, culto, arcaico o local, que convierten «prima noche» en «primera noche», «ijadeantes» en «jadeantes», «encentra» en «encuentra», «alarida» en «alarido», «estradas» en «entradas», «cojincillos» en «cajoncillos», «insolvente» en «insolente», «prora» en «proa», «Alá» en «Ajá», «sima» en «cima», «Oh, selva» en «Ah, selva», por citar algunos ejemplos.

No se puede saber, como dice Lozano, dónde terminan la ignorancia y el descuido y dónde comienza la intención deliberada de reducir y simplificar el texto. Desde la primera edición pirata de la Editorial Elzevir de Santiago de Chile en 1929 (tomada de la tercera edición de Bogotá, a pesar de que ya se conocía la quinta), hasta múltiples ediciones recientes, la historia de los prototipos, clonajes y caricaturas de la obra forma y formará parte de las lecturas de la novela. Es muy claro que el éxito de la obra y su inclusión en todos los programas de estudio de literatura latinoamericana han ayudado a su deformación. Por eso, al preparar esta edición, una de las mayores preocupaciones ha sido la de no producir otro monstruo. Si los errores son inevitables, por lo menos aportamos datos históricos y críticos, para que el lector descubra al monstruo y no se deje devorar por él.

Historia de la crítica de «La vorágine»

Cuando muere prematuramente José Eustasio Rivera, cuatro años después de la publicación de la primera edición de *La vorágine*, su novela ya podía considerarse un éxito. *La vorágine* se traga su obra poética (*Tierra de promisión,* 1921) y dramática (*Juan Gil*). Su personaje-narrador Arturo Cova devora a su propio autor y la ficción afecta las interpretaciones de su vida e incluso de su muerte. Sus versiones de la selva, para bien y para mal, se funden en el imaginario de y sobre América Latina. Como otras obras que han pasado a formar parte de la historia literaria del continente, *La vorágine* tiende a sufrir un proceso de idealización de extraordinaria magnitud y llega al lector cargada de interpretaciones ajenas. Es notable su veloz proceso de integración a una historia literaria que en ese momento se estaba definiendo, así como su manera de convertirse en cristalización y a la vez modelo de esa historia literaria.

El volumen de la bibliografía sobre la novela es de tal magnitud y dispersión que aún no ha sido recopilada y menos analizada e integrada a los estudios actuales (Cfr. Ordóñez, *La vorágine: Textos críticos,* 1987). Decenas de referencias de diversa significación, algunas de difícil acceso o nunca traducidas, reflejan la historia de sesenta años de crítica literaria, aplicada a una obra que se ha considerado un clásico de la literatura latinoamericana. Todas esas interpretaciones, contradictorias, lúcidas, devoradoras o devoradas, se encuentran tan dispersas que ha sido difícil utilizarlas y evaluarlas adecuadamente. Aparecen en libros, en historias de la literatura, en prólogos a las múltiples ediciones de la novela, en revistas nacionales e internacionales. Con diversos enfoques, el interés ha sido consistente y casi se podría decir creciente: ensalzada o rechazada, la obra no ha perdido su vigencia y su interés, dato nada despreciable para la historia de la literatura.

La crítica más representativa sobre *La vorágine* se podría agrupar en cinco partes: 1) Primeras reacciones: el conflicto entre historia y ficción. 2) Reconocimiento y permanencia: la institucionalización de la obra. 3) Estudios estilísticos y estructurales. 4) Estudios temáticos: la naturaleza y los personajes, entre los cuales se destaca el personaje-narrador Arturo Cova. 5) Lecturas y relecturas contemporáneas, que tienden a devolvernos un texto abierto y muestran huellas de los discursos críticos actuales.

Las primeras manifestaciones de la crítica, desde la publicación de la novela hasta finales de la década, tienen un común denominador. La tendencia epistemológica positivista de situar la literatura en una presunta línea divisoria entre ficción y realidad. El más completo recuento, hasta la fecha, de las primeras reacciones ante *La vorágine* y de las discusiones públicas y privadas sobre el conflicto entre historia y ficción, nos lo proporciona Eduardo Neale Silva en su libro *Horizonte humano: vida de José Eustasio Rivera*, que tantas veces se cita en este trabajo. Neale Silva, por ejemplo, describe los esfuerzos de Rivera para probar «la veracidad de su libro», problema que cree solucionar incluyendo en su primera edición tres fotografías con leyendas ficticias: «Arturo Cova, en las barracas de Guaracú. Fotografía tomada por la madona Zoraida Ayram», en la primera; «El cauchero Clemente Silva», en la segunda. La tercera es una tarjeta postal, que como las anteriores muestra que el conflicto entre historia y ficción, obviamente insoluble, está integrado y presente desde la creación del texto, y en su ambigüedad reside su fuerza. También entre las primeras reacciones hoy llaman la atención los comentarios publicados en Bogotá por los críticos del momento. Los primeros son los de Luis Eduardo Nieto Caballero y Guillermo Manrique Terán, que aparecen el mismo día en 1924, seguidos de muchos otros, como el de Eduardo Castillo (1924) y el de Antonio Gómez Restrepo (1925), el crítico a quien Rivera le dedicó la primera edición de su novela. Es famosa la polémica entre Luis Trigueros y José Eustasio Rivera (1926), que resalta la profunda convicción que Rivera tenía sobre el valor de su obra y la ambigua posición de ser su propio crítico y creerse incomprendido. En esa primera época, parece ser Rivera su mejor crítico, tal vez por su capacidad de reflejar sus propias contradicciones. Por supuesto no es cierto que su único móvil fuera la redención de los caucheros, como dice en algún momento, ya que también su intención novelesca y mitologizante está presente, incluso conscientemente. Sin embargo, en medio de las polémicas de esta primera época, fue Rivera quien siempre tuvo muy claro el valor de su obra, y hasta nos dejó pistas válidas para interpretarla. No es extraño, pues, que hoy muchas «minucias y trivialidades» (Rivera, 1926) del momento hayan perdido trascendencia y sigan vigentes opinones maravilladas como la de Horacio Quiroga, que sin conocerlo le escribe una carta en que lo llama hermano y compañero, y califica su obra de epopeya.

El segundo grupo de estudios sobre *La vorágine*, lecturas que influyeron en su reconocimiento y permanencia, es el más numeroso y ya claramente latinoamericano. Aunque no sean necesariamente elogiosos, son artículos que han influido en la integración de la novela al canon de la literatura latinoamericana. En contraste con las primeras lecturas, en su gran mayoría se publicaron fuera de Colombia. Combinan la recepción de una obra específica con la postulación de categorías y clasificaciones, que se extenderán a otras obras de la literatura latinoamericana, como por ejemplo, novela terrígena, novela de protesta social, novela moderna (Antonio Curcio Altamar, 1957; Jean Franco, 1964; Cedomil Goic, 1972). A este grupo pertenecen también los estudios que han identificado elementos clásicos o arquetípicos en la obra, y mediante estas relaciones han tratado de identificar los valores de la novela llamados universales. Se destacan entre ellos el de Richard J. Callan (1971), Alfonso González (1975), Seymour Menton (1976). Como contraste con esta intención de valorar a partir de comparaciones con textos literarios occidentales canonizados, Margarita Mateo (1988) estudia el mito de origen americano en *La vorágine*.

Una serie de estudios literarios, en su mayoría de principios de la década de 1970, lleva a cabo análisis intrínsecos y trabaja la especificidad de los recursos literarios. Precedidos por el estudio de Edmundo de Chasca sobre el lirismo (1947) y el de Otto Olivera sobre el romanticismo (1952), se destacan los trabajos de Joan R. Green (1967) sobre la estructura del narrador y el marco narrativo, de Luis C. Herrera Molina, S. J. (1968) sobre la palabra-tema, el análisis estructural de los relatos de Silvia Benso (1975) y el estudio del marco narrativo que realiza Richard Ford (1976).

La característica del cuarto grupo de estudios sobre *La vorágine* se podría decir que consiste en una conciencia y aceptación de los ejes de lectura que el texto impone: la naturaleza y los narradores. La naturaleza se relaciona con el hombre (William Bull, 1948) y con la mujer (Sharon Magnarelli, 1985; 1987). Clemente Silva se considera como héroe de la obra (Óscar Gerardo Ramos, 1972) y las nuevas actitudes críticas de recelo ante el narrador proporcionan desconfiadas lecturas de Arturo Cova, como las de Luis B. Eyzaguirre (1973), Malva E. Filer (1979) y Randolph D. Pope (1980). Se plantea un cambio de percepción en la lectura, y se lee con recelo y sospecha, cuestionando a los diversos narradores y planteando las distorsiones entre voces y temas. En resumen, la gran metáfora que domina la obra, el acto de devorar, es una relación fluctuante e indeterminada entre los que relatan y la naturaleza relatada.

Las lecturas más recientes parten de la aceptación tácita del lugar privilegiado que tiene la obra en la literatura latinoamericana y muestran interesantes tendencias críticas. Por una parte, subrayan los elementos de intertextualidad que crean problemas en los conceptos sobre la literatura colombiana y latinoamericana (Jacques Gilard, 1987; R. H. Moreno-Durán, 1984; 1987), el canon de la novela (Doris Sommer, 1987), o características narratológicas que cuestionan no sólo la obra sino las teorías narrativas actuales, como lo hace el estudio de Sylvia Molloy (1987).

La vorágine es y ha sido un texto generador de comentarios y estudios sobre el género novelesco en América Latina. Es muy posible que esta tendencia continúe con una serie de trabajos que incluyan las perspectivas críticas que plantea la postmodernidad, como por ejemplo, el folletín y el modernismo como intertextos en la obra o la parodia, la polifonía y la fragmentación de las voces narrativas. La cuestión de la interpretación verdadera y única de una obra ha dejado de ser la preocupación de la crítica contemporánea. Como pocas obras, *La vorágine* se presta a estudios interdisciplinarios, a reflexiones sobre cultura e historia, a estudios sobre la fragmentación, la incoherencia, el engaño y el sujeto descentrado, a las nuevas lecturas de contradicciones, ambivalencias y ambigüedades, dentro de una perspectiva de valoración de la historia y de los relatos envolventes, y dentro de una perspectiva de la lectura como proceso de construcción de la obra. En resumen, parece que seguiremos leyendo y seguiremos escribiendo sobre *La vorágine,* mientras nuestra manera de pensar la historia, la crítica y la teoría literaria combine la fascinación con el recelo.

EL NARRADOR: UNA VOZ ROTA

Sin duda, la elección y el desarrollo del personaje-narrador de *La vorágine* han sido la base del éxito de la novela. Arturo Cova está inseparablemente unido a la situación narrativa, y la lectura y el análisis de cualquier aspecto de la obra están mediatizados por esa voz. Por lo tanto, explicar, entender y desenmascarar a Cova es descubrir también el mundo que él nos relata, en una versión necesariamente parcial y filtrada. Cova es un personaje complejo, contradictorio, ambiguo, criticado, ponderado y rechazado por una larga historia crítica. Pero, más que ese ser que se percibe como de carne y hueso y al que Rivera quiso darle alma (como dijo literalmente), Cova es una voz narrativa, que su autor inventa y desarrolla. Ya sea que lo hubiera hecho a partir de la suya propia o de las muchas voces encontradas en sus diversas experiencias vitales, el resultado es una voz nueva y original, con la que se han identificado o a la que han rechazado miles de lectores desde su publicación. Con Arturo Cova el siglo xx aprendió a imaginar y a describir la selva, pero junto a esa experiencia, eje de la obra, aprendió también a interpretar la relación entre el hombre y la naturaleza, relación que en el libro termina con la famosa e inquietante frase «¡Los devoró la selva!». Y, lo que es aún más importante, varias generaciones han encontrado en Cova la voz que explica las relaciones del hombre con su propio mundo interior, con las mujeres y con los otros hombres, en función de su relación con una naturaleza mítica, personificada y carnavalizada.

Las características que definen a esta voz narrativa ligan al personaje (Cova) con su autor (Rivera). En primer lugar es la voz de un hombre, de un hombre que es escritor (poeta) y proviene de la ciudad, datos explícitos desde el comienzo de la obra. El general Gámez y Roca y Narciso Barrera lo llaman «poeta». Incluso antes del reconocimiento público e irónico que Barrera hace de la fama de Cova, se puede adivinar en el narrador una tradición de descripciones modernistas, con toques románticos. Es una voz cargada de verosimilitud, en el borde entre la historia y la ficción, como sabemos por el prólogo que nos informa de la «existencia» del personaje-narrador, por el fragmento de una carta suya que sigue al prólogo y por el epílogo que nos confirma su desaparición. Así enmarcado, el texto se presenta como documento, situación narrativa de larga tradición, basada en un claro propósito de realismo literario. Como Cervantes, Defoe, Richardson, Laclos y tantos otros novelistas, Rivera oscilaba entre su autocomplacencia como creador literario y su insistencia en la veracidad de su relato.

Esta situación narrativa tiene diversas consecuencias respecto al texto. Por una parte, la novela no trata de representar lenguaje oral ni mental: es claramente, por lo menos en la intención del autor si no en su realización, la recreación de un lenguaje escrito. La antigua convención del autor-editor, tan frecuente en el siglo XVIII, presupone aquí también la existencia de un extenso documento, que el editor dice haber modificado mínimamente. Es pues una narración «escrita» por el personaje, aunque sólo muy tarde en la novela sabremos el momento y las motivaciones del acto de la escritura (Ford, 1976 y Pope, 1980). Este acto de escritura, por otra parte, está directamente influido por las condiciones específicas que lo rodean, durante sus semanas en las barracas del Guaracú. Cova anuncia la escritura de su «odisea», de sus *memorias*: «Van para seis semanas que, por insinuación de Ramiro Estévanez, distraigo la ociosidad escribiendo las notas de mi odisea, en el libro de la Caja que el Cayeno tenía sobre su escritorio como adorno inútil y polvoriento.» A partir de este reconocimiento del momento presente el texto adquiere las características de un *diario,* cada vez más deshilvanado, con menos perspectiva y más inmediatez, hasta que el grupo se pierde en la selva. Este diario, incluso, podría dividirse en dos etapas: la primera, que sigue sucediendo en las barracas del Guaracú y va registrando los sucesos inmediatos, el relato en primera persona de Ramiro Estévanez y los cambios de ánimo de Cova, hasta que los protagonistas se fugan: «Hoy escribo estas páginas en el Río Negro (...) Desde ha tres semanas, en el batelón de la turca, huimos de las barracas del Guaracú (...) hago memoria de los sucesos aterradores que antevinieron a la fuga...» La segunda etapa del diario ocupa sólo las últimas páginas del libro. Corresponde al último trayecto del viaje y al relato más incoherente y acelerado, que se convierte así en una metáfora más de vértigo, vórtice, remolino y vorágine. Los últimos tres fragmentos, muy breves, de diario pasan a *carta* o a llamado de auxilio dirigido a Clemente Silva.

Al dividir así el relato, es evidente que la totalidad de lo que se podría llamar *memorias* más la primera parte del *diario* (el 95 por 100 de la novela) pertenecen a una situación narrativa en la que el narrador está ubicado en las barracas del Guaracú. Esta perspectiva es muy diferente, por ejemplo, de la que sobre su propio viaje puede tener el narrador de *El lazarillo de Tormes,* cínico y satisfecho, seguro de su situación presente, o de la de un típico cronista o viajero que escribe su relato cuando ha regresado a su vida normal y su recuerdo es testimonio y elaboración. Arturo Cova, por el contrario, está en medio del peligro, ante un futuro incierto. Sin caer en exigencias realistas ni buscar más verosimilitud de la que preocupó a Rivera, habría que indicar la importancia que tiene este periodo de decisión y de obsesión del narrador en la estructura de la novela: Cova escribe su historia siguiendo la cronología del viaje, que comienza con la salida de Bogotá. El mundo dejado atrás es recuerdo o deseo de futuro retorno. Pero la escritura tiene lugar en un momento difícil, después de experiencias no superadas, mientras esperan el rescate y mientras vive una conflictiva relación sexual con una mujer a la que teme, desea y desprecia. Escribe a escondidas, ocultando su verdadera identidad, junto a un amigo semiciego, en un libro de cuentas del caucho, simulando (¿deseando?) ser un gran conocedor y negociante de ese producto. Su escritura parece ocupar los momentos en los que no está haciendo el amor con Zoraida Ayram, reiterando así el antiguo paralelismo y oposición entre sexo y texto, formas de placer y de poder, tejidos de vida y de muerte.

El tono de desesperanza del momento de la escritura tiñe todo el relato, además de interrumpirlo convenientemente en fragmentos cortos, de enfoque y estilos precisos, que con frecuencia funcionan como un *collage* de diversos planos. Cova no lo cuenta todo, aun suponiendo que el lenguaje fuera capaz de reproducir en su totalidad la realidad vivida, y es consciente de sus elusiones: «¡Cuánta página en blanco, cuánta cosa que no se dijo!» A pesar de su aparente orden cronológico, el narrador elude, resume, hace digresiones, selecciona, corta y manipula su relato y el de los otros narradores, según sus propósitos. Es decir, nos da *su* versión, *una* versión, y no *la* versión, única e imposible. Las demás versiones se filtran así por las grietas de ese relato, minándolo y cuestionándolo: son las versiones parciales de los otros narradores, los datos y relatos entrecruzados e incluso la «intervención» del autor-Rivera ficcionalizado en el prólogo, que admite haber «arreglado para la publicidad los manuscritos de Arturo Cova», manuscritos que incluyen también la carta al cónsul de Manaos, de la que sólo aparece un fragmento al comienzo de la novela. Narraciones enmarcadas (Green, 1967 y Benso, 1975), niveles de narración, versiones, ambigüedades y contradicciones se combinan para que el efecto textual de la obra sea de *espesura impenetrable,* una metáfora más del referente *selva.*

El presente de la escritura del libro tienen otro efecto sobre el texto: todo el tiempo pasado aparece evaluado y en perspectiva hasta ese momento, pero a partir de la salida de las barracas del Guaracú y del viaje por el Río Negro, el tiempo, la concentración y la claridad mental del escritor parecen reducirse. Mientras la crónica se convierte en diario y los cortes aumentan, lo va dominando la inmediatez de la experiencia, hasta llegar al abandono final del último manuscrito, dejado como hilo de Ariadna, objeto literal y tácito del descubrimiento no ya de los personajes perdidos en la selva sino de esa laberíntica voz de Arturo Cova.

El hecho de que esta voz pertenezca a un personaje tan contradictorio es, además de la clave del éxito del libro, la posibilidad de su supervivencia: Rivera va desapareciendo como persona relacionada con su obra, su biografía y anécdotas pasan a ser datos de interés más histórico que literario, mientras que la voz de Cova, fragmentada y críptica, se mantiene y crece. Se ha convertido en la versión autorizada y desaforada de la selva americana, en el testigo de la atroz explotación de los caucheros, en el hombre enloquecido dentro de la selva, cárcel verde y *locus terribilis*. Hablamos aquí, pues, de literatura en su sentido más amplio, no sólo como hecho estético sino como formación de ideología: lo que Cova dice ha tenido y tiene gran impacto como forma de comprensión de América y como definición de una conciencia nacional.

La literatura latinoamericana del siglo xx se ha distinguido por el frecuente uso de primeras personas, ya sea como voces continuas o como construcciones polifónicas. Una de las funciones del uso de la primera persona es precisamente la creación de voces/personajes a los que todo les está permitido y mediante los cuales el autor se escuda y excusa para siempre. Si cuando se publicó el libro era frecuente confundir a Rivera con Cova, y viceversa, con el paso del tiempo Rivera va desapareciendo del texto, como personaje, y Arturo Cova, contradictorio y sospechoso, permanece con su voz rota.

El personaje: ruido y desolación

A partir de Cova-narrador y de su texto llegamos a Cova-protagonista. Este personaje, considerado con frecuencia como héroe nacional y defensor de los explotados y oprimidos, no sólo tiene rasgos de conducta patológica, como ha señalado la crítica, sino que, dentro de lo que según las convenciones literarias del texto sería su «sano juicio», muestra una peligrosa conducta hacia sus semejantes, producto no tanto de una patología individual cuanto de una ideología dominante que ni siquiera en la actualidad permite fácilmente una lectura crítica. (Cfr. Bull, 1948; Eyzaguirre, 1976; Filer, 1979; Williams, 1987.)

La evolución, o involución, de la mente de Arturo Cova ha sido uno de los elementos de la obra que ha preocupado a la mayoría de sus lectores. Cova muestra evidentes síntomas de demencia, que oscilan desde momentos de melancolía, de rasgos románticos, hasta alucinaciones, delirios, pérdida del sentido y proyectos criminales. Su conducta es inseparable de la lúcida voz que la relata y la juzga. No es el objetivo de esta introducción establecer un diagnóstico clínico de Arturo Cova, sino constatar una característica de gran importancia tanto en la creación del personaje-narrador como en la recepción de este aspecto de la obra. Es un aspecto integral de la creación del personaje y funciona como filtro y mediación.

La progresiva locura de Arturo Cova se ha interpretado de diversas formas. Por una parte, si se considera a Cova como figura romántica, su locura adquiere el «prestigio» decimonónico y literario de los escritores malditos y rebeldes. Por otra parte, se considera que Cova es víctima de un proceso de satanización. Al final de la primera parte, su risa carnavalesca, diabólica y consciente de serlo («¡En medio de las llamas empecé a reír como Satanás!»), respalda esta lectura, que lo presenta como un poseso, víctima de poderes externos e incontrolables, un actor en el carnaval. Esta interpretación implica la inocencia de Cova respecto a su propia conducta: él es un «hombre civilizado», y la culpa de sus cambios reside en el poder del mal, que lo posee y encadena. Sin embargo, el mal en la novela no es transitorio ni abstracto y se manifiesta, para Cova y para los lectores, en la naturaleza, la selva, la mujer, la tortura. Una tercera forma de interpretar la locura de Cova identifica la selva con su mente, y considera el proceso de Cova como un viaje hacia su propia vorágine. Esta lectura está respaldada estructuralmente: las crisis más agudas de fiebres, delirios, alucinaciones, catalepsia, dudas sobre su propio estado mental, comportamiento sádico, criminal o suicida, identificación física y simbólica con los árboles, tienen lugar en la selva y conducen a interpretar al medio ambiente como la causa de sus desvaríos. Por último, otra línea de interpretación considera que Arturo Cova trae consigo un mundo que proyecta, por el que destruye y es destruido: la «culpa» no es de la selva; la selva es el espacio en donde se revela y desarrolla lo que Arturo Cova era y es. La violencia que «lo gana», como dicen las famosas primeras líneas del texto, es por una parte su propia violencia y por otra la violencia que el hombre ejerce sobre sus semejantes, apoyado precisamente en la ideología que Cova contradictoriamente arrastra: una superioridad basada en su raza, clase, sexo, origen urbano e, incluso, en su condición de poeta, que supone una especial habilidad en el manejo del lenguaje, aunque lo que tenga que decir no sea sino ruido y desolación.

Ruido y desolación es, precisamente, la definición que Cova da de sí mismo en el fragmento de la carta que precede a la primera parte: «el destino implacable me desarraigó de la prosperidad incipiente y me lanzó a las pampas, para que ambulara vagabundo, como los vientos, y me extinguiera como ellos sin dejar más que *ruido y desolación*». Consecuencia del destino y del desarraigo, la relación metafórica Cova-viento desemboca en ruido y desolación, una definición que nos remite al sonido y la furia de Shakespeare y de Faulkner, es decir, al cuento contado por un idiota. Este viento es también otra forma de vorágine, remolino y tormenta. Pertenece a las fuerzas de la naturaleza y de lo inevitable, lo incontrolable, lo maléfico.

Sin duda Rivera desarrolla un personaje-narrador que se enfrenta a problemas mentales situados fuera del exclusivo ámbito lógico y consciente. ¿Cómo podría considerarse ese aporte, teniendo en cuenta la importancia que ha tenido en la literatura de los últimos dos siglos el manejo de la mente de los personajes? Las exploraciones de la conciencia se han convertido en materia propia de la literatura contemporánea: asociaciones, relaciones entre los procesos internos y las percepciones del mundo externo, formación de estructuras simbólicas, recreación de un lenguaje aparentemente incoherente pero repleto de significación, fronteras entre sueño y vigilia, entre vida y muerte, entre pensar y sentir, oscilaciones entre pensamiento y habla, paso de la conciencia de un personaje a la de otro, creación de lenguajes apropiados a diversas mentes y voces narrativas. Frente a eso, las recreaciones de los procesos mentales de Cova parecen ahora de una excesiva simplicidad y esquematismo narrativo, más cercanas a las digresiones y exploraciones psicológicas de los siglos XVIII y XIX que a las complejas telarañas que Virginia Woolf, Proust o Joyce escriben precisamente en la misma época de Rivera. Sin embargo, la transparencia presurrealista y prefreudiana de Arturo Cova tiene su propio encanto y proporciona muchos datos sobre el lector del momento y sobre la época. Identifica sobre todo lo que llegó a considerarse como un héroe colombiano de la década de los años 20, y que hoy podemos acompañar no sólo en su viaje sino en sus deseos y fantasías, parte integral y determinante de su trayecto externo.

El mundo interior de un personaje que habla en primera persona es intrínseca y estructuralmente inseparable de lo que tradicionalmente se considerarían los eventos o las acciones del relato. Su habla es acto, y actos son también sus sueños, fantasías y deseos, que no terminan cuando comienza la «acción» narrativa. Especialmente en el caso de Arturo Cova, sería imposible, además de inútil, tratar de enumerar las múltiples referencias a su mundo interior, que como ya mencioné anteriormente se hacen más evidentes y desmesuradas en las alucinaciones y delirios de la última parte del libro. Haciendo esta salvedad, mencionaremos brevemente el primer sueño y las fantasías contadas por Cova en la primera parte de la novela. Pertenecen a un momento de la narración en el que el personaje está sin duda «lúcido» y aún no ha sido víctima de la selva o del mal. Desde la perspectiva de la narración, muestran las mediaciones y manipulaciones del material narrativo. Delatan asimismo la relación del personaje-narrador con su lector implícito, una proyección de su propio yo que comparte su visión del mundo y con quien no se avergüenza de lo que escribe, piensa, sueña y desea.

Como recurso artístico de la literatura occidental, que Mijaíl Bajtín encuentra a partir de la sátira menipea, los sueños permiten la aparición del mundo especular y del gesto histriónico. Por medio de sueños un personaje delata sus mejores y sus peores posibilidades. Los sueños, las fantasías y los relatos de leyendas son descripciones carnavalescas, ofrecen pistas para descubrir a los personajes, ayudan a la ambientación e integración de espacios pasados y futuros, y funcionan como anticipación (luego realizada o fallida) de acontecimientos posteriores. El sueño genera máscaras que encubren más que descubren y que permiten lecturas sin fin.

El primer sueño de Arturo Cova, descrito en detalle, tiene lugar poco después de llegar a la fundación La Maporita, con su primer guía, don Rafo, cuando Cova ya ha conocido a las personas que serán los personajes claves de la historia y ya ha oído hablar de los hechos que más influyen en la vida de la región. Griselda ha impresionado a Cova con su presencia y conversación. Ella es quien menciona a Barrera y define las caucherías como la oportunidad económica para todos. Fidel está en Hato Grande, y se alude a la presencia de Clarita en el Hato. Griselda y Alicia se hacen amigas, pasa gente de Barrera, regresa Fidel con el mulato Antonio Correa, hijo de la vieja Sebastiana. Fidel confirma la deserción del Hato, que significa «trabajo», hacia las caucherías, que representan «oro fácil». Hato Grande y su dueño Zubieta están en decadencia, bajo la doble amenaza de Barrera (corrupción) y de los indios (asaltos y destrucción). De estas experiencias y sensaciones inmediatas surge el sueño de Arturo Cova, presentado sin equívocos en estilo indirecto: «Soñé que Alicia iba sola, por una sabana lúgubre, hacia un lugar siniestro donde la esperaba un hombre que podía ser Barrera» (pág. 111).

Es un sueño desapacible y angustioso para el personaje, que despierta «agitado y sudoroso», «como a las nueve de la mañana», muy tarde para el ritmo de vida de Los Llanos. Por su doble función de descubrimiento del personaje y anticipación narrativa, se pueden subrayar los siguientes elementos: Cova está proyectando la pareja arquetípica Alicia-Barrera, antes de que Barrera haya entrado en escena. Barrera, a quien Sebastiana define como «una oportunidá», aparecerá poco después, como encarnación de los deseos de Cova: «Ahí ta don Barrera. ¿No lo quería conocé?» Cova anticipa que Alicia se irá y que se irá con otro, mientras él la espía sin poder actuar: ésta no es sólo la versión de Cova sino la lectura tradicional de *La vorágine,* impuesta por su narrador, pero en contradicción con los acontecimientos que el mismo narrador nos relatará posteriormente. En el sueño no trata de detener a Alicia sino de atacar al seductor. Cova envidia y desea la sexualidad de los otros hombres, en este caso no sólo la de Barrera sino la de Correa, a quien en la página anterior había descrito con admiración por sus músculos, pantorrillas, espalda y fornido pecho, comparándolo a «un ídolo indígena», que tradicionalmente representaría lo pagano y los excesos prohibidos. El símbolo fálico de la escopeta del mulato se convierte en sus manos en una «serpiente helada y rígida», que no dispara, impotente, y que en su metamorfosis articula la vida y la muerte e introduce el mal y la caída bíblica en la percepción de la fauna y la flora tropicales. Don Rafo, la figura paterna, lo llama y califica la situación de irreversible.

En la segunda parte de la versión del sueño, Griselda está unida a sus ambiciones sexuales y económicas. De ella emana el caucho, como leche, sangre y vida, pero también como líquido repugnante y venenoso. Franco aparece como una mezcla de Caronte, puerta del infierno y Moisés con las tablas de la ley. Los árboles con sus secreciones (el olor del caucho puede ser repugnante y el látex que escurre al sangrar la corteza es pegajoso y se coagula) están identificados con la mujer y son causa de la muerte de los hombres, aún antes de conocer la verdadera situación de las caucherías. Cova se ve a sí mismo traficando con la muerte (exporta calaveras), causada por el caucho-árbol-mujer. El río, metáfora tradicional del transcurso de la vida, está teñido de oscuridad y transporta muertos, otra imagen recurrente en la novela. Por último, ve a una Alicia-Eva seducida y avergonzada de él, como de Dios, en un jardín del Edén degradado y oscuro, en donde brillan «luciérnagas colosales», variaciones de la selva distorsionada y antropomórfica que describirá más adelante, y de los gusanos verdosos que ya habían asustado a Alicia. Su arma final, la hachuela de cauchero que en la novela Arturo Cova nunca empleará, sirve en su sueño para herir a uno de los árboles de este Edén carnavalizado, que además de caucho es genitalidad femenina, una araucaria de frutos morados. La pesadilla termina ante la identificación y el desdoblamiento de Alicia en árbol desangrado y en parásita, la flor sexual por excelencia que a Cova claramente seduce y repugna, como dirá luego en una de sus más famosas descripciones de la selva: «Aquí, la parásita afrodisiaca que llena el suelo de abejas muertas; la diversidad de flores inmundas que se contraen con sexuales palpitaciones y su olor pegajoso emborracha como una droga...» Muerte, inmundicia, viscosidad, embriaguez y droga son para Cova parte integral de la sexualidad.

Como núcleo de elementos simbólicos y carnavalescos del personaje y de la novela, este sueño seguirá proporcionando interpretaciones y sentidos, manteniendo siempre un sugerente nivel de hermetismo y de impenetrabilidad. Es el primer encuentro con la selva imaginaria y combina el impulso que le da a la narración (por ser una especie de sueño-predicción-oráculo) con la inmovilidad que le impone el mundo interior de Arturo Cova, especie de campo magnético que impide la huida.

Si tal vez Rivera no podía ni sospechar toda la significación de un sueño, y sus elementos surrealistas tenían exclusivamente la atracción de las sugerencias y de las metáforas sin analogías, las fantasías que pone en boca de su personaje son una forma directa de caracterización, que le dan al lector la clave del mundo de Cova. En la segunda y en la tercera parte, sus fantasías estarán más relacionadas con sus ansias de venganza contra Barrera, con el rencor contra Alicia, que le hace desear su degradación, y con sus planes de convertirse en el defensor y la voz de los explotados. Las de la primera parte ocurren en momentos en que el personaje aún controla su espacio y está mentalmente más cerca del mundo de donde viene, el mundo de sus lectores implícitos, a los que hace cómplices de sus deseos.

La primera fantasía ocurre inmediatamente después de la decisión de asociarse con Franco para comprarle ganado a Zubieta, con la esperanza de hacer una cuantiosa ganancia. La segunda plasma su deseo de reconciliación con Alicia, después de sus días en Hato Grande, y describe sus ambiciones futuras. La tercera está estrechamente relacionada con la anterior y consiste en una descripción de la imaginada visita de Alicia. Más que pura fantasía, mezcla en esta última sus expectativas e imaginaciones con la posibilidad inmediata del reencuentro. Las tres se combinan para darnos una visión muy clara de lo que Cova espera de la mujer, de lo que ambiciona de la vida, de la presencia de lo literario en su imaginación y de su conflicto con la realidad que vive y con lo que él es. No hay duda, al leerlas, de que nos introducimos en la mente de Cova: con una técnica que ahora nos parece anticuada, el narrador nos indica claramente ese paso. Así como anteriormente había precisado «soñé que» para comenzar a relatar su sueño, en el caso de las fantasías también nos avisa antes de empezar: «abrió mi fantasía las alas»; «tuve deseos de». A diferencia del sueño, que pertenece a lo sucedido, en discurso indirecto y verbos en pasado, en las fantasías usa condicionales y formas verbales que nos sitúan en el mundo de lo posible e hipotético.

Las profundas contradicciones que existen entre las fantasías de Arturo Cova y la realidad que lo cerca son parte de los grandes aciertos de Rivera. Nada puede ser más irónico, por ejemplo, que encontrarse con que Alicia, en lugar de ser madre comprensiva, amante devota y desfalleciente dama medieval, decide abandonarlo, después de muchas lágrimas, porque se cansó de sus infidelidades. Críticos y lectores acompañan a Cova en su ira y despecho ante la huida de las mujeres, en su persecución y venganza. Pocos han señalado el proceso de Alicia, claramente planteado por Rivera y su narrador. La lectura tradicional de *La vorágine* nos ha transmitido la versión de que Alicia huye a la selva con Barrera, el rival de Arturo Cova. El personaje-narrador sueña, imagina y teme repetidas veces que eso suceda. Su imaginación y su mundo interior logran imponer en los lectores esta versión, que contradice los acontecimientos que él mismo nos relata. La ambigüedad entre lo que Cova imagina y lo que registra como sucesos, entre lo que piensa, lo que dice y lo que hace, es precisamente uno de los grandes logros del texto y una característica que enriquece la lectura, porque la consistencia de la incoherencia del narrador permite leer lo que él no sabe, ni sobre sí mismo ni sobre el mundo que lo rodea.

Más que huida, el viaje de Alicia y Griselda a las caucherías es un intento, tan fallido y doloroso como el de los hombres, de ser económicamente independientes: «nos vinimos solas donde pudimos: ¡a buscá la vida en el Vichada!», dice Griselda. De distintas formas, tanto Franco como Cova habían demostrado estar cansados de sus compañeras y ni el «vengavenga» que Griselda le echa a Fidel (y que Cova en su egolatría cree que es para él) logra recuperarlo. Griselda no está equivocada en sus percepciones. El cansancio es tan real, en la ficción, que en el viaje Franco cuenta a Cova sus secretos propósitos de dejarla. El verbo que Franco y Cova usan para referirse a la separación de sus compañeras es «repudiar». Existe un enorme abismo entre el tratamiento caballeresco que Arturo Cova da a Alicia en su imaginación y la incomunicación, distancia y trato despectivo que muestra ante la compañera. Es la otra Alicia, la que él no conoce ni tolera, la que se va con Griselda a trabajar en las caucherías, no a venderse como prostituta ni a ser la amante de Barrera. Griselda, incansable y organizada, había pensado en cocinar para los trabajadores: «Ayá voy a poné asistencia pa las peonáas. ¡Supóngase cuánta plata cogeré con el solo amasijo!» Las mujeres se ven envueltas en el mismo mundo de terror y esclavitud que acosa a los débiles, pero el punto de partida de su viaje es un deseo de autonomía.

ALICIA Y GRISELDA: LA SEMILLA EN EL VIENTO
Y EL TIZÓN ENCENDIDO

La relación entre Alicia y Griselda es un extraño ejemplo de solidaridad femenina en un mundo que debería haberlas convertido en rivales y dentro de un relato misógino que nos transmite esa información sin saberla interpretar. Con Alicia, *la semilla en el viento* (como la define el narrador en el cuarto capítulo de la novela), apta para ser fecundada y redimida por la maternidad que Cova (el viento) le otorga, se abre y se cierra el viaje y el relato que lo sostiene. La novela comienza con la huida de la pareja de Bogotá y termina con el grupo que se interna en la selva. Alicia, sin embargo, se ha visto como un personaje ausente, excusa y motivación de un viaje que se convierte en significativo a pesar y por encima de ella, en cuanto como mujer y personaje desaparece para dejar paso al verdadero enfrentamiento viril: el hombre contra la naturaleza. En realidad, Alicia está presente como compañera de Arturo Cova sólo en las primeras páginas (en muchas de éstas ni siquiera se menciona), hasta que Cova deja la fundación La Maporita. Luego pasa a ser personaje latente, mencionado y vivo con diversa frecuencia e intensidad en las mentes del narrador, de los personajes y por consiguiente en las de los lectores.

Su presencia sin embargo es mucho más que excusa para la direccionalidad de la narración y de sus espacios. El hecho de ser ella el tema que tienen en común el sueño, las fantasías y el delirio vesánico de Cova, nos dice mucho sobre la tensión que en esta primera parte se establece entre la mente que focaliza y el sujeto focalizado. Alicia en la literatura colombiana significará la mujer que no logra dejar huella porque Cova no le da espacio en su vida y no puede transmitirla como compañera sino sólo como parte de su mundo imaginario. Pero sin entrar ahora en un análisis detallado del personaje, se pueden señalar algunos aspectos que sólo surgen si se lee desconfiando de las versiones superficiales y los comentarios del narrador y tratando de interpretar los datos que él no interpreta: Alicia, por ejemplo, fue extremadamente sincera con Arturo. Había escogido según su corazón y sin estar interesada ni en el dinero ni en el matrimonio como institución. Le contó su amor adolescente por un primo suyo, y debió haberse enamorado de Cova cuando estaban tratando de casarla por dinero con un viejo terrateniente. Su relación con Cova debió ser bastante evidente y rebelde, hasta que su familia planeó casarlos a la fuerza. Ella se opone a esa solución y cuenta a Arturo los planes de sus parientes, que luego la echan de la casa y deciden perseguir y encarcelar a Arturo.

Apenas comenzado el viaje a Casanare Arturo Cova se ha cansado de su compañera y de ahí surge la continua presentación de Alicia como víctima llorosa. Respecto a este tema habría que señalar que afortunadamente son muchas las lágrimas que se derraman en este libro y la mayoría son de hombres, ante sus recuerdos, sus desgracias o sus impotencias. Pero las lágrimas masculinas son dignas y viriles, y sólo las de Alicia están descritas con impaciencia y desprecio. Es evidente, a pesar del narrador, que el acorralamiento adonde la van llevando sus decisiones y el deterioro de la relación son los motivos de las frecuentes lágrimas e irritabilidad de Alicia, que por otra parte sigue mostrando percepción y fuerza. Las infidelidades de Arturo son el mayor motivo de fricciones, desde la parada en el trapiche, al comenzar su viaje. En una típica confidencia entre hombres, Cova cuenta a don Rafo que no está enamorado de Alicia, además de otros detalles de su relación con las mujeres y del vacío que le dejan. Alicia los oye y su silencio muestra su creciente desilusión y soledad. Su educación sentimental termina en ese momento, y seguirá su aprendizaje de superviviente, con la ayuda de Griselda. Las infidelidades de Arturo continúan: Alicia se da cuenta de su relación con Griselda y recibe luego noticias de su conducta con Clarita. Cova oculta que no están casados cuando aparenta ser un gran señor, pero usa su independencia en contra de Alicia cuando le conviene. Las versiones que da sobre el físico de Alicia son también contradictorias: cuando no la quiere o la desprecia la ve fea, cuando la idealiza la ve bella. La desea sólo cuando otros hombres la cortejan o alaban, con un deseo mediatizado y no espontáneo: nunca le atrae tanto como cuando imagina una relación sexual entre ella y Barrera, exactamente igual a lo que le sucede a Fidel respecto a Griselda. Para muchos Alicia es atractiva: para el viejo terrateniente que insiste en casarse con ella, para el general Gámez y Roca, que trata de seducirla, para Griselda, que la admira desde que la conoce, para Barrera y Correa. Cova es el único que parece no entender en qué consiste el encanto de una Alicia que no debe adecuarse a los cánones de belleza de principios de siglo: «En verdad no es linda, mas por donde pasa los hombres sonríen.»

Alicia encuentra una posibilidad de comunicación y solidaridad con Griselda, que la cuida cuando está enferma, a quien Alicia le enseña a coser, con quien se mantiene «en roce constante» y con quien aprende a disparar. La Alicia que según Arturo «encuentra distracción en practicar lo que le enseñaron en el colegio» cambia la costura por el tiro al blanco. Ante el escándalo de Cova, Griselda responde: «¡Es que las mujeres debemos saber de tóo! Ya no hay garantía ni con los maríos» (pág. 237). La solidaridad entre Griselda y Alicia prevalece sobre la conducta despectiva y disociadora de Arturo, que niega incluso su propio comportamiento y la relación que establece con Griselda, relación que tampoco deteriora la amistad de las dos mujeres. Antes de ser aplastada por la soledad y por la selva, Alicia crece, aprende, se adapta. A diferencia de Cova, ella se integra en el nuevo ambiente y disfruta (sin imágenes cultas ni idealizaciones) la aurora, la doma de potros, su nueva amistad. La capacidad de cambio y evolución de Alicia está resumida en una compleja descripción del narrador, que deja filtrar la misma información que rechaza: «Y de esa mujer sonriente y salvaje había hecho Alicia su asesora, su confidente. En su alma reconcentrada e inexperta iba desarrollándose un carácter nuevo, bajo la influencia peligrosa de la amiga.» La amistad es positiva para ambas, aunque la que más tiene que aprender en este nuevo mundo es Alicia. Con Griselda se hace más fuerte y más independiente: un Arturo que evoluciona con lentitud contempla el desarrollo de este «carácter nuevo» con la misma sensación de impotencia y horror que le produce la selva.

Griselda, «esa mujer sonriente y salvaje», es un fascinante personaje que Arturo Cova compara a *un tizón encendido,* cuando ella muestra a Alicia una tela roja para hacer un vestido. Es la mujer fuerte capaz de trabajar en cualquier tarea, de contestar y replicar con agudeza, de matar y de arrepentirse, de amar y de defenderse tanto a ella misma como a la gente que quiere. Ella acompaña y reeduca a la colegiala bogotana: «la enseñé a amarrarse las naguas, a sabé portarse». Con una botella rota Alicia le corta la cara a Barrera, y después de eso él las separa por la fuerza, separación que Arturo no había podido lograr con sus órdenes. Barrera no puede vender a Alicia porque preñada no sirve para trabajar, dato que le cuenta Griselda a Cova y que éste transmite a Ramiro Estévanez: «No tomes a mal que sea mi querida; hoy es sólo una madre en espera de su propio milagro. (...) Nadie la compra porque está encinta. ¡Desde el vientre materno mi hijo la ampara!»

La semilla en el viento deja de ser mujer para convertirse en un vientre fecundado. Así, el reencuentro de Arturo y Alicia en la tercera parte es un final perfectamente adecuado a la relación. Cova llega a buscar a Barrera ignorando a Alicia. Cuando al fin la ve no le habla, sólo le mira el vientre: «En tal momento me había olvidado de buscar a Alicia. La niña Griselda la tenía abrazada al cuello y yo me detuve sin saludarla: ¡sólo quería mirarle el vientre!» Son las dos mujeres las que se abrazan, como contraste. Cuando Cova regresa a buscarla después de matar a Barrera (a quien en realidad devoran los caribes) lo hace para mostrarle el esqueleto del famoso rival, en un gesto más de venganza y sadismo, con el que comienza el parto de Alicia. Su hijo sietemesino es inmediatamente propiedad única de Cova, que usa el posesivo en singular y no en plural: «*Me* lo llevaré en una canoa por estos ríos, en pos de *mi* tierra»; «¡Pueden contagiar a *mi* hijo!». Este hijo es la última excusa para la falta de solidaridad de Cova (Franco, página 145), que decide «guarecerse» en la selva para huir del grupo de apestados colombianos que solicitan su ayuda. La precaria situación del grupo de Cova no les permite una excesiva generosidad, pero el acoso final de esa nave de locos en busca de puerto convierte el final de la novela en un nudo de soluciones literarias y carnavalescas, inexplicable con argumentos extratextuales.

La entrada en la selva tiene rasgos de procesión ritual, en la que irónicamente Cova es el sacerdote que se ha apropiado del objeto sagrado. Cova da órdenes y escribe mientras los demás trabajan; Franco y Helí llevan como siempre el peso de lo que le correspondería cargar a Cova, incluyendo las consecuencias de sus decisiones. La procesión se cierra con los dos perros que los han acompañado durante toda la ruta y que simbólicamente representan dos de los imanes de esta vorágine: el dinero y el alcohol, Dólar y Martel. Griselda sigue relacionada con la nutrición y el sustento hasta en su última aparición; Alicia es un cuerpo débil y vacío, sin voz ni palabras desde que reaparece, madre sin leche y sin hijo. A ella la devoran la selva y Arturo Cova.

El texto y la mente de Cova articulan una visión dominante y patriarcal del Otro, que en la novela aparece como la selva, como el indígena o como la mujer. Sin embargo, las contradicciones, elusiones y ambigüedades entre Cova-narrador y Cova-personaje esconden lecturas fascinantes e inesperadas, como la de la espesa red de relaciones que Griselda y Alicia generan. Y lo sabemos por Arturo Cova, porque el delator, la voz, arrastra al actor.

Los indígenas: brasas entre las espumas

Uno de los aspectos que ha pasado más inadvertido dentro de la obra ha sido el tratamiento que como narrador da Cova a los indígenas y su comportamiento con ellos como personaje. Existe un mundo indígena como telón de fondo de la obra, habitantes del llano y de la selva que son mencionados en múltiples referencias de diversa importancia dentro de la novela. En general son seres anónimos e idénticos entre sí. Muy pocos se identifican y detallan, y cuando eso ocurre es para describirlos con repugnancia y desprecio. Un personaje en especial, el Pipa, que funciona como mediación entre el mundo de Cova y el mundo indígena, está presentado como ladrón, mentiroso y traidor, desvalorizando sus funciones de guía e informante.

Al analizar la forma en que Cova narrador y personaje se aproxima al mundo indígena, se hace evidente que, como representante y vocero de la cultura dominante, su perspectiva es parcial, incompleta y muy ambigua. No hay duda alguna de que Arturo Cova se considera superior por raza, educación, lengua, sexo y origen urbano a todos los que le rodean, y eso se refleja especialmente con los indígenas. El gran defensor del indio explotado en las caucherías es en el fondo un triste remedo del conquistador y colonizador europeo. Lo significativo de la narración, sin embargo, consiste en que transparenta las contradicciones del narrador. El tratamiento que Cova da a los indígenas es una manera más de delatarse.

En la primera parte se mencionan los indios guahibos como una amenaza a la vida de las haciendas, amenaza comparable a la de Barrera. Barrera corrompe y se lleva a los vaqueros con la promesa del fácil oro negro de las caucherías. Por su parte los indios matan reses y asaltan fundaciones y Fidel Franco está decidido a defender su hacienda, La Maporita, y matarlos a tiros, estilo oeste americano. Cuando Correa comenta que no piensa ir a las caucherías porque ahí no se puede andar a caballo por espacios libres, su madre, la vieja Sebastiana, mulata que se identifica como llanera y no como colombiana, añade que los montes, es decir, la selva, son «pa los indios». Su hijo explica que a los indios también les gusta el llano y describe una cruel situación de ataque, venganza, persecución y canibalismo entre indios y llaneros. Cova responde a Correa con una frase que muestra su respeto teórico por la vida ajena: «¿Cazarlos como a fieras? ¡Eso es inhumano!» Sin embargo esta actitud, que parece indicar una crítica a la violencia y a la muerte, quedará invalidada cuando sea él quien los trate como animales. Una matanza de indígenas, al final de la primera parte, está descrita sin ningún tono de denuncia por parte del narrador.

En la segunda parte, el mundo indígena es aún más cercano que en el llano. Durante el viaje a través de la selva, el Pipa los guía y los lleva a tribus que les proporcionan alimento y lugares de descanso más seguros que la selva cerrada. Al comenzar el viaje rumbo al Vichada, el Pipa los conduce a una tribu guahiba, en la orilla del Meta, después de la desembocadura del Guanapalo. Según Cova, era una tribu «semidomada, que convino en acogernos, a condición de que admitiéramos el guayuco, respetáramos a las pollonas y les ordenáramos a los wínchesters "no echar truenos"». Es decir, en sus tres peticiones está resumido el conflicto: el blanco impone su forma de vestir, viola a las mujeres y dispara para matar o por placer. Si una tribu que admite a los extraños e impone esas condiciones es una tribu «semidomada», habría que preguntarse qué significa para Arturo Cova una tribu completamente domada: ¿la que no impone condiciones a su conducta?

Mientras el narrador-personaje piensa en paisajes inmensos, despedidas de palmeras, crepúsculos de «ópalo y rosa» proyectados en el momento futuro de su agonía, mientras se compadece por su destino de expatriado y de condenado a muerte y se reconoce «indefenso y solo», caballero ya sin montura que devuelve a las pampas su caballo, el Pipa ha hecho los arreglos necesarios con cinco indígenas para bajar por el río en su canoa. De nuevo el narrador los describe como presas de caza temerosas ante los perros, aunque no puede dejar de admirar, una vez más, el físico masculino, mezcla de hombre y de animal.

Como predicción de muerte y como imagen del viaje mítico al infierno, no hay lector que pase por alto la precisa comparación de la canoa con su ataúd, que más tarde incluso se incorporará al lenguaje de los otros personajes. Serán indígenas, sin embargo, los que perecerán con la curiara. Las canoas pertenecen y están manejadas por los indígenas, para quienes son parte del medio ambiente, cuyas limitaciones conocen. Cova y su grupo se apropian del transporte y de los remeros, y transforman el significado y sentido cultural de río y embarcación en el símbolo de su propio viaje interior, autocomplaciente y sin sentido. La canoa se convierte así en ataúd y el río en camino hacia la vorágine, «el vórtice de la nada».

La forma en que Arturo Cova describe su permanencia en el bohío y sus relaciones con los indígenas no deja dudas sobre su mentalidad de arrogante conquistador, ciego a todo lo que no sea su propia cultura. Como en las mejores crónicas de la Conquista, lo que revela sobre sí mismo es mucho más significativo de lo que capta y puede revelar sobre el otro. A este otro, Cova se le acerca cargado de prejuicios y se alejará sin haber cambiado ni aprendido nada. Su ganancia es la del conquistador: logra deslumbrarlos y engañarlos, probándose a sí mismo, de esta manera, la exactitud de lo que para él son juicios y no prejuicios. Su visión es parcial, incompleta, deformada, pero se presenta en la obra como la voz de la justicia y de la verdad. Es innegable que en partes de la novela censura el trato inhumano que se da a los indios, pero no sobra mostrar el otro lado de este defensor de los explotados, un lado que revela su propia capacidad de explotación del ser humano y de disfrute del mal ajeno, características que a veces lo asimilan más al mundo de la Casa Arana que al de los que luchan contra sus crímenes. Cova está hecho de grietas, tales como la falta de un proyecto real en contra de la explotación, su incapacidad para combinar ideales abstractos sobre la dignidad del ser humano con la experiencia concreta y cotidiana, la imagen inflada que tiene de sí mismo frente al resto del mundo, su compromiso y dependencia con una ideología dominante que transmite e impone agresivamente, a pesar de que quiere combatirla.

El discurso de *La vorágine* delata el desprecio de Cova por los indígenas, hombres y mujeres, que se resume en la frase «porque aquellas tribus rudimentarias y nómades no tienen dioses, ni héroes, ni patria, ni pretérito, ni futuro». El desprecio y la hostilidad son mutuos, pero como Cova parece no tolerar la resistencia del que él considera débil e inferior, su objetivo es la conquista de algún ascendiente dentro de la tribu. Por fin lo logra, en otro de los episodios que lo muestran como un arrogante conquistador de leyenda. La base de su éxito está en el engaño, que no es censurado cuando él lo ejerce. El episodio está relatado en la segunda parte, como prueba definitiva de la ignorancia y superstición de los indígenas y de la superioridad de su ingenio. La situación narrativa se plantea así: Arturo Cova había traído del garcero, escondidos, dos patos grises. Cuando uno muere, el cacique entra en aparatosa agonía porque, según le explica el Pipa, su alma reside en ese animal: «me advirtió nuestro informante que las almas de aquellos bárbaros residen en distintos animales», dice Cova usando directamente la palabra «bárbaros». Cova-protagonista se apresura a sacar el pato vivo, el cacique se recupera y Cova logra el anhelado reconocimiento de su falsa superioridad, superioridad de la que él parece convencido: «El pueril incidente bastó para acreditarme como ser sobrenatural, dueño de almas y destinos. Ningún aborigen se atrevía a mirarme, pero yo estaba presente en sus pensamientos, ejerciendo influencias desconocidas sobre sus esperanzas y sus pesadumbres.» Esto no distingue mucho a Arturo Cova de los opresores de las caucherías. Como ellos, su deseo de poder incluye la apropiación de seres humanos.

Antes de que el narrador entre en las denuncias sobre la explotación a los indios en las caucherías, dos ejemplos más, en la segunda parte, proporcionan información sobre lo que representa el mundo indígena para el conquistador blanco. El primero es la leyenda de la indiecita Mapiripana, relatada por Helí Mesa. Esta leyenda es uno de los núcleos más importantes de la novela: en ella confluyen el imaginario popular, el relato inserto y distanciado de Helí Mesa, las versiones sobre la mujer y sus poderes, sobre los conflictos de culturas, sobre la religión, la magia, la creación, la fertilidad, la selva y las aguas devoradoras. Se articula así la selva con el mundo indígena y con el mundo femenino.

También en la segunda parte aparece uno de los episodios más crueles y menos analizados en su contexto, la muerte de los dos indígenas maipureños que acompañan a Helí Mesa y que se habían unido al grupo de Cova, Franco, Correa, el Pipa y los dos guahibos. Cova los describe con su característico desprecio cultural y con su rítmica y envolvente prosa, comparándolos de nuevo con mudos animales, en este caso tortugas y patos. La perspectiva del narrador coincide con la del grupo de hombres blancos que actúan como jefes de la expedición (Cova, Mesa y Franco) y se ven amenazados por la traición de los indios y del Pipa, que quieren escapar con la canoa. Lo irónico de la situación consiste en que la canoa era la «única hacienda» de los indígenas, que «ansiaban tornar a su río», rogaban les permitieran regresar, y se resistían a entrar al Inírida por temores reales. El Pipa comparte sus miedos y, acusado de cómplice, es amenazado de muerte por Cova y azotado por orden suya. Cova como narrador sigue proporcinándonos doble información y, aunque su perspectiva literal y superficial nos dice que él tenía la razón, deja filtrar la información contraria: el horror de los indios, la propia violencia de Cova y la forma en que éste los mantiene amenazados y presos. Es decir, Cova impone el terror.

Remontando las orillas de cascadas y «vórtices», la curiara cae en un «torbellino ensordecedor». Y en ese momento se desarrolla la escena de la muerte de los dos indígenas maipureños que inútilmente tratan de recuperar la embarcación. Esta muerte no es accidental ni causada porque ellos hubieran querido recuperar su canoa, sino provocada por quienes les obligaron a seguir una ruta que ellos temían y les ordenaron, amenazándoles con revólver, que bajaran a recuperar la embarcación. Los indígenas desaparecen en la vorágine ante la mirada fascinada y la poesía incontrolada de Cova, que necesita el dolor ajeno para sentirse artista: «Los sombreros de los dos náufragos quedaron girando en el remolino, bajo el iris que abría sus pétalos como la mariposa de la indiecita Mapiripana.» Después de la muerte de los maipureños y la discusión de Cova y Franco, el Pipa y los guahibos se fugan, por la noche, ocasionando de nuevo los reproches de traición de los que se sienten abandonados. La información que filtra Cova nos dice claramente que el Pipa y los indígenas huyen de ellos para evitar una muerte igual o peor que la de los maipureños y para escapar de la violencia de Cova y de sus compañeros, muy similar a la de los temidos explotadores de las caucherías.

La muerte de los maipureños y la huida del Pipa y los guahibos significa que el grupo queda indefenso ante la selva. La selva que devora, la selva enemiga, es la selva del blanco, a la que transfiere sus propios deseos de destrucción y explotación. El indígena vive integrado a ella y su adaptación se basa en el conocimiento de su mutuos límites. Por eso, por haberse negado a oír las advertencias de la gente de la selva, Cova está perdido cuando se escapan los indígenas. El grupo está remontando el Inírida, rumbo al istmo del Papunagua, pero de ahí en adelante ninguno conoce la ruta hacia el Isana. Lo único que los salva, o por lo menos permite que su viaje continúe, es la aparición de una figura paterna, Clemente Silva, que los acompañará en su recorrido.

Sin embargo, antes de mencionar algunas de las importantes mediaciones que Clemente Silva realiza en el texto respecto al espacio y al mundo indígena, haré un breve recuento de las características y funciones llevadas a cabo por el Pipa. Más que en un conocimiento del Pipa como personaje, estos datos revierten en la voz rota de Arturo Cova y en su limitada perspectiva cultural: el Pipa está muy cerca del mundo indígena y selvático, que en la obra se identifica con lo desconocido y con la traición. Es el segundo de los tres guías de Arturo Cova, entre don Rafo y Clemente Silva, dos figuras paternas. Se sitúa como mediación entre los viajeros «civilizados», los indios «bárbaros» y su medio ambiente «salvaje». Así, está presentado con los peores rasgos del estereotipo del indio salvaje: ladrón, mentiroso, adulador y traicionero. En la segunda parte cuenta a Cova su vida y difícil supervivencia, relato que Cova transmite como discurso narrado o indirecto libre, con desconfianza y sin mucha admiración. Unos indios lo salvan cuando los blancos iban a matarlo, aún adolescente, por un crimen cometido en un hato de Los Llanos. Vivió veinte años en las selvas con diversas tribus, compartiendo su vida de caucheros y siendo en otras oportunidades su jefe guerrillero o su despiadado capataz.

Aparece por primera vez al comienzo de la novela, con características de pícaro de novela clásica: se llama Pepe Morillo Nieto, es locuaz y adulador y es el primer personaje de la obra que conoce el Llano y las caucherías del Amazonas. Varias veces Cova nos recuerda que después de esta breve aparición desaparece robándole el caballo ensillado. Lo que no se recuerda es una típica actitud de Cova-personaje: se deja seducir fácilmente por la locuacidad del hombre e inmediatamente hace alianza con él, el primer extraño, a espaldas de su compañera: «Cuidado con hablarnos de Casanare en presencia de la señora —le dije en voz baja—. Siga usted conmigo y en la primera oportunidad me da a solas los informes que puedan ser útiles al Intendente.»

El Pipa reaparece al final de la obra, en la última parte, prisionero entre un grupo de indios del Cayeno. En estas condiciones le hacen identificar a Cova y sufre uno de los más horribles castigos descritos en la novela, la mutilación de sus manos. Ya al final de la primera parte había sido amenazado de castración, como el supremo castigo por sus fechorías. Como imagen desplazada, sus muñones sangrantes son la tortura final para este personaje que trató de vivir entre dos culturas, traicionando a ambas. Por supuesto, el castigo que sufre no está directamente causado por Cova. Pero como en el caso de Millán y sus destrozadas mandíbulas de risa sola («esa risa sin rostro y sin alma»), parece que el Pipa perteneciera al grupo de seres castigados por un destino que con frecuencia está de parte del narrador y acaba con sus enemigos con muy poca intervención suya.

Las cualidades de orientación y supervivencia del Pipa en la selva no son alabadas o apreciadas como en el caso de Clemente Silva, que las adquirió y asimiló hasta en su nombre (selva clemente), sino que se perciben como una característica animal e innata. Sus estrechas relaciones con los indígenas serán siempre motivo de sospecha y nunca se valora su conocimiento de ese mundo. Cova llama «jerigonza» a las lenguas indígenas y desprecia el papel de intérprete que juega el Pipa: «nos transmitía la traducción de la jerigonza». Le gusta ir desnudo o con guayuco, lo que a Cova le inquieta profundamente, como todo lo que tiene que ver con el cuerpo. Cuando el Pipa se droga con yagé, Cova hace una de sus descripciones más ambiguas y contradictorias, tratando de disimular su creencia en las virtudes de la planta y en las habilidades de médium del Pipa, pero insiste en preguntarle: «¿Qué ves? ¿Qué ves?» La visión de la selva del Pipa, en la que supuestamente Cova no cree, es sin embargo la que domina la obra, una selva personificada y mitificada, de gigantes, voces, lamentos y poderes destructores.

A finales del siglo XX, cuando se sigue acabando con el medio ambiente y con la selva tropical, este llamado revolucionario del oprimido (árbol) contra el opresor (hombre) sigue vigente, y su simbología puede además ampliarse a otras formas de explotación realizadas por el hombre contra sus semejantes. Lo interesante es el uso que hace Cova de la visión del Pipa para justificar la prosopopeya, o animación de lo inanimado, mediante la cual explica la relación hombre-selva en el resto de la obra. Cova cree en la visión del Pipa, cuando termina el fragmento diciendo: «¡Selva profética, selva enemiga! ¿Cuándo habrá de cumplirse tu predicción?» Y Rivera también parece creer en los poderes mágicos de la bebida indígena, a pesar de sentirse tan distante y civilizado como Cova, cuando parte de esa predicción la cumple dentro del texto: la selva no cubre la tierra, pero sí logra borrar el rastro de su personaje, un rastro que ni Clemente Silva, el Brújulo, el mejor rumbero de la región, logrará encontrar.

En las caucherías: llamaradas crepitantes

La aparición de Clemente Silva, el Brújulo, cuando el grupo ha perdido a sus guías y lo único que puede hacer es continuar caminando por la orilla del río, significa una nueva dirección para el viaje y para el texto. Clemente Silva aparece en la segunda parte, los acompaña en el más peligroso trayecto de la selva, hasta las barracas del Guaracú, de donde parte con Correa hacia Manaos a buscar ayuda, ante el cónsul. A diferencia del Pipa, Clemente Silva está más cerca del blanco que del indígena, por sus valores, recuerdos, planes de regreso, comportamiento. No hay duda de que la crítica lo ha reconocido como uno de los personajes/actantes más significativos dentro de la estructura del texto, y seguirá mereciendo más análisis. Clemente Silva articula personajes, espacios históricos y espacios geográficos. Mediatiza el mundo civilizado y el de la selva y las caucherías, integrando en la novela relatos que cubren la región geográfica del sur, por donde Cova nunca pasa (Putumayo, Caquetá, Amazonas, Iquitos, Manaos). Es la voz de la sabiduría y de la supervivencia y representa la ética del blanco: los fines justifican los medios. Las cobardías, los engaños, los crímenes de Clemente Silva, como los de Cova, no son censurables. A pesar de lo que ha visto, su proyecto no es de reforma social ni de revolución, sino un proyecto de reivindicación individual, como el de Cova. El programa de Silva es regresar con los huesos de su hijo Luciano, que huyó de la casa por cuestiones de honor (su hermana María Gertrudis huye con su novio, y el niño, aún en la escuela primaria, no puede tolerar «la deshonra de la familia») y se suicida de un tiro en los brazos de su amante, la madona Zoraida Ayram, porque ella no acepta casarse con él. El programa de Cova es matar a Barrera («¡Matar a un hombre! ¡He aquí mi programa, mi obligación!»), un proyecto que se apoya en «la opinión unánime» de sus compañeros y que refuerza el último consejo de Clemente Silva, antes de partir, un consejo que además supone la culpa de Alicia y su identificación con su hija: «¡Mátelos, que yo vuelvo! ¡Pero perdone a la pobre Alicia! ¡Hágalo por mí! ¡Como si fuera María Gertrudis!» La relación de identidad y rivalidad de Cova con Silva tiene todo tipo de manifestaciones edípicas, mencionadas por muchos estudiosos de *La vorágine*. Los momentos más críticos son dos: en el trayecto hacia el Isana, Cova es el más débil y cansado del grupo y sus compañeros le cargan hasta el morral y la carabina. Su frustración se dirige contra la figura paterna: «Nuestro jefe en tales emergencias era, sin duda, el anciano Silva, y principié a sentir contra él una secreta rivalidad.» Esta rivalidad se resuelve en una amenaza criminal («¡Si no me lleva al Isana, le pego un tiro!»), que Cova explica como una reacción producida por la *vorágine* de la selva, a la que transfiere cualquier culpa. La segunda manifestación de su relación edípica será la conquista de la madona, a quien logra enamorar, ocupando así el lugar del hijo de Silva.

Además de articular personajes (Cova-Zoraida, Cova-Barrera, Cova-Alicia) y mensajes (llevar a Manaos las cartas de Cova, ser el destinatario de su último mensaje), Clemente Silva integra en la obra espacios históricos y geográficos que se han convertido en ejes de lectura e interpretación de la novela. Estos espacios son los de la explotación de los caucheros e incluyen la presencia indígena. A pesar de que la segunda mitad de la novela es la que contiene lo que se ha llamado el «¡Yo acuso!» (Neale Silva, 1960, págs. 261-287) contra la explotación de las caucherías, las más tremendas torturas y la continua atmósfera de terror, el relato de Clemente Silva se caracteriza por su énfasis en la explotación llevada a cabo contra los colombianos, entre los cuales no se cuentan los indígenas. Su discurso se refuerza con el de Balbino Jácome y el de Ramiro Estévanez, los otros narradores insertos, también colombianos. Es un discurso que se caracteriza por el llamado a las autoridades centrales a defender a sus ciudadanos y al territorio nacional, en contra de los peruanos y al margen de los indígenas. El concepto de nacionalidad establece la solidaridad entre Cova y Silva, y entre éste y Balbino Jácome, que se ha dedicado a ayudar a colombianos. Sin relaciones estrechas con indígenas de carne y hueso, los indios se convierten en menciones recurrentes y esquemáticas de la explotación histórica que sobre ellos ejercen la Casa Arana, el Cayeno, Funes y demás criminales que «roban caucho y cazan indios». El paralelismo entre árboles e indios se quiebra generalmente a favor del árbol, que tiene más voz, sangre y vida, en el texto, que el indio.

Es evidente que el «¡Yo acuso!» de los narradores de *La vorágine* (Rivera/Cova/Silva) incluye, además de los colombianos, a los indígenas, el grupo humano más explotado: los indios deben entregar sus mujeres e hijas, están esclavizados por deudas imposibles de saldar, son torturados y asesinados sin piedad y por diversión. Clemente Silva relata un típico episodio que tuvo lugar en La Chorrera, en el que un cuadrillero vierte petróleo sobre varios indios: «No sé quién rastrilló sus fósforos; pero al momento *una llamarada crepitante* achicharró a los indígenas, que se avalanzaron sobre el tumulto, con alarida loca, coronados de fuego lívido, abriéndose paso hacia las corrientes, donde se sumergieron agonizando.»

La frecuencia y el horror de los episodios de este tipo que aparecen en esta parte de la novela repiten un discurso liberal y europeo, vigente desde principios de siglo. Eduardo Neale Silva menciona que desde 1908 se dieron a conocer en Bogotá los crímenes de la Casa Arana, a lo que siguieron informes nacionales e internacionales que culminaron en la encíclica *Lacrimabili Statu* del Papa Pío X. Las investigaciones más famosas fueron las del juez Rómulo Paredes (1911), la visita de Sir Roger Casement (1912), la del juez Carlos A. Valcárcel (1913) y las denuncias de G. S. Paternoster y W. W. Hardenburg. La época de la fiebre del caucho es anterior a la Primera Guerra Mundial y corresponde a la época en que la Casa Arana era un consorcio inglés con sede en Londres, The Peruvian Amazon Company. Después de la guerra decayeron los precios y comenzó la competencia de las plantaciones asiáticas. Así, el discurso europeo sobre los derechos humanos y la explotación indígena en la extracción del caucho está ligado al desarrollo industrial internacional y su necesidad de materias primas (el caucho irá principalmente a las industrias automotrices y bélicas), y reproduce todas las contradicciones del capitalismo. Como posición colombiana, el discurso de *La vorágine* se basa en fuentes y perspectivas europeas (Neale Silva, 1939) y no es una voz propia o aislada. Como señala Roberto Simón Crespi, es una política más de indignación que de análisis. Las contradicciones de Cova, la falta de un proyecto con verdadero sentido político y su fascinación por el poder se evidencian cuando poco después del relato de Clemente Silva trata de interpretarlo acusando a los que «destruyen anualmente millones de árboles» y «ejercen el fraude contra las generaciones del porvenir». Reconoce que «el hombre civilizado es el paladín de la destrucción», pero su versión no es tan coherente cuando se combina con su fascinación por los que están en situaciones de poder: «Hay *un valor magnífico* en la epopeya de estos piratas que esclavizan a sus peones, explotan al indio y se debaten contra la selva.»

Es también definitiva para la interpretación de la novela la articulación del espacio geográfico que se logra mediante Clemente Silva. La ruta de Cova no es de norte a sur, como se cree tradicionalmente, basándose en la lectura metafórica de un descenso a los infiernos. El grupo viaja de Bogotá hacia el este, con un ángulo hacia el sudeste. Aunque las fronteras de esa región son en la práctica indefinibles, Rivera formó parte de la comisión que delimitó la frontera colombo-venezolana, y su protagonista pasa de Colombia al Brasil muy cerca del Cocuy, el punto que marca las tres fronteras: Colombia, Venezuela y Brasil. Clemente Silva, por el contrario, viene del sudoeste. Salió de Pasto en Nariño, vivió en las caucherías de El Encanto y La Chorrera (hoy Comisaría del Amazonas), y pasó por Iquitos y Manaos. Además de la información sobre el terror en las caucherías del sur y sobre los problemas de las fronteras colombo-peruanas que se definen en esa época, su encuentro con Cova significa un nuevo rumbo para el grupo recién abandonado por el Pipa. Para llegar al Yaguanarí en el Río Negro, Clemente Silva los conduce hasta las barracas del Guaracú en el Isana. Pero el aspecto más significativo del trayecto que realizan con Clemente Silva consiste en que en el espacio entre el Inírida y el Isana, geográficamente corto, convergen elementos claves del texto: significa el paso de la hoya del Orinoco (que se dirige al norte) a la hoya del Amazonas (que se dirige al sudeste); implica el paso de Colombia a Brasil; es el trayecto más penoso del viaje, en donde Cova pierde el control, tiene alucinaciones y cuestiona su estado mental; por último, es el lugar en donde se ubica el relato de Clemente Silva sobre el sur infernal.

El norte y el sur se han convertido en la cultura occidental en un mapa ideológico. El norte corresponde a la civilización, el cerebro, el cielo, la conciencia, la humanidad, y el sur a la barbarie, los instintos, el infierno, el inconsciente y la animalidad. Esta polaridad entre norte (Europa y Norteamérica) y sur (Tercer Mundo) se ha plasmado en numerosos clásicos de la literatura, como Mann,

Gide y Camus. No es difícil percibir una reproducción de este mapa ideológico en la relación norte/sur que se crea en *La vorágine*. Muchos lectores creen que Cova ha llegado a las «profundidades» del Amazonas, cuando no pasa del Río Negro, mucho antes de su desembocadura en Manaos. Es Clemente Silva el personaje y el narrador que integra ese espacio en la narración de Cova, dándole una espesura de significados y connotaciones que rebasan cualquier simplificación que trate de imponerle la realidad geográfica de la región.

La selva: el abismo antropófago

El discurso de Cova, una suma de discursos propios y ajenos, se apropia especialmente del de narradores como Clemente Silva y Ramiro Estévanez. Los relatos de la selva son casi todos relatos dentro de relatos, con extrañas tensiones entre los múltiples niveles superpuestos de narradores y el objeto focalizado. Es sin embargo la fusión de Cova con algunos de los narradores insertos lo que resulta en una apropiación de discursos y de experiencias, incluyendo la famosa introducción a la tercera parte en donde Cova es Silva y viceversa, o la plegaria a la selva (introducción a la segunda parte), que pudo haber sido declamada por Silva, un personaje que en un momento de su viaje hace exactamente eso, rezarle a la selva. Así, el discurso superpone y confunde voces y espacios, con el resultado de que prevalecen sus efectos míticos y arquetípicos, como la citada relación entre el norte y el sur o la identificación de la mujer con la selva y el árbol.

Las razones del «descenso» y de la salida de la civilización se reducen en su mayoría a dinero y mujeres. El dinero es la meta de todos y de él dependen poder e identidades. Con él se pueden comprar alcohol y mujeres, «goces y abundancia», mientras se trata de regresar a obtener propiedades y disfrutar un nuevo prestigio, como delata Cova en sus propias fantasías. Las mujeres que los caucheros pueden comprar deben ser por supuesto blancas y rubias:

«las caricias de una mujer que sea blanca y rubia y que trascienda a brandy y a rosas». Pero lo significativo del viaje de la mayoría de los personajes principales, positivos o «buenos», según el texto, consiste en que la fuerza desestabilizadora hubiera sido una mujer cercana, transgresora de las normas sobre la sexualidad o sobre las relaciones de pareja: éste es el móvil de la salida de Bogotá de Arturo y Alicia. Celos y crimen (en sus diversas y complementarias versiones) empujaron a Franco y Griselda. La posterior «penetración» del grupo en la selva es una persecución a mujeres transgresoras e independientes. La transgresión de María Gertrudis empuja a la selva a su hermano Luciano y es así el móvil mediato de Clemente Silva. A esa figura femenina transgresora adolescente se suma la figura adulta de la madona, presentada como devoradora de Luciano y hasta de sus huesos. La desilusión amorosa (con una transparente descripción de lo que los hombres opinaban en la década de los años veinte sobre las relaciones sexuales conyugales como depravación y perversión) es la causa de la huida de Ramiro Estévanez y de su ruina física y emocional. Por otra parte, los personajes malditos como Barrera, los explotadores de caucho o la madona, están en la selva por negocios y dinero, además de que una de sus características es la de también ser transgresores de las normas sexuales, seductores y violadores.

Según Cova y Silva, la selva es cárcel e infierno, oscura y húmeda, sexual e inmunda, *abismo antropófago,* boca que engulle a los hombres y causa de la crueldad del hombre. La capa vegetal es «saco de podredumbre», y con frecuencia el árbol silencioso es una representación de la mujer que Cova desconoce (Cfr. Magnarelli, 1987). El mensaje final del hombre civilizado es hacernos entender que estar en la selva no es humano ni deseable. Es para cruzarla en viajes imprescindibles, para explotarla, para vencerla, pero nunca para vivir en ella en armonía. Cuentan Cova/Silva la experiencia de Clemente Silva perdido en la selva: «vagó dos meses entre los montes, hecho un idiota, ausente de sus sentidos, animalizado por la floresta, despreciado hasta por la muerte, masticando tallos, cáscaras, hongos, como bestia herbívora, con la diferencia de que observaba qué clase de pepas comían los micos, para imitarlos». El lenguaje escogido articula perfectamente esta visión de la selva con la saciedad sexual que experimentará Cova en sus relaciones con la madona y con el desprecio hacia los seres humanos habitantes de la selva, que ignora para ver sólo «micos». Habría que recordar asimismo que cualquier interpretación sobre el mundo de la selva está relacionada y articulada con el concepto de civilización del discurso liberal de Cova, que ya desde los Llanos la añora: «era preciso volver a las tierras civilizadas, al remanso de la molicie, al ensueño y a la quietud». La meta es el regreso a un tipo de civilización ociosa, de molicie, ensueño y quietud, que requiere para disfrutarla una posición económica privilegiada. La selva, medio y excusa del retorno aun antes de encontrar la tortura y el terror, será siempre el espacio del Otro, indígena o mujer: lo que no es humano, ni civilizado, ni digno del hombre.

LA MADONA ZORAIDA: LA LOBA INSACIABLE

La madona Zoraida Ayram, como personaje y como tema, representa la articulación entre la selva y lo femenino. Está por hacerse la revisión de la crítica sobre este personaje, revisión que nos daría muchos más datos que la novela misma sobre los temores y deseos que desencadena en el hombre la sexualidad de la mujer. Las contradicciones de la novela admiten interpretaciones ambiguas y apertura de sentidos, cosa que no logran las extremas y unívocas acusaciones y los odios de los críticos que se deleitan en aceptar, exagerar y repetir el lenguaje del propio Cova. Sus epítetos y descripciones se citan fuera de contexto y la madona se convierte en la selva personificada, en la metamorfosis de la indiecita Mapiripana, en el vampiro y la loba de la literatura fantástica. Si Clarita era la «loba ambulante y famélica», Zoraida es la *loba insaciable*.

La violencia del lenguaje crítico sobre Zoraida Ayram es con frecuencia peor que la de Rivera/Cova. Cova al fin y al cabo es un narrador ficticio, parcial y manipulador, que quiere inflar su propia imagen a costa de todo y de todos. Si desprecia y rechaza a las mujeres una vez que las ha conquistado, es coherente y lógico que la madona no sea la excepción. Lo desconcertante desde la perspectiva de la historia de las ideas y de la crítica es comprobar el horror con el que los críticos se refieren a Zoraida Ayram, como si ellos mismos fueran sus víctimas y como si a Cova se le pudiera creer cuando precisamente en la última parte del libro no hay la menor duda de la discontinuidad de su voz. El aspecto más significativo de la crítica que tanto Cova como sus lectores han hecho de la madona consiste en que para describirla, acusarla y degradarla la comparan con un hombre viril, machona. Sus valores son el dinero, el poder, la manipulación de los demás. Pero lo irónico reside en que a Zoraida Ayram se la acusa y rechaza con violencia por haber logrado exactamente lo que los hombres que van a la selva desean obtener, y lo que Cova no logra: ser independiente, hacer negocios, manejar dinero, ir armada como un hombre, comprar y vender seres humanos, tener una sexualidad afirmativa. Es decir, lo que en un hombre son rasgos no sólo aceptables sino culturalmente dignos de aprecio, en una mujer de cuarenta años son la degradación. Si en verdad muchos aspectos de la conducta de la madona son egoístas y opresores, habría que preguntarse por qué los criterios éticos difieren y esas conductas no son tan duramente criticadas cuando los hombres las despliegan, en especial el propio narrador Arturo Cova.

Cova, el conquistador de los indios de la segunda parte, es también el Don Juan que seduce y enamora a todas las mujeres «deseables» de la obra, como Alicia, Griselda, Clarita y Zoraida. Aunque cada una es muy diferente, las conquistas coinciden en algunos rasgos: las mujeres pertenecían a otros hombres (Alicia se iba a casar con otro, Griselda nunca había sido infiel a Fidel, Clarita está viviendo con Zubieta y Zoraida sólo se había enamorado de Luciano), sus relaciones con Cova incluyen cambios en sus viajes o planes de vida y, sobre todo, acostarse con Cova significa ser *redimidas,* una expresión que se repite en momentos

54

claves: «¿Qué misterio redimía su alma cuando me consentía con avergonzada ternura, como cualquier mujer de bien, como Alicia, como todas las que me amaron?», reflexiona Arturo Cova ante el amor de Clarita. Con todas funciona también, en diversa medida, el poder que le otorga su manejo del lenguaje y de la literatura, como le dice Clarita: «Luego simpaticé contigo desde que supe que eres poeta.» Con todas oscila entre la idealización y el desprecio, aunque éste predomina. En todos los casos compite mentalmente con otros hombres y su conquista es la autoafirmación de su valor como hombre. Ninguna sin embargo como la madona polariza y desencadena toda la ideología patriarcal de Arturo Cova.

La madona Zoraida Ayram se ha considerado como uno de los personajes mejor logrados del libro, de un gran impacto en la obra y en los lectores. Domina una gran parte del texto porque, aunque como personaje entra en escena apenas en la tercera parte, Clemente Silva ya la había integrado en el relato desde mucho antes, cuando ella y las barracas del Guaracú se vislumbran como metas parciales del viaje. Desde el punto de vista estructural ella recoge varios de los más importantes hilos de la narración: compra y vende a Clemente Silva, es la amante y causa del suicidio de Luciano, interfiere con la meta del retorno de sus huesos a la tumba materna, está relacionada con Barrera, tiene negocios con el Cayeno, Griselda ha sido su sirvienta. Las barracas del Guaracú, además de meta geográfica parcial, significan el encuentro con Ramiro Estévanez y el comienzo de la escritura del manuscrito de Cova.

La seducción y la conquista de la madona es una de las partes climáticas de la novela. Se están jugando la vida; un error puede descubrir su verdadera identidad y perderlos a todos. Como David, Dalila o Scherezada, Cova es ahora el débil que se enfrenta al fuerte con astucia, con engaño o con sus historias inventadas. El juego erótico es aquí un desafío nuevo para Cova. Se enfrenta a una mujer que tiene lo que él no posee y ha deseado: poder, información, dinero. Él siempre ha mentido y ahora se encuentra con alguien que le miente a él. Él ha escogido o al menos ha creído escoger, y aquí no puede ocultarse a sí mismo que ella lo escoge a él. Para completar el cuadro, Zoraida Ayram (turca y virgen en reverso, «marya», como señala Ernesto Porras Collantes, 1968, pág. 271) muestra una sexualidad activa. Para Cova, siempre al borde de la impotencia y con una imagen escindida de la mujer (cuerpo vs. espíritu), esa sexualidad se convertirá en el blanco de su misoginia. El cansancio, el desprecio y el rechazo de Cova indican las deficiencias de su propio comportamiento en una relación desequilibrada. Sus descripciones equiparan a la madona con la selva antropófaga, un paralelo planteado con claridad y reconocido por toda la crítica: «Calamidades físicas y morales se han aliado contra mi existencia en el sopor de estos días viciosos. Mi decaimiento y mi escepticismo tienen por causa el cansancio lúbrico, la astenia del vigor físico, succionado por los besos de la madona. Cual se agota una esperma invertida sobre su llama, acabó presto con mi ardentía esta loba insaciable, que oxida con su aliento mi virilidad. Y la odio y la detesto por calurosa, por mercenaria, por incitante, por sus pulpas tiranas, por sus senos trágicos.»

Inmediatamente la compara y contrasta con «la mujer ideal y pura» y hasta con la Alicia inalcanzable de menos experiencia sexual, que «sabía ser digna hasta en las mayores intimidades». Disgusto, asco y repulsión, mencionados explícitamente, resumen la relación desde la perspectiva de Cova y de su virilidad derretida como una esperma. Incluso trata, sin que por supuesto ella acepte, de que alguno de sus compañeros lo sustituya «en el ruin oficio de tenerla propicia», una degradante forma de plantear las relaciones sexuales de pareja y de percibir a la mujer como diosa-bruja, voraz, castrante y vengativa, ante la cual la virilidad masculina es sólo una ofrenda ritual.

Una experiencia que han vivido muchos de los críticos que han trabajado *La vorágine* es la sensación de no poder salir de esta selva textual. La voz de Silva inserta en la de Cova aconseja claramente «no mirar a los árboles, porque hacen señas, ni escuchar los murmurios, porque dicen cosas, ni pronunciar palabra, porque los ramajes remedan la voz». Desoír estos consejos, atreverse a mirar, a escuchar y a pronunciar palabra acarrea un castigo, peor que ser echado del paraíso: no poder salir de él. «Lejos de acatar estas instrucciones, entraron en chanzas con la floresta *y les vino el embrujamiento,* que se transmite como por contagio», relatan Cova/Silva. No poder o no querer salir de esta selva significa, también, que dejarse embrujar puede ser la única forma de oír no a Cova sino a la selva, ese mundo de señas, murmullos y silencios que muchas lecturas ignoran. Los intentos de exploración y reelaboración serán siempre respuestas intertextuales al último llamado de Cova a Silva: «¡No se tarde!», el llamado de alguien que sabe que no conoce el camino. Este viaje metafórico tras Cova debemos intentarlo buscando y oyendo lo que él no nos dice porque no sabía escuchar al silencio, un silencio que es la selva, es la mujer, es el Otro, lo ajeno a su mundo y al mundo del lector implícito que el narrador supone tan rígido como él mismo. Así, para poder releer *La vorágine* hay que entrar en los silencios de la selva, aunque el riesgo sea perderse y no poder salir del tejido textual/vegetal.

La seducción del viaje de Cova consiste en parte, precisamente, en la fascinación de su lucha y de su viaje sin salida. Mientras pertenezcamos al mismo mundo, la selva seguirá cerrada y callada, y nosotros sordos a sus murmullos y silencios, a los árboles (lo masculino y lo femenino) que nos hacen señas a través de las grietas de una voz con la que hoy es muy difícil identificarse y aceptar en paz y con complacencia. Una nueva conciencia de la historia y del género (masculino/femenino) exige la *exploración* de esa otra selva, metaforizada en todo lo que el texto no sabe sobre sí mismo ni sobre sus temas y preocupaciones centrales. Exige también una lectura no exterior al texto, que se deje hipnotizar y arrastrar por los espacios del discurso, una lectura de inmersión en la selva. Pienso en una lectura que se resista a la seducción de Cova pero no a la seducción del texto. Entonces, aceptar el texto sería aceptar no a Cova sino precisamente lo que él no vio ni aceptó. La voz y el personaje pertenecen a un momento histórico que los produce, permite y transmite sin mayores recelos. La novela ha ejercido una profunda atracción y no ha sido un texto impuesto, sino un texto recibido, asimilado y transmitido con fascinación y reacciones apasionadas de amor y odio. Ahora, sin embargo, el recelo es parte de la lectura contemporánea, tanto como las aperturas de sentido.

Se puede y se podrá leer *La vorágine* de muchas maneras. Sus procesos metafóricos recrean la historia contemporánea a partir de un mundo estable ideal, que se resiste a la continua posibilidad de la contingencia y el vértigo. La «vorágine» como metáfora textual abarca todos los conflictos y preocupaciones que conoce el ser humano actual: la mente, el inconsciente, lo incontrolable, los instintos, la locura, la muerte, el amor, el sexo, la nada, la mujer, lo femenino, lo masculino, el habitante de la selva, la naturaleza, lo telúrico, el agua, el río, el viento, el alcohol, la droga, el sinsentido, el dinero, el individualismo, la tortura, el terror, la violencia, el poder. En fin, incluye al Uno y al Otro, todo lo que se opone a una ideología androcéntrica y todo lo que la apoya. La selva, en lugar de ser sólo destrucción, representa también la compensación de todos los horrores llevados a cabo por Arturo Cova. En una solución mágica, Cova desaparece devorado por su enemiga, el principio de lo femenino y de lo desconocido. La imagen del hombre devorado por su propia creación mítica y convertido en árbol de caucho tiene rasgos de justicia poética y de la crítica desesperada de Rivera, que no podía dejar a su personaje vivo y triunfal en un mundo que, a pesar de todo, él rechazaba. Decidió hundirlo y perderlo para siempre, creando así el viaje, la ruta, el espacio inexplorado de *La vorágine,* en donde siguen retumbando las voces.

Esta edición

La presente edición reproduce el texto de la quinta edición, la última corregida por el autor, publicada en Nueva York, Editorial Andes, 1928. Se siguen, sin embargo, algunos de los criterios de la edición de la Biblioteca Ayacucho (Caracas, 1976), una de las más cuidadosas dentro de la lamentable historia editorial de la novela.

En primer lugar, se suprimen las comillas (en la primera edición de 1924 eran cursivas) con las que Rivera señaló lo que él consideraba provincialismos o regionalismos. Esta decisión contradice la intención de José Eustasio Rivera como autor ficticio y editor de los manuscritos de Cova, tal como se hace evidente en el prólogo, en donde indica específicamente que subrayó «los provincialismos de más carácter». Como ya la mayoría de esos términos han pasado a ser de uso corriente, mantener las comillas o las cursivas sólo haría más confusa la presentación del texto y más difícil la lectura de esta edición, que no pretende ser la edición crítica definitiva. Se aprovechó la intención cuestionadora de Rivera, sin embargo, para anotar y explicar precisamente muchas de esas palabras, a pesar de que aparecen en los diccionarios de la lengua.

Se moderniza la ortografía y la acentuación propias de la época (por ejemplo, se acentuaban palabras tales como «tóma», «dáme», «fuí», «pié», «luégo», «ótros», «tanto», etc.) y se completan los signos de admiración e interrogación, que con frecuencia el autor utiliza sólo al final de la frase. Asimismo se han hecho las correcciones tipográficas y ortográficas más obvias, cotejando la primera edición (Bogotá, Cromos, 1924), la quinta (Nueva York, Andes, 1928) y la de la Biblioteca Ayacucho (Caracas, 1976). No se incluyen las numerosas variantes entre la primera y la quinta edición, variantes que son el resultado de las correcciones hechas por el mismo autor entre esas dos ediciones. Aparecen como apéndice en la edición de la Biblioteca Ayacucho, se basaron a su vez en la edición preparada por Luis Carlos Herrera Molina, S. J. (Bogotá, Pax, 1974), y su utilidad es limitada mientras no se publiquen revisadas e integradas a una verdadera edición crítica.

Así como se hizo en la edición de la Biblioteca Ayacucho, en esta edición se regulariza y reordena la puntuación de muchos de los diálogos, pero se mantiene la puntuación original cuando no es clara la diferencia entre la representación del lenguaje oral y el mental. A diferencia de la edición de Ayacucho, y siguiendo la quinta edición del autor, los relatos insertos sólo se marcan con comillas al principio y al final de la intervención del respectivo narrador, pero no se marca cada párrafo (casos de Helí Mesa, Clemente Silva, Balbino Jácome, Ramiro Estévanez). Esto tal vez dificulta la delimitación de los relatos insertos, pero por otra parte así se mantienen sin resolución las obvias y significativas contaminaciones entre los distintos narradores y relatos.

Es posible que José Eustasio Rivera hubiera seguido corrigiendo las ediciones siguientes de *La vorágine,* si la muerte no hubiera interrumpido su obsesión. Por razones contingentes, la de 1928 seguirá siendo la última edición del autor. Como anota su biógrafo, el crítico chileno Eduardo Neale Silva, Rivera hizo encuadernar dos ejemplares de la quinta edición, para enviarlos a Colombia a bordo del primer vuelo de un aviador colombiano, Benjamín Méndez, entre Nueva York y Bogotá. Un ejemplar era para el Presidente de la República y otro para la Biblioteca Nacional. Rivera fue a despedir el vuelo, que salió de Nueva York el 23 de noviembre de 1928. Antes de que este vuelo llegara a Bogotá, el novelista murió en Nueva York, el 1 de diciembre. Su cuerpo fue repatriado en uno de los barcos de la United Fruit Company y sepultado en Bogotá el 8 de enero de 1929. La presente edición trata de ser fiel a un escritor perseguido en vida y en muerte por los problemas textuales y editoriales de una de las obras de más éxito de la literatura latinoamericana del siglo xx.

Abreviaturas utilizadas

AC   Camilo A. Domínguez, *Amazonia colombiana,* Bogotá, Banco Popular, 1985.

AGC   Alfonso Pérez Preciado, *Atlas y Geografía de Colombia,* Bogotá, Círculo de Lectores, 1989.

ALEC   *Atlas Lingüístico-Etnográfico de Colombia,* 6 tomos, Bogotá, Editorial Arco, 1982-1983.

CA   Varios, *Colombia amazónica,* Bogotá, Universidad Nacional-FEN, 1988.

CAI   Francisco Arango Montoya, *Colombia. Atlas indigenista,* Bogotá, Ministerio de Educación Nacional y Litografía Arco, 1977.

DA   Aurélio Buarque de Holanda Ferreira, *Novo Dicionário da língua portuguesa,* Río de Janeiro, Editora Nova Fronteira, 1986.

DRAE   *Diccionario de la Lengua Española,* Madrid, Real Academia Española, 1984.

DVO   Fr. José de Calazans Vela, O.P., y Alfredo Molano, *Dos viajes por la Orinoquia colombiana 1889-1988,* Bogotá, Ediciones Fondo Cultural Cafetero, 1988.

HH   Eduardo Neale Silva, *Horizonte humano: vida de José Eustasio Rivera,* México, Fondo de Cultura Económica, 1960.

JL   Juan Loveluck, «Prólogo», en José Eustasio Rivera, *La vorágine,* Caracas, Biblioteca Ayacucho, 1976.

LC   Mario Alario Di Filippo, *Lexicón de colombianismos,* 2 tomos, Bogotá, Banco de la República, 1983.

MC   Enrique Congrains Martin (comp.), *Las maravillas de Colombia,* tomo II: Los Llanos Orientales; ríos Orinoco, Meta y Casanare; Amazonia colombiana, Bogotá, Editorial Forja, 1980.

MM   María Moliner, *Diccionario de uso del español,* 2 tomos, Madrid, Gredos, 1987.

MO   Montserrat Ordóñez, «*La vorágine:* La voz rota de Arturo Cova», en *Manual de literatura colombiana,* varios autores, tomo I, Bogotá, Procultura y Planeta Colombiana Editorial, 1988, págs. 433-518.

PIC   Raúl Arango Ochoa y Enrique Sánchez Gutiérrez, *Los pueblos indígenas de Colombia. Población y territorio,* Bogotá, Departamento Nacional de Planeación, 1989.

SC   Alfredo Molano, *Siguiendo el corte. Relatos de guerras y de tierras,* Bogotá, El Áncora Editores, 1989.

TC   Montserrat Ordóñez (comp.), *La vorágine: Textos críticos,* Bogotá, Alianza Editorial Colombiana, 1987.

VOX   *Vox, Diccionario general ilustrado de la lengua española,* Bogotá, Biblograf, S.A., 1967.

Agradecimientos

Mis agradecimientos a Olga Acevedo, Andrés Anzola, Patricia Anzola, Susana Friedmann, Mario González, María Elvira Laverde, Aída Martínez, Beba Masullo, Enrique Ordóñez, María Cecilia de Ordóñez, Jorge Páramo, Roberto Pineda, Julia Puerto, Liliana Ramírez, Lucila Reyes, Flor María Rodríguez, Alfredo Roggiano, Margarita Ruiz, Nina M. Scott, Hernando Vargas, Catalina Zapata, Jaime René Zuluaga Rivera por su colaboración en diversos momentos de la investigación, por hacer oportunas observaciones, por prestarme o enviarme materiales de consulta. Como la motivación académica, en abstracto, no siempre es suficiente, quiero agradecer el apoyo concreto de las personas que me aseguraron, cuando necesitaba oírlo, que este trabajo será de utilidad. Parte del estudio introductorio se basa en mis trabajos sobre *La vorágine,* citados en la bibliografía. Los estudios de Eduardo Neale Silva y de Hernán Lozano seguirán siendo la más sólida base de todos los trabajos que se hagan sobre la obra de Rivera, y una vez más dejo constancia de mi deuda ante sus detalladas investigaciones. Como profesora de la Universidad de Los Andes y de la Universidad Nacional de Colombia, agradezco a mis colegas y a mis estudiantes su prudencia ante mis miradas ausentes y mis mal ocultas obsesiones durante la elaboración de este trabajo. A Álvaro Mutis le agradezco los viajes y los ríos de Maqroll el Gaviero. La actitud distante y fatalista de Maqroll, sus encuentros imprevistos y su aceptación de las contingencias me han ayudado a no dejarme devorar por la voz y el viaje de Arturo Cova.

Bibliografía

Obras literarias de José Eustasio Rivera

Tierra de promisión (sonetos), Bogotá, Arboleda y Valencia, 1921; Bogotá, Minerva, 1926; Bogotá, Camacho Roldán, 1933; Bogotá, Imprenta Nacional, 1955; Bogotá, Canal Ramírez-Antares, 1982; Bogotá, El Áncora, 1985.

La vorágine, Bogotá, Editorial Cromos, 1924; Bogotá, Minerva, 1925 y 1926; 5.ª edición definitiva: Nueva York, Editorial Andes, 1928. Para la historia editorial de *La vorágine,* cfr. Lozano, 1988.

Juan Gil [c. 1911, obra de teatro inédita en vida del autor] en Luis Carlos Herrera S. J., «Rivera dramaturgo», *Universitas Humanística* (Bogotá), 1971; y en Luis Carlos Herrera, S. J. (comp.), *José Eustasio Rivera. Obra literaria,* Neiva, Empresa de Publicaciones del Huila, 1988.

Además de estos libros, Rivera escribió y publicó poemas, cuentos, teatro y crítica, sin contar su tesis de grado y los documentos e informes relacionados con sus actividades profesionales y políticas.

Traducciones de «La vorágine»

Der Strudel, trad. Georg Hellmuth Neuendorff, Leipzig, Hans Müller, 1934 (alemán); *Värtop,* trad. Stefa Savov, Sofía, 1971 (búlgaro); *Zelené peklo,* 1930, y *Vir,* trad. Zdenek Hampejs y Marcela Svobodavá, Praga, 1955 (checo); *Ts' ao-yuan-lin-meng e-hsuan-feng,* trad. del inglés Wu Yeh, Shangai, 1957 (chino); *Vrtinec,* trad. Marjan Bregant, Liubliana, 1955 (esloveno); *La voragine,* trad. Georges Pillement, París, 1934 (francés); *Het Dodenwoud,* trad. J. Kluyskens, Antwerpen, 1948 (holandés); *The vortex,* trad. Earle K. James, Nueva York, 1935; *La vorágine,* trad. Sergio Vittori,

Milán, 1941 y *La vorágine,* trad. Silvia Benso, Turín, 1982 (italiano); *Amazones dziunglese,* trad. Povilas Gaucys, Chicago, 1974 (lituano); *A Voragem,* trad. José César Borba, Río de Janeiro, 1945 (portugués); *Viltoarea,* trad. Ileana Georgescu, Bucarest, 1966 (rumano); *Pucina,* trad. B. Z. Zagorsky, Moscú, 1935 (ruso); *Försvunna i djungeln,* trad. Irmgard Pingel, Estocolmo, 1955 (sueco); *Vrtlog,* Belgrado, 1953 (yugoeslavo).

BIBLIOGRAFÍA SELECTA SOBRE JOSÉ EUSTASIO RIVERA
Y «LA VORÁGINE»

AGUIRRE, Elvira, «El yo-poeta-narrador de *La vorágine*», *Eco,* 261 (1983), 302-313.

ALEGRÍA, Ciro, «Notas sobre el personaje en la novela hispanoamericana», en Juan Loveluck (comp.), *La novela hispanoamericana,* Santiago, Editorial Universitaria, 1969.

AÑEZ, Jorge, «De *La vorágine* a *Doña Bárbara*», Bogotá, Imprenta del Departamento, 1944.

BENSO, Silvia, *«La vorágine:* una novela de relatos», *Thesaurus,* 30 (1975), 271-290. Reimpreso en Ordóñez, TC.

BULL, William, «Nature and Antropomorphism in *La vorágine*», *Romanic Review,* 39 (1948), 307-318. Traducido y reimpreso en Ordóñez, TC.

CALLAN, Richard J., «The Archetype of Psychic Renewal in *La vorágine*», *Hispania,* 54, 3 (1971), 470-476. Reimpreso en Carmelo Virgillo y Naomi Lindstrom (compiladores), *Woman as Myth and Metaphor in Latin American Literature,* Columbia, MO, University of Missouri Press, 1985. Traducido y reimpreso en Ordóñez, TC.

CRESPI, Roberto Simón, *«La vorágine:* Cincuenta años después», *Casa de las Américas,* 15, 85 (1974), 43-50. Reimpreso en Ordóñez, TC.

CURCIO ALTAMAR, Antonio, *Evolución de la novela en Colombia,* Bogotá, Instituto Caro y Cuervo, 1957; Instituto Colombiano de Cultura, 1975.

CHARRIA TOBAR, Ricardo, *José Eustasio Rivera en la intimidad,* Bogotá, Tercer Mundo, 1963.

DE CHASCA, Edmundo, «El lirismo de *La vorágine*», *Revista Iberoamericana,* 13, 25 (1947), 73-90. Reimpreso en Ordóñez, TC.

EYZAGUIRRE, Luis B., «Patología en *La vorágine* de José Eustasio Rivera», *Hispania,* 56, 1 (1973), 81-90. Reimpreso en *La novela hispanoamericana del siglo XX,* del mismo autor, Santiago, Editorial Universitaria, 1973. Reimpreso en Ordóñez, TC.

FILER, Malva E., «*La vorágine:* Agonía y desaparición del héroe», *Prismal/Cabral,* 3-4 (1979), 21-28. Reimpreso en Ordóñez, TC.

FORD, Richard, «El marco narrativo de *La vorágine*», *Revista Iberoamericana,* 42, 96-97 (1976), 573-580. Reimpreso en Ordóñez, TC.

FRANCO, Jean, «Image and Experience in *La vorágine*», *Bulletin of Hispanic Studies,* 41 (1964), 101-110. Traducido y reimpreso en Ordóñez, TC.

GONZÁLEZ, Alfonso, «Elementos hispánicos y clásicos en la caracterización de *La vorágine*», *Cuadernos Americanos,* 34 (1975), 248-254. Reimpreso en Ordóñez, TC.

GREEN, Joan R., «La estructura del narrador y el modo narrativo de *La vorágine*», *Cuadernos Hispanoamericanos,* 205 (1967), 101-107. Reimpreso en Ordóñez, TC.

HAZERA, Lydia D. de León, *La novela de la selva hispanoamericana,* Bogotá, Instituto Caro y Cuervo, 1971.

HERRERA, Luis Carlos, S. J., *José Eustasio Rivera, poeta de promisión,* Bogotá, Instituto Caro y Cuervo, 1968.

— *Rivera, lírico y pintor,* Bogotá, Instituto Colombiano de Cultura, 1974.

— (comp.), *José Eustasio Rivera. Obra literaria,* Neiva, Empresa de Publicaciones del Huila, 1988.

LOVELUCK, Juan, «Prólogo», *La vorágine* de José Eustasio Rivera, Caracas, Biblioteca Ayacucho, 1976.

LOZANO, Hernán, «*La vorágine:* ensayo bibliográfico», edición mimeografiada, Bogotá, Instituto Caro y Cuervo, 1973.

— «Teratología editorial, piratería y clonaje», en Zuluaga *et al., José Eustasio Rivera, 1888-1988* (catálogo), Bogotá, Colcultura-Biblioteca Nacional-Banco de la República, 1988.

MAGNARELLI, Sharon, *The Lost Rib: Female Characters in the Spanish-American Novel,* Londres y Toronto, Bucknell University Press, 1985. Una versión revisada de su capítulo sobre *La vorágine* se publicó con el título «La mujer y la naturaleza en *La vorágine:* A imagen y semejanza del hombre», en Ordóñez, TC.

MARINELLO, Juan, «Tres novelas ejemplares», *Sur,* 6, 16 (1936), 59-75. Reimpreso en *Literatura hispanoamericana,* del mismo autor (México, 1937); en Trinidad Pérez (comp.), *Recopilación de textos sobre tres novelas ejemplares;* y en Juan Loveluck (comp.), *La novela hispanoamericana* (Santiago, 1969).

MATEO, Margarita, «Valor y función del mito de origen americano en *La vorágine*», *Casa de las Américas,* 167 (1988).

MAYA, Rafael, *De Silva a Rivera,* Bogotá, 1929.

— *De perfil y de frente,* Bogotá, Instituto Colombiano de Cultura, 1975.

MEJÍA DUQUE, Jaime, *«La vorágine* o la ruta de la muerte», *Casa de las Américas,* 167 (1988).

MENTON, Seymour, *«La ovrágine:* Circling the triangle», *Hispania,* 59, 3 (1976), 418-434. Traducido en *La novela colombiana: Planetas y satélites,* del mismo autor, Bogotá, Plaza y Janés, 1978. Revisado y reimpreso en Ordóñez, TC.

MORALES, Leónidas, *«La vorágine:* Un viaje al país de los muertos», *Anales de la Universidad de Chile,* 123, 134 (1965), 148-170. Reimpreso en Trinidad Pérez (comp.), *Recopilación de textos sobre tres novelas ejemplares,* y en Ordóñez, TC.

MORENO-DURÁN, R. H., «La narrativa de la tierra. José Eustasio Rivera», en *Historia de la literatura latinoamericana,* núm. 21, Bogotá, La Oveja Negra, 1984. Una vesión revisada, «Las voces de la polifonía telúrica», se publicó en Ordóñez, TC.

NEALE SILVA, Eduardo, «The Factual Bases of *La vorágine», Publications of the Modern Language Association,* 54 (1939), 316-331.

— «José Eustasio Rivera, polemista», *Revista Iberoamericana,* 14, 28 (1948), 213-250.

— *José Eustasio Rivera: El arte poética (Tierra de promisión),* Nueva York, Hispanic Institute, 1951.

— *Horizonte humano: Vida de José Eustasio Rivera,* Madison, University of Wisconsin Press, 1960; México, Fondo de Cultura Económica, 1960; reimpreso en 1986.

OLIVERA, Otto, «El romanticismo de José Eustasio Rivera», *Revista Iberoamericana,* 18, 35 (1952), 41-61.

ORDÓÑEZ, Montserrat, *«La vorágine:* La voz rota de Arturo Cova», en Varios, *Manual de literatura colombiana,* t. I, Bogotá, Planeta y Procultura, 1988, 433-518.

— (introducción y compilación), *La vorágine: Textos críticos,* Bogotá, Alianza Editorial, 1987.

PACHECO, José Emilio, «¿Quién es Arturo Cova?», *Revista de la Universidad de México,* 18, 7 (1964), 19-22.

PEÑA, Isaías (comp.), *José Eustasio Rivera,* Bogotá, Procultura, 1989.

PÉREZ, Trinidad (comp.), *Recopilación de textos sobre tres novelas ejemplares,* La Habana, Casa de Las Américas, 1971.

PÉREZ SILVA, Vicente (comp.), *José Eustasio Rivera, polemista,* Bogotá, Instituto Caro y Cuervo, 1989.

— *Raíces históricas de «La vorágine»,* Bogotá, Caja Agraria, 1988.

POPE, Randolph D., *«La vorágine:* Autobiografía de un intelectual», en *The Analysis of Literary Texts: Current Trends in Methodology,* del mismo autor, Ypsilanti, Ml, Bilingual, 1980. Reimpreso en Ordóñez, TC.

PORRAS COLLANTES, Ernesto, «Hacia una interpretación estructural de *La vorágine», Thesaurus,* 23, 2 (1968), 241-271.

RAMOS, Óscar Gerardo, «Clemente Silva, héroe de *La vorágine*», *Boletín Cultural y Bibliográfico*, 10, 3 (1967), 568-583. Reimpreso en *De Manuela a Macondo*, del mismo autor (Bogotá, Instituto Colombiano de Cultura, 1972) y en Ordóñez, TC.

RASCH ISLA, Miguel, «Cómo escribió Rivera *La vorágine*», *El Espectador Dominical*, 5 de junio de 1949; «Nuevas intimidades acerca de *La vorágine*», *El Espectador Dominical*, 19 de junio de 1949; «Los versos de *La vorágine*», *El Espectador Dominical*, 26 de junio de 1949; «De cómo conocí a José Eustasio Rivera», *El Espectador Dominical*, 3 de julio de 1949; «Tomás Carrasquilla y *La vorágine*», *El Espectador Dominical*, 17 de julio de 1949; «¿Existieron los personajes de *La vorágine*?», *El Espectador Dominical*, 24 de julio de 1949.

RIVERA, José Eustasio, «*La vorágine* y sus críticos», *El Tiempo*, 25 de noviembre y 3 de diciembre de 1926. Reimpreso en Ordóñez, TC.

RODRÍGUEZ-ARENAS, Flor María, «Algunos rasgos configuradores de la ficcionalización del discurso en *La vorágine*», *Texto y Contexto*, núm. 14 (Bogotá, Universidad de Los Andes) (1988), 149-162.

TORRES, Mauro, «*La vorágine*: Dramatización en las pampas de un conflicto interior», en *Psicoanálisis del escritor*, del mismo autor, México, Pax, 1969.

TORRES-RIOSECO, Arturo, «José Eustasio Rivera», *Universidad de Antioquia*, 4, 13 (1937), 40-74. Reimpreso en *Atenea*, 16, 168 (1939), 390-435.

— *Novelistas contemporáneos de América*, Santiago de Chile, Nascimento, 1939.

— *Grandes novelistas de la América hispánica*, Berkeley y Los Ángeles, University of California Press, 1949.

UNRUH, Vicky, «Arturo Cova y *La vorágine*: La crisis de un escritor», *Revista de Estudios Hispánicos*, 21, 1 (1987), 49-60.

VALBUENA-BRIONES, Ángel, «El arte de José Eustasio Rivera», *Thesaurus*, 17, 1 (1962), 129-139.

VALENTE, José Ángel, «La naturaleza y el hombre en *La vorágine*», *Cuadernos Hispanoamericanos*, 24, 67 (1955), 102-108.

VIÑAS, David, «*La vorágine*: Crisis, populismo y mirada», *Hispamérica*, 3, 8 (1974), 3-21.

WALKER, J., *Rivera: La vorágine*, Londres, Grant & Cutler Ltd., 1988.

WILLIAMS, Raymond L., «La figura del autor y del escritor en *La vorágine*», *Discurso Literario*, 4, 2 (1987), 535-551.

ZULUAGA, Conrado *et al.* (compiladores), *José Eustasio Rivera, 1888-1988* (catálogo), Bogotá, Colcultura-Biblioteca Nacional-Banco de la República, 1988.

La vorágine

Prólogo*

Señor Ministro:

De acuerdo con los deseos de S. S. he arreglado para la publicidad los manuscritos de Arturo Cova, remitidos a ese Ministerio por el Cónsul de Colombia en Manaos.

En esas páginas respeté el estilo y hasta las incorrecciones del infortunado escritor, subrayando únicamente los provincialismos de más carácter.

Creo, salvo mejor opinión de S. S., que este libro no se debe publicar antes de tener más noticias de los caucheros colombianos del Río Negro o Guainía; pero si S. S. resolviere lo contrario, le ruego que se sirva comunicarme oportunamente los datos que adquiera para adicionarlos a guisa de epílogo.

Soy de S. S. muy atento servidor,

JOSÉ EUSTASIO RIVERA

----

* Este prólogo, el fragmento de la carta de Arturo Cova de la página siguiente y el epílogo de la obra determinan múltiples aspectos significativos de *La vorágine:* Aparece José Eustasio Rivera como autor ficticio y editor de los manuscritos de Arturo Cova, al servicio de un alto funcionario gubernamental, el ministro al que se dirige respetuosamente como «Su Señoría». De esta manera, con un claro propósito de realismo literario, Cova queda ubicado, como escritor y como protagonista, entre la historia y la ficción. Debido a su brevedad y a su evidente fragmentación temática y estructural, en muchas ediciones estos textos han sido suprimidos o su orden alterado, lo que afecta significativamente la lectura de la obra. Es indudable que dan un sentido especial al relato de Cova, al enmarcarlo y contrastarlo con las diversas voces y situaciones que irán apareciendo a lo largo de la obra.

...Los que un tiempo creyeron que mi inteligencia irradiaría extraordinariamente, cual una aureola de mi juventud; los que se olvidaron de mí apenas mi planta descendió al infortunio; los que al recordarme alguna vez piensen en mi fracaso y se pregunten por qué no fui lo que pude haber sido, sepan que el destino implacable me desarraigó de la prosperidad incipiente y me lanzó a las pampas, para que ambulara, vagabundo, como los vientos, y me extinguiera como ellos sin dejar más que ruido y desolación.

(Fragmento de la carta de Arturo Cova.)

Primera parte

Antes que me hubiera apasionado por mujer alguna, jugué mi corazón al azar y me lo ganó la Violencia[1]. Nada supe de los deliquios embriagadores, ni de la confidencia sentimental, ni de la zozobra de las miradas cobardes. Más que el enamorado, fui siempre el dominador cuyos labios no conocieron la súplica. Con todo, ambicionaba el don divino del amor ideal, que me encendiera espiritualmente, para que mi alma destellara en mi cuerpo como la llama sobre el leño que la alimenta.

Cuando los ojos de Alicia me trajeron la desventura, había renunciado ya a la esperanza de sentir un afecto puro. En vano mis brazos —tediosos de libertad— se tendieron ante muchas mujeres implorando para ellos una cadena. Nadie adivinaba mi ensueño. Seguía el silencio en mi corazón.

Alicia fue un amorío fácil: se me entregó sin vacilacio-

---

[1] Como anota Eduardo Neale Silva, una primera versión de este comienzo de la novela fue escrita el sábado 22 de abril de 1922, en Sogamoso (Boyacá). Rivera estampa la fecha de esta primera redacción al comienzo de su manuscrito, que luego corregirá y reescribirá repetidamente. (*HH,* págs. 223-224). Esta cláusula inicial, con sus crípticos sentidos, todavía se memoriza y se recita en Colombia: La mujer, el azar y la Violencia se han considerado obligados ejes de lectura del texto. El relato en primera persona nos sitúa en la doble perspectiva de Arturo Cova como personaje y como narrador. Aunque la crítica contemporánea distingue cuidadosamente entre autor y narrador, en el caso de *La vorágine,* desde la publicación del libro, ha sido frecuente confundir a Rivera con Cova, y viceversa.

nes, esperanzada en el amor que buscaba en mí. Ni siquiera pensó casarse conmigo en aquellos días en que sus parientes fraguaron la conspiración de su matrimonio, patrocinados por el cura y resueltos a someterme por la fuerza. Ella me denunció los planes arteros. Yo moriré sola, decía: mi desgracia se opone a tu porvenir.

Luego, cuando la arrojaron del seno de su familia y el juez le declaró a mi abogado que me hundiría en la cárcel, le dije una noche, en su escondite, resueltamente: ¿Cómo podría desampararte? ¡Huyamos! Toma mi suerte, pero dame el amor.

¡Y huimos!

* * *

Aquella noche, la primera de Casanare[2], tuve por confidente al insomnio.

Al través de la gasa del mosquitero, en los cielos ilímites, veía parpadear las estrellas. Los follajes de las palmeras

---

[2] Casanare: Extenso territorio situado al oriente de Colombia, en la región de la Orinoquia. Toma su nombre del río Casanare, afluente del Meta, que a su vez es afluente del Orinoco. En *La vorágine* son de especial significación las referencias a tres regiones naturales de Colombia: los Andes, la Orinoquia y la Amazonia. La región andina, con las cordilleras que forman el 33 por 100 de la superficie continental del país y en donde se encuentra el 73 por 100 de la población, representa la civilización, el clima frío, los recuerdos y las fantasías, es decir, el paraíso perdido y la meta deseada. De ahí vienen no sólo Arturo Cova y Alicia sino todos los colombianos de la novela. La segunda región está vivida y descrita en la primera parte del libro y en el comienzo de la segunda parte. Es la región de los Llanos Orientales, que se extiende desde el piedemonte de la Cordillera Oriental hacia el este (Venezuela), en una ininterrumpida extensión plana suavemente ondulada. Esta extensa llanura de 266.300 km[2], parcialmente inundable y de clima cálido, está localizada entre los ríos Guaviare, Arauca y Orinoco, y corresponde al territorio colombiano de lo que hoy es el Departamento del Meta, las Intendencias de Casanare y Arauca, y la Comisaría del Vichada. Además de sus características geográficas específicas, la ganadería es parte importante de la vida y del paisaje de la región (AGC). Los Llanos suponen, más que una división política, una región de características culturales y físicas compartidas por Colombia y Venezuela. En los Llanos venezolanos tiene lugar la acción de una novela estrechamente relacionada con *La vorágine: Doña Bárbara* (1929) del escritor venezolano Rómulo Gallegos.

que nos daban abrigo enmudecían sobre nosotros. Un silencio infinito flotaba en el ámbito, azulando la transparencia del aire. Al lado de mi chinchorro*, en su angosto catrecillo de viaje, Alicia dormía con agitada respiración.

Mi ánima atribulada tuvo entonces reflexiones agobiadoras: ¿Qué has hecho de tu propio destino? ¿Qué de esta jovencita que inmolas a tus pasiones? ¿Y tus sueños de gloria, y tus ansias de triunfo, y tus primicias de celebridad? ¡insensato! El lazo que a las mujeres te une, lo anuda el hastío. Por orgullo pueril te engañaste a sabiendas, atribuyéndole a esta criatura lo que en ninguna otra descubriste jamás, y ya sabías que el ideal no se busca; lo lleva uno consigo mismo. Saciado el antojo, ¿qué mérito tiene el cuerpo que a tan caro precio adquiriste? Porque el alma de Alicia no te ha pertenecido nunca, y aunque ahora recibas el calor de su sangre y sientas su respiro cerca de tu hombro, te hallas, espiritualmente, tan lejos de ella como de la constelación taciturna que ya se inclina sobre el horizonte.

En aquel momento me sentí pusilánime. No era que mi energía desmayara ante la responsabilidad de mis actos, sino que empezaba a invadirme el fastidio de la manceba. Poco empeño hubiera sido el poseerla, aun a trueque de las mayores locuras; pero ¿después de las locuras y de la posesión?...

Casanare no me aterraba con sus espeluznantes leyendas. El instinto de la aventura me impelía a desafiarlas, seguro de que saldría ileso de las pampas libérrimas y de que alguna vez, en desconocidas ciudades, sentiría la nostalgia de los pasados peligros. Pero Alicia me estorbaba como un grillete. ¡Si al menos fuera más arriscada, menos bisoña, más ágil! La pobre salió de Bogotá en circunstancias aflictivas; no sabía montar a caballo, el rayo del sol la congestionaba, y cuando a trechos prefería caminar a pie, yo debía imitarla pacientemente, cabestreando las cabalgaduras.

Nunca di pruebas de mansedumbre semejante. Yendo fugitivos, avanzábamos lentamente, incapaces de torcer la vía para esquivar el encuentro con los transeúntes, campesinos en su mayor parte, que se detenían a nuestro paso interrogándome conmovidos: Patrón, ¿por qué va llorando la niña?

Era preciso pasar de noche por Cáqueza[3], en previsión de que nos detuvieran las autoridades. Varias veces intenté romper el alambre del telégrafo, enlazándolo con la soga de mi caballo; pero desistí de tal empresa por el deseo íntimo de que alguien me capturara y, librándome de Alicia, me devolviera esa libertad del espíritu que nunca se pierde en la reclusión. Por las afueras del pueblo pasamos a prima noche, y desviando luego hacia la vega del río, entre cañaverales ruidosos que nuestros jamelgos descogollaban al pasar, nos guarecimos en una enramada donde funcionaba un trapiche[4]. Desde lejos lo sentimos gemir, y por el resplandor de la hornilla donde se cocía la miel cruzaban intermitentes las sombras de los bueyes que movían el mayal[5] y del chicuelo que los aguijaba. Unas mujeres aderezaron la cena y le dieron a Alicia un cocimiento de yerbas para calmarle la fiebre.

Allí permanecimos una semana.

* * *

El peón que envié a Bogotá a caza de noticias, me las trajo inquietantes. El escándalo ardía, avivado por las murmuraciones de mis malquerientes; comentábase nuestra fuga y los periódicos usufructuaban el enredo. La carta del amigo a quien me dirigí pidiéndole su intervención tenía este remate: «¡Los prenderán! No te queda más refugio que Casanare. ¿Quién podría imaginar que un hombre como tú busque el desierto?»

Esa misma tarde me advirtió Alicia que pasábamos por huéspedes sospechosos. La dueña de casa le había preguntado si éramos hermanos, esposos legítimos o meros ami-

---

[3] *Cáqueza:* Población del Departamento de Cundinamarca, al suroriente de Bogotá, en la ruta hacia Villavicencio y los Llanos Orientales.

[4] *trapiche:* Molino para extraer el jugo de la caña de azúcar. Así se denomina, también, la enramada o el lugar en donde se encuentra el molino.

[5] *mayal:* Palo del cual tiran los bueyes que mueven el trapiche.

gos, y la instó con zalemas a que le mostrara algunas de las monedas que hacíamos, caso de que las fabricáramos «en lo que no había nada de malo, dada la tirantez de la situación». Al siguiente día partimos antes del amanecer.

—¿No crees, Alicia, que vamos huyendo de un fantasma cuyo poder se lo atribuimos nosotros mismos? ¿No sería mejor regresar?

—¡Tanto me hablas de eso, que estoy convencida de que te canso! ¿Para qué me trajiste? ¡Porque la idea partió de ti! ¡Vete, déjame! ¡Ni tú ni Casanare merecen la pena!

Y de nuevo se echó a llorar.

El pensamiento de que la infeliz se creyera desamparada me movió a tristeza, porque ya me había revelado el origen de su fracaso. Querían casarla con un viejo terrateniente en los días que me conoció. Ella se había enamorado, cuando impúber, de un primo suyo, paliducho y enclenque, con quien estaba en secreto comprometida; luego aparecí yo, y alarmado el vejete por el riesgo de que le birlara la prenda, multiplicó las cuantiosas dádivas y estrechó el asedio, ayudado por la parentela entusiástica. Entonces Alicia, buscando la liberación, se lanzó a mis brazos.

Mas no había pasado el peligro: el viejo, a pesar de todo, quería casarse con ella.

—Déjame —repitió, arrojándose del caballo—. ¡De ti no quiero nada! ¡Me voy a pie, a buscar por estos caminos un alma caritativa! ¡Infame, nada quiero de ti!

Yo que he vivido lo suficiente para saber que no es cuerdo replicarle a una mujer airada, permanecí mudo, agresivamente mudo, en tanto que ella, sentada en el césped, con mano convulsa arrancaba puñados de yerba.

—Alicia, esto me prueba que no me has querido nunca.

—¡Nunca!

Y volvió los ojos a otra parte.

Quejóse luego del descaro con que la engañaba:

—¿Crees que no advertí tus persecuciones a la muchacha de allá abajo? ¡Y tanto disimulo para seducirla! Y alegarme que la demora obedecía a quebrantos de mi salud. Si esto es ahora, ¿qué no será después? ¡Déjame! ¡A Casanare, jamás, y contigo, ni al cielo!

Este reproche contra mi infidelidad me ruborizó. No sabía qué decir. Hubiera deseado abrazar a Alicia, agradeciéndole sus celos con un abrazo de despedida. Si quería que la abandonara, ¿tenía yo la culpa?

Y cuando me desmontaba a improvisar una explicación, vimos descender por la pendiente un hombre que galopaba en dirección a nosotros. Alicia, conturbada, se agarró de mi brazo.

El sujeto, apeándose a corta distancia, avanzó con el hongo en la mano.

—Caballero, permítame una palabra.

—¿Yo? —repuse con voz enérgica.

—Sí, sumercé —y terciándose la ruana me alargó un papel enrollado—. Es que lo manda notificar mi padrino.

—¿Quién es su padrino?

—Mi padrino el Alcalde.

—Esto no es para mí —dije, devolviendo el papel, sin haberlo leído.

—¿No son, pues, susmercedes los que estuvieron en el trapiche?

—Absolutamente. Voy de Intendente a Villavicencio[6], y esta señora es mi esposa.

Al escuchar tales afirmaciones, permaneció indeciso.

—Yo creí —balbuceó— que eran susmercedes los acuñadores de monedas. De la ramada estuvieron mandando razón al pueblo para que la autoridad los apañara, pero mi padrino estaba en su hacienda, pues sólo abre la Alcaldía los días de mercado. Recibió también varios telegramas, y como ahora soy Comisario único...

---

6 *Villavicencio:* Capital del Departamento del Meta. Situada en el piedemonte, después del difícil descenso de la cordillera, es la puerta hacia los Llanos Orientales y el más importante centro económico y político de la región. El antiguo Territorio Nacional del Meta pasó a ser Intendencia en 1909 (desde 1959 es Departamento). Dado que ser Intendente era el más importante cargo político del Meta en la época de *La vorágine,* la mentira que escoge Arturo Cova muestra su deseo de ser la primera autoridad de la región, y es parte de una larga serie de autodelaciones y fantasías de grandeza.

Sin dar tiempo a más aclaraciones, le ordené que acercara el caballo de la señora. Alicia, para ocultar la palidez, velose el rostro con la gasa del sombrero. El importuno nos veía partir sin pronunciar palabra. Mas, de repente, montó en su yegua, y acomodándose en la enjalma que le servía de montura, nos flanqueó sonriendo:

—Sumercé, firme la notificación para que mi padrino vea que cumplí. Firme como Intendente.

—¿Tiene usted una pluma?

—No, pero adelante la conseguimos. Es que, de lo contrario, el Alcalde me archiva.

—¿Cómo así? —respondíle sin detenerme.

—Ojalá sumercé me ayude, si es cierto que va de empleado. Tengo el inconveniente de que me achacan el robo de una novilla y me trajeron preso, pero mi padrino me dio el pueblo por cárcel; y luego, a falta de Comisario, me hizo el honor a mí. Yo me llamo Pepe Morillo Nieto, y por mal nombre me dicen Pipa.

El cuatrero, locuaz, caminaba a mi diestra relatando sus padecimientos. Pidióme la maleta de la ropa y la atravesó en la enjalma, sobre sus muslos, cuidando de que no se cayera.

—No tengo —dijo— con qué comprar una ruana decente, y la situación me ha reducido a vivir descalzo. Aquí donde susmercedes me ven, este sombrero tiene más de dos años, y lo saqué de Casanare.

Alicia, al oír esto, volvió hacia el hombre los ojos asustadizos.

—¿Ha vivido usted en Casanare? —le preguntó.

—Sí, sumercé, y conozco el Llano y las caucherías del Amazonas[7]. Mucho tigre y mucha culebra he matado con la ayuda de Dios.

---

[7] Ésta es la primera vez que aparece en la novela una referencia a las caucherías del Amazonas. El Pipa, que reaparecerá más tarde como guía de la selva y de los ríos, se define desde sus primeras palabras como uno de los personajes que ha vivido en los diferentes espacios de la novela y cuya experiencia significa para Arturo Cova la apertura a mundos que hasta entonces desconocía.

A la sazón encontrábamos arrieros que conducían sus recuas. El Pipa les suplicaba:

—Háganme bien y me prestan un lápiz para una firmita.

—No cargamos eso.

—Cuidado con hablarme de Casanare en presencia de la señora —le dije en voz baja—. Siga usted conmigo, y en la primera oportunidad me da a solas los informes que puedan ser útiles al Intendente.

El dichoso Pepe habló cuanto pudo, derrochando hipérboles. Pernoctó con nosotros en las cercanías de Villavicencio, convertido en paje de Alicia, a quien distraía con su verba. Y esa noche se picureó*[8], robándose mi caballo ensillado.

* * *

Mientras mi memoria se empañaba con estos recuerdos, una claridad rojiza se encendió de súbito. Era la fogata de insomne reflejo, colocada a pocos metros de los chinchorros para conjurar el acecho del tigre y otros riesgos nocturnos. Arrodillado ante ella como ante una divinidad, don Rafo la soplaba con su resuello.

Entre tanto continuaba el silencio en las melancólicas soledades, y en mi espíritu penetraba una sensación de infinito que fluía de las constelaciones cercanas.

Y otra vez volví a recordar. Con la hora desvanecida se había hundido irremediablemente la mitad de mi ser, y ya debía iniciar una nueva vida, distinta de la anterior, comprometiendo el resto de mi juventud y hasta la razón de mis ilusiones, porque cuando reflorecieran ya no habría quizás a quién ofrendarlas o dioses desconocidos ocuparían el altar a que se destinaron. Alicia pensaría lo mismo, y de esta suerte, a par que me servía de remordimiento, era

---

[8] *picurearse:* Fugarse, escaparse (LC). Este verbo aparece con frecuencia en la novela y se aplica especialmente a la fuga de los caucheros. Picurearse, aun arriesgándose a morir en la selva, es el sueño de los caucheros y la única salida posible de la esclavitud.

el lenitivo de mi congoja, la compañera de mi pesar, porque ella iba también, como la semilla en el viento, sin saber a dónde y miedosa de la tierra que la esperaba.

Indudablemente, era de carácter apasionado: de su timidez triunfaba a ratos la decisión que imponen las cosas irreparables. Dolíase otras veces de no haberse tomado un veneno. Aunque no te amo como quieres, decía, ¿dejarás de ser para mí el hombre que me sacó de la inexperiencia para entregarme a la desgracia? ¿Cómo podré olvidar el papel que has desempeñado en mi vida? ¿Cómo podrás pagarme lo que me debes? No será enamorando a las campesinas de las posadas ni haciéndome ansiar tu apoyo para abandonarme después. Pero si esto es lo que piensas, no te alejes de Bogotá, porque ya me conoces. ¡Tú responderás!

—¿Y sabes que soy ridículamente pobre?

—Demasiado me lo repitieron cuando me visitabas. El amparo que ahora te pido no es el de tu dinero, sino el de tu corazón.

—¿Por qué me imploras lo que me apresuré a ofrecerte de manera espontánea? Por ti dejé todo, y me lancé a la aventura, cualesquiera que fuesen los resultados. ¿Pero tendrás valor de sufrir y confiar?

—¿No hice por ti todos los sacrificios?

—Pero le temes a Casanare.

—Le temo por ti.

—¡La adversidad es una sola, y nosotros seremos dos!

Tal fue el diálogo que sostuvimos en la casucha de Villavicencio la noche que esperábamos al Jefe de la Gendarmería. Era éste un quídam[9] semicano y rechoncho, vestido de kaki, de bigotes ariscos y aguardentosa catadura.

—Salud, señor —le dije en tono despectivo cuando apoyó su sable en el umbral.

—¡Oh, poeta![10]. Esta chica es digna hermana de las nueve musas. ¡No sea egoísta con los amigos!

---

[9] *quídam*. Sujeto despreciable e insignificante, cuyo nombre se ignora o se quiere omitir (DRAE).

[10] Éste es el primer personaje que identifica a Arturo Cova como poeta. Cova, como narrador, transfiere a otros personajes, como ahora al general Gámez y Roca, y más tarde a Barrera, el reconocimiento de un importante

Y me echó su tufo de anetol[11] en la cara.

Frotándose contra el cuerpo de Alicia al acomodarse en el banco, resopló, asiéndola de las muñecas:

—¡Qué pimpollo! ¿Ya no te acuerdas de mí? ¡Soy Gámez y Roca, el general Gámez y Roca! Cuando eras pequeña solía sentarte en mis rodillas.

Y probó a sentarla de nuevo.

Alicia, inmutada, estalló:

—¡Atrevido, atrevido! —¡y lo empujó lejos!

—¿Qué quiere usted? —gruñí cerrando las puertas. Y lo degradé con un salivazo.

—Poeta, ¿qué es esto? ¿Corresponde así a la hidalguía de quien no quiere echarlo a prisión? ¡Déjeme la muchacha, porque soy amigo de sus papás y en Casanare se le muere! Yo le guardaré la reserva. ¡El cuerpo del delito para mí, para mí! ¡Déjemela, para mí!

Antes que terminara, con esguince colérico le zafé a Alicia uno de sus zapatos y lanzando al hombre contra el tabique, lo acometí a golpes de tacón en el rostro y en la cabeza. El borracho, tartamudeante, se desplomó sobre los sacos de arroz que ocupaban el ángulo de la sala.

Allí roncaba media hora después, cuando Alicia, don Rafo y yo huimos en busca de las llanuras intérminas.

* * *

—Aquí está el café —dijo don Rafo, parándose delante del mosquitero—. Despabílense, niños, que estamos en Casanare.

Alicia nos saludó con tono cordial y ánimo limpio:

—¿Ya quiere salir el sol?

—Tarda todavía: el carrito de estrellas apenas va llegando a la loma —y nos señaló don Rafo la cordillera di-

---

aspecto de su identidad. Cova no sólo escribe este relato como poeta, tal como se puede notar desde el primer párrafo de la novela, sino que ya sus poemas habían circulado dándole cierta fama, una fama que la mayoría de las veces está tratada irónicamente.

[11] *anetol:* Aguardiente anisado.

ciendo—: Despidámonos de ella, porque no la volveremos a ver. Sólo quedan llanos, llanos y llanos.

Mientras apurábamos el café, nos llegaba el vaho de la madrugada, un olor a pajonal* fresco, a surco removido, a leños recién cortados, y se insinuaban leves susurros en los abanicos de los moriches*[12]. A veces, bajo la transparencia estelar, cabeceaba alguna palmera humillándose hacia el oriente. Un regocijo inesperado nos henchía las venas, a tiempo que nuestros espíritus, dilatados como la pampa, ascendían agradecidos de la vida y de la creación.

—Es encantador Casanare —repetía Alicia—. No sé por qué milagro, al pisar la llanura, aminoró la zozobra que me inspiraba.

—Es que —dijo don Rafo— esta tierra lo alienta a uno para gozarla y para sufrirla. Aquí hasta el moribundo ansía besar el suelo en que va a pudrirse. Es el desierto, pero nadie se siente solo: son nuestros hermanos el sol, el viento y la tempestad. Ni se les teme ni se les maldice.

Al decir esto, me preguntó don Rafo si era tan buen jinete como mi padre, y tan valeroso en los peligros.

—Lo que se hereda no se hurta —respondí jactancioso, en tanto que Alicia, con el rostro iluminado por el fulgor de la hoguera, sonreía confiada.

Don Rafo era mayor de sesenta años y había sido compañero de mi padre en alguna campaña. Todavía conservaba ese aspecto de dignidad que denuncia a ciertas personas venidas a menos. La barba canosa, los ojos tranquilos, la calva luciente, convenían a su estatura mediana, contagiosa de simpatía y de benevolencia. Cuando oyó mi nombre en Villavicencio y supo que sería detenido, fue a buscarme con la buena nueva de que Gámez y Roca le había jurado interesarse por mí. Desde nuestra llegada hizo com-

---

[12] *moriche* (*Mauritia flexuosa* o *Mauritia minor*) o *canangucha*: Palma de tronco liso y de gran elevación, de múltiples usos en la Amazonia y la Orinoquia. De ella se toman las hojas para techar y fabricar cordeles y cestería, los frutos para bebida y para alimentar animales y el tronco para construcción (AC). Se encuentra en agrupamientos llamados morichales, sobre suelos inundables. Los morichales y los pajonales constituyen la vegetación característica de la región.

pras para nosotros, atendiendo los encargos de Alicia. Ofreciónos ser nuestro baquiano[13] de ida y de regreso, y que a su vuelta de Arauca[14] llegaría a buscarnos al hato de un cliente suyo, donde permaneceríamos alojados unos meses.

Casualmente hallábase en Villavicencio, de salida para Casanare. Después de su ruina, viudo y pobre, les cogió apego a los Llanos, y con dinero de su yerno los recorría anualmente, como ganadero y mercader ambulante al por menor. Nunca había comprado más de cincuenta reses y entonces arreaba unos caballejos hacia las fundaciones del bajo Meta y dos mulas cargadas de baratijas.

—¿Se reafirma usted en la confianza de que estamos ya libres de las pesquisas del General?

—Sin duda alguna.

—Qué susto me dio ese canalla —comentó Alicia—. Piensen ustedes que yo temblaba como azogue. ¡Y aparecerse a la medianoche! ¡Y decir que me conocía! Pero se llevó su merecido.

Don Rafo tributó a mi osadía un aplauso feliz: ¡era yo el hombre para Casanare!

Mientras hablaba, iba desmaneando[15] las bestias y poniéndoles los cabezales. Ayudábale yo en la faena y pronto estuvimos listos para seguir la marcha. Alicia, que nos alumbraba con una linterna, suplicó que esperásemos la salida del sol.

—¿Conque el mentado Pipa es un zorro llanero? —pregunté a don Rafo.

—El más astuto de los salteadores: varias veces prófugo, tras curar sus fiebres en los presidios, vuelve con mayores arrestos a ejercer la piratería. Ha sido capitán de indios salvajes, sabe idiomas de varias tribus y es boga[16] y vaquero.

---

13 *baquiano:* Guía. Conocedor de caminos, trochas y atajos. (DRAE).

14 *Arauca:* Región situada al norte de Casanare.

15 *desmanear:* Quitar a las bestias las maneas o trabas (DRAE).
   maneas: Cuerdas para atar las manos de la caballería.
   manear: Poner esas trabas. Se usa también en sentido figurado.

16 *boga:* Remero (ALEC).

—Y tan disimulado, y tan hipócrita y tan servil —apuntaba Alicia.

—Tuvieron ustedes la fortuna de que les robara una sola bestia. Por aquí andará...

Alicia me miraba nerviosa, pero calmó sus preocupaciones con las anécdotas de don Rafo.

Y la aurora surgió ante nosotros[17]: sin que advirtiéramos el momento preciso, empezó a flotar sobre los pajonales un vapor sonrosado que ondulaba en la atmósfera como ligera muselina. Las estrellas se adormecieron, y en la lontananza de ópalo, al nivel de la tierra, apareció un celaje[18] de incendio, una pincelada violenta, un coágulo de rubí. Bajo la gloria del alba hendieron el aire los patos chillones, las garzas morosas como copos flotantes, los loros esmeraldinos de tembloroso vuelo, las guacamayas multicolores. Y de todas partes, del pajonal y del espacio, del estero* y de la palmera, nacía un hálito jubiloso que era vida, era acento, claridad y palpitación. Mientras tanto, en el arrebol que abría su palio inconmensurable dardeó el primer destello solar, y, lentamente, el astro, inmenso como una cúpula, ante el asombro del toro y la fiera, rodó por las llanuras, enrojeciéndose antes de ascender al azul.

Alicia, abrazándome llorosa y enloquecida, repetía esta plegaria: ¡Dios mío, Dios mío! ¡El sol, el sol!

Luego nosotros, prosiguiendo la marcha, nos hundimos en la inmensidad.

* * *

[17] Ésta es una descripción ya clásica del paisaje llanero, famoso por sus amaneceres y crepúsculos. La aurora, las estrellas, el arrebol y el sol están personificados, y se contempla la naturaleza como reflejo sangriento del arte («apareció un celaje de incendio, una pincelada violenta», «un coágulo de rubí»). Contrasta un vocabulario culto y modernista, de metáforas religiosas («muselina», «ópalo», «rubí», «gloria», «copos», «esmeraldinos», «palio», «cúpula»), con las referencias a la flora y a la fauna de la región («pajonales», «patos», «garzas», «loros», «guacamayas», «estero», «palmera», «toro», «fiera», «llanuras»). Se completa esta descripción con la adoración («plegaria») de Alicia ante el sol.

[18] *celaje:* Conjunto de nubes, especialmente considerado como espectáculo o como tema pictórico (MM).

Poco a poco el regocijo de nuestras lenguas fue cediendo al cansancio. Habíamos hecho copiosas preguntas que don Rafo atendía con autoridad de conocedor[19]. Ya sabíamos lo que era una mata, un caño, un zural*, y por fin Alicia conoció los venados. Pastaban en un estero hasta media docena, y al ventearnos enderezaron hacia nosotros las orejas esquivas.

—No gaste usted los tiros del revólver —ordenó don Rafo—. Aunque vea los bichos cerca, están a más de quinientos metros. Fenómenos de la región.

Dificultábase la charla porque don Rafo iba de puntero*, llevando de diestro[20] una bestia, en pos de la cual trotaban las otras en los pajonales retostados. El aire caliente fulgía como lámina de metal, y bajo el espejeo de la atmósfera, en el ámbito desolado, insinuábase a lo lejos la masa negruzca de un monte. Por momentos se oía la vibración de la luz[21].

Con frecuencia me desmontaba para refrescar las sienes de Alicia, frotándolas con un limón verde. A guisa de quitasol llevaba sobre el sombrero una chalina blanca, cuyos extremos empapaba en llanto cada vez que la afligía el recuerdo del hogar. Aunque yo fingía no reparar en sus lágrimas, inquietábame el tinte de sus arreboladas mejillas, miedoso de la congestión. Mas imposible sestear bajo la intemperie asoledada: ni un árbol, ni una gruta, ni una palmera.

—¿Quieres descansar? —le proponía preocupado; y sonriendo me respondía:

—¡Cuando lleguemos a la sombra! ¡Pero cúbrete el rostro, que la resolana te tuesta!

---

[19] Arturo y Alicia vienen de Bogotá, la fría capital situada a 2.600 metros sobre el nivel del mar. Para ellos, el mundo del llano representa una experiencia completamente diferente, que incluye el aprendizaje de un nuevo vocabulario. Don Rafo, figura paterna, es el guía y la mediación hacia este nuevo mundo de sorpresas y de contrastes.

[20] *llevar de diestro:* Llevar del cabestro.

[21] *se oía la vibración de la luz:* Ejemplo de sinestesia, la metáfora de los sentidos que, con huellas de Baudelaire, Rimbaud y Huysmans, usaron con gran frecuencia los modernistas.

Hacia la tarde, parecían surgir en el horizonte ciudades fantásticas. Las ponentinas matas de monte provocaban el espejismo, perfilando en el cielo penachos de palmares, por sobre cúpulas de ceibas y copeyes[22], cuyas floraciones de bermellón evocaban manchas de tejados.

Los caballos que iban sueltos, orientándose en la llanura, empezaron a galopar a considerable distancia de nosotros.

—Ya ventearon el bebedero —observó don Rafo—. No llegaremos a la mata antes de media hora; pero allí calentaremos el bastimento[23].

Rodeaban el monte pantanos inmundos, de flotante lama, cuya superficie recorrían avecillas acuáticas que chillaban balanceando la cola. Después de gran rodeo, y casi por opuesto lado, penetramos en la espesura, costeando el tremedal[24], donde abrevábanse las caballerías, que iba yo maneando en la sombra. Limpió don Rafo con el machete las malezas cercanas a un árbol enorme, agobiado por festones amarillentos, de donde llovían, con espanto de Alicia, gusanos inofensivos y verdosos. Puesto el chinchorro, lo cubrimos con el amplio mosquitero para defenderla de las abejas que se le enredaban en los rizos, ávidas de chuparle el sudor. Humeó luego la hoguera consoladora y nos devolvió la tranquilidad.

Metía yo al fuego la leña que me aventaba don Rafo, mientras Alicia me ofrecía su ayuda.

---

[22] *ceiba (Ceiba pentandra):* Árbol americano de la familia de las bombacáceas, que puede alcanzar más de cuarenta metros de altura. Su tronco presenta un engrosamiento hacia la base que le da forma de botella. Su copa es extensa con ramas rojizas y espinosas (AC). La ceiba ha cumplido una función simbólica en Colombia, y se llama también el árbol de la libertad, porque en el siglo XIX se plantaron ceibas en las plazas de muchas poblaciones para conmemorar la Independencia.

copey (Clusia rósea): Árbol gutífero, de mucha altura y hermoso ramaje, hojas dobles y carnosas, flores amarillas y rojas con apariencia de cera y fruto venenoso (MM, DRAE).

[23] *bastimento:* Provisiones.

[24] *tremedal:* Terreno pantanoso cubierto de césped, que por su escasa consistencia retiembla cuando se anda sobre él (DRAE). Cerca de un tremedal se ve por última vez a Doña Bárbara, la protagonista de la obra de Rómulo Gallegos.

—Esos oficios no te corresponden a ti.

—¡No me impacientes, ya ordené que descanses, y debes obedecer!

Resentida por mi actitud, empezó a mecerse, al impulso que su pie le imprimía al chinchorro. Mas cuando fuimos a buscar agua, me rogó que no la dejara sola.

—Ven, si quieres —le dije. Y siguió tras de nosotros por una trocha enmalezada.

La laguneta de aguas amarillosas estaba cubierta de hojarascas. Por entre ellas nadaban unas tortuguillas llamadas galápagos, asomando la cabeza rojiza; y aquí y allí los caimanejos nombrados cachirres[25] exhibían sobre la nata del pozo los ojos sin párpados. Garzas meditabundas, sostenidas en un pie, con picotazo repentino arrugaban la charca tristísima, cuyas evaporaciones maléficas flotaban bajo los árboles como velo mortuorio. Partiendo una rama, me incliné para barrer con ella las vegetaciones acuátiles, pero don Rafo me detuvo, rápido como el grito de Alicia. Había emergido bostezando para atraparme una serpiente güío*[26], corpulenta como una viga, que a mis tiros de revólver se hundió removiendo el pantano y rebasándolo en las orillas.

Y regresamos con los calderos vacíos.

Presa del pánico, Alicia se reclinó temblorosa bajo el mosquitero. Tuvo vahídos, pero la cerveza le aplacó las

---

[25] *cachirre, babilla o yacaré (Caiman sclerops o Paleosuchus trigonatus)*: El más pequeño de los caimanes de la Amazonia. Su cola, considerada un excelente bocado, y su piel, vendida en el comercio nacional e internacional, lo están llevando a la extinción (AC).

[26] *güío (Boa constrictor)*: Inmensa boa de tierra, de la familia de las boideas, que puede alcanzar de diez a quince metros de largo. Aunque no es venenosa y muy raramente ataca al hombre, sus terribles colmillos y la fuerza hercúlea de sus anillos son suficiente motivo para atemorizar al más atrevido. El *güío negro (Eunectes murinus)* de la región del Guaviare es la misma anaconda, la mayor serpiente del mundo, considerada por algunos grupos indígenas como el origen de la especie humana (AC). Según tradiciones indígenas, cuando se creó el mundo la anaconda subió por el río y ahí fue dejando los distintos grupos que viven en el Vaupés. Una famosa elaboración literaria de esta serpiente aparece en los cuentos de Horacio Quiroga. En los relatos de *Anaconda* (1923) convierte a esta gigantesca boa en protagonista de lo que se ha llamado la epopeya de las víboras de la literatura latinoamericana.

Migración de una boa constrictor en el río.
Los grabados que aparecen en esta edición ilustraban los relatos de dos viajeros franceses que visitaron Colombia en el siglo pasado, Charles Saffray en
1869 y Edouard André en 1875 y 1876. Se publicaron originalmente en la
revista francesa *Le Tour du Monde* (1872-1873 y 1877-1879). Las primeras
ediciones en castellano aparecieron en Barcelona, publicadas por Montaner
y Simón, en 1876 y 1884. Aunque estas ilustraciones son muy anteriores a la
época de *La vorágine,* muestran una perspectiva similar respecto a la relación
entre hombre y naturaleza.

náuseas. Con espanto no menor comprendí lo que le pasaba, y, sin saber cómo, abrazando a la futura madre, lloré todas mis desventuras.

* * *

Al verla dormida, me aparté con don Rafael, y sentándonos sobre una raíz del árbol, escuché sus consejos inolvidables:

No convenía, durante el viaje, advertirla del estado en que estaba, pero debía rodearla de todos los cuidados posibles. Haríamos jornadas cortas y regresaríamos a Bogotá antes de tres meses. Allí las cosas cambiarían de aspecto.

Por lo demás, los hijos, legítimos o naturales, tenían igual procedencia y se querían lo mismo. Cuestión del medio. En Casanare así acontecía.

Él ambicionó en un tiempo hacer un matrimonio brillante, pero el destino le marcó ruta imprevista: la joven con quien vivía en aquel entonces llegó a superar a la esposa soñada, pues, juzgándose inferior, se adornaba con la modestia y siempre se creyó deudora de un exceso de bien. De esta suerte, él fue más feliz en el hogar que su hermano, cuya compañera, esclava de los pergaminos y de las mentiras sociales, le inspiró el horror a las altas familias, hasta que regresó a la sencillez favorecido por el divorcio.

No había que retroceder en la vida ante ningún conflicto, pues sólo afrontándolos de cerca se ve si tienen remedio. Era verdad que preveía el escándalo de mis parientes si me echaba a cuestas a Alicia o la conducía al altar. Mas no había que mirar tan lejos, porque los temores van más allá de las posibilidades. Nadie me aseguraba que había nacido para casado, y aunque así fuera, ¿quién podría darme una esposa distinta de la señalada por mi suerte? Y Alicia, ¿en qué desmerecía? ¿No era inteligente, bien educada, sencilla y de origen honesto? ¿En qué código, en qué escritura, en qué ciencia había aprendido yo que los prejuicios priman sobre las realidades? ¿Por qué era mejor que otros, sino por mis obras? El hombre de talento debe ser como la muerte, que no reconoce categorías. ¿Por qué ciertas doncellas me parecían más encumbradas? ¿Acaso por irreflexivo consentimiento del público que me contagiaba su estulticia; acaso por el lustre de la riqueza? ¿Pero ésta, que suele nacer de fuentes oscuras, no era también relativa? ¿No resultaban misérrimos nuestros potentados en parangón con los de fuera? ¿No llegaría yo a la dorada medianía, a ser relativamente rico? En este caso, ¿qué me importarían los demás, cuando vinieran a buscarme con el incienso? Usted sólo tiene un problema sumo, a cuyo lado huelgan todos los otros: adquirir dinero para sustentar la modestia decorosamente. El resto viene por añadidura.

Callado, escarmenaba mentalmente las razones que oía, separando la verdad de la exageración.

—Don Rafo —le dije—, yo miro las cosas por otro aspecto, pues las conclusiones de usted, aunque fundadas, no me preocupan ahora: están en mi horizonte, pero están lejos. Respecto de Alicia, el más grave problema lo llevo yo, que sin estar enamorado vivo como si lo estuviera, supliendo mi hidalguía lo que no puede dar mi ternura, con la convicción íntima de que mi idiosincrasia caballeresca me empujará hasta el sacrificio, por una dama que no es la mía, por un amor que no conozco.

Fama de rendido galán gané en el ánimo de muchas mujeres, gracias a la costumbre de fingir, para que mi alma se sienta menos sola. Por todas partes fui buscando en qué distraer mi inconformidad, e iba de buena fe, anheloso de renovar mi vida y de rescatarme a la perversión: pero dondequiera que puse mi esperanza hallé lamentable vacío, embellecido por la fantasía y repudiado por el desencanto. Y así, engalándome con mi propia verdad, logré conocer todas las pasiones y sufro su hastío, y prosigo desorientado, caricatureando el ideal para sugestionarme con el pensamiento de que estoy cercano a la redención. La quimera que persigo es humana, y bien sé que de ella parten los caminos para el triunfo, para el bienestar y para el amor. Mas han pasado los días y se va marchitando mi juventud sin que mi ilusión reconozca su derrotero; y viviendo entre mujeres sencillas no he encontrado la sencillez, ni entre las enamoradas el amor, ni la fe entre las creyentes. Mi corazón es como una roca cubierta de musgo, donde nunca falta una lágrima. Hoy me ha visto usted llorar, no por flaqueza de ánimo, que bastante rencor le tengo a la vida: ¡lloré por mis aspiraciones engañadas, por mis ensueños desvanecidos, por lo que no fui, por lo que ya no seré jamás!

Paulatinamente iba levantando la voz y comprendí que Alicia estaba despierta. Me acerqué cauteloso y la sorprendí en actitud de escuchar.

—¿Qué quieres? —le dije. Y su silencio me desconcertó.

Fue preciso continuar la marcha hasta el morichal* vecino, según decisión de don Rafo, porque la mata era peligrosa en extremo: a muchas leguas en contorno, sólo en ella encontraban agua los animales y de noche acudían las fieras. Salimos de allí, paso a paso, cuando la tarde empezó a suspirar, y bajo los últimos arreboles nos preparamos para la queda. Mientras don Rafo encendía fuego, me retiré por los pajonales a amarrar los caballos. La brisa del anochecer refrescaba el desierto, y de repente, en intervalos desiguales, llegó a mis oídos algo como un lamento de mujer. Instintivamente pensé en Alicia, que acercándose me preguntaba:

—¿Qué tienes? ¿Qué tienes?

Reunidos después, sentíamos la sollozante quejumbre, vueltos hacia el lado de donde venía, sin que acertáramos a descifrar el misterio; una palmera de macanilla[27], fina como un pincel, obedeciendo a la brisa, hacía llorar sus flecos en el crepúsculo.

* * *

Ocho días después divisamos la fundación de La Maporita. La laguna próxima a los corrales se doraba al sol.

---

[27] *macanilla o choapo* (*Socratea exorrhiza*): Palma levantada sobre raíces fúlcreas cubiertas de espinas, lo cual le da un raro aspecto. Se encuentra en toda la selva oriental y es muy utilizada en construcción (AC).

Unos mastines enormes vinieron a nuestro encuentro, con ladridos desaforados, y nos dispersaron las bestias. Frente al tranquero de la entrada, donde se asoleaba un bayetón* rojo, exclamó don Rafo, empinándose en los estribos:

—¡Alabado sea Dios!

—Y su madre santísima —respondió una voz de mujer.

—¿No hay quién venga a espantar estos perros?

—Ya va.

—¿La niña Griselda?

—En el caño.

Complacidos observábamos el aseo del patio, lleno de caracuchos[28], siemprevivas, habanos, amapolas y otras plantas del trópico. Alrededor de la huerta daban fresco los platanales, de hojas susurrantes y rotas, dentro de la cerca de guadua*[29] que protegía la vivienda, en cuyo caballete lucía sus resplandores un pavo real.

Por fin, una mulata decrépita asomó a la puerta de la cocina, enjugándose las manos con el ruedo de las enaguas.

—¡Chite, uise! —gritó tirando una cáscara a las gallinas que escarbaban la era—. Prosigan, que la niña Griselda se ta bañando. ¡Los perros no muerden, ya mordieron!

Y volvió a sus quehaceres.

Sin testigos, ocupamos el cuarto que servía de sala, en donde no había otro menaje que dos chinchorros*, una barbacoa*[30], dos banquetas, tres baúles y una máquina Singer. Alicia, sofocada, se mecía ponderando el cansan-

---

[28] *caracucho o caracucha:* Del quechua *kara,* corteza, y *kuchu,* rincón. Planta apocinácea cuyas hojas se caen totalmente para dar lugar a las flores (LC).

[29] *guadua (Bambuseae):* El indígena usa muy poco esta especie de bambú, que no es común en la selva oriental, pues prefiere para su vivienda las maderas de las palmas (AC). Aquí, la descripción del patio y de la casa adonde llegan los personajes subraya el trabajo y el cuidado que los colonos le han dedicado al lugar.

[30] *barbacoa:* Zarzo cuadrado y oblongo, sostenido con puntales, que sirve de camastro (DRAE). También, zarzo o armazón en que se ponen objetos para que queden un poco en lo alto (ALEC). En el vocabulario que Rivera anexa a la novela, aparador de guadua.

cio, cuando entró la niña Griselda, descalza, con el chingue* al brazo, el peine en la crencha[31] y los jabones en una totuma[32].

—Perdone usted —le dijimos.

—Tienen a sus órdenes el rancho y la persona. ¡Ah!, ¿también vino don Rafael? ¿Qué hace en la ramáa?[33].

Y saliendo al patio, le decía familiarmente:

—Trascordao, ¿se le volvió a olvidá el cuaerno? Estoy entigrecía[34] contra usté. No me salga con ésas, porque peleamos.

Era una hembra morena y fornida, ni alta ni pequeña, de cara regordeta y ojos simpáticos. Se reía enseñando los dientes anchos y albísimos, mientras que con mano hacendosa exprimía los cabellos goteantes sobre el corpiño desabrochado. Volviéndose a nosotros interrogó:

—¿Ya les trajeron café?

—Se pone usted en molestias...

—Tiana, Bastiana, ¿qué hubo?

Y sentándose en el chinchorro al lado de Alicia, preguntábale si los diamantes de sus zarcillos eran legales y si traía otros para vender.

—Señora, si le gustan...

—Se los cambio por esa máquina.

—Siempre avispada para el negocio —galanteó don Rafo.

—¡Náa! Es que nos estamos recogiendo pa dejá la tierra.

Y con acento cálido refirió que Barrera había venido a llevar gente para las caucherías del Vichada[35].

—Es la ocasión de mejorá: dan alimentación y cinco pesos por día. Así se lo he dicho a Franco.

---

31 *crencha:* Cada una de las dos porciones en que queda partido el pelo por la raya (MM).

32 *totuma:* Vasija hecha con el fruto del *totumo,* árbol tropical, semicultivado, que produce frutos esféricos o alargados de tamaño diverso y corteza dura, con los que se fabrican vasijas para diversos usos (AC).

33 *ramáa:* Ramada, enramada, cobertizo de ramas (DRAE).

34 *entigrecerse:* Enojarse, irritarse, enfurecerse (DRAE).

35 Ésta es la primera referencia a Narciso Barrera y a las caucherías del Vichada.

—¿Y qué Barrera es el enganchador? —preguntó don Rafo.

—Narciso Barrera, que ha treído mercancías y morrocotas* pa da y convidá.

—¿Se creen ustedes de esa ficha?

—Cáyese, don Rafo. ¡Cuidao con desanimá a Fidel! ¡Si le tá ofreciendo plata anticipáa y no se resuelve a dejá este pegujal![36]. ¡Quere má a las vacas que a la mujé! Y eso que nos cristianamos en Pore[37], porque sólo éramos casaos militarmente.

Alicia, mirándome de soslayo, se sonrió.

—Niña Griselda, ese viaje puede resultar un percance.

—Don Rafo, el que no arriesga no pasa el má. Ora díganme ustées si valdrá la pena un enganche que los ha entusiasmao a tóos. Porque ayí en el hato no va a queá gente. Ha tenía que bregáles el viejo pa que le ayuden a terminá los trabajos de ganao. Nadie quere hacer náa. ¡Y de noche tienen unos joropos*...! Pero supóngase: tando ahí la Clarita... Yo le prohibí a Fidel que se quede ayá, y no me hace caso. Dende el lunes se jue. Mañana lo espero.

—¿Dice usted que Barrera trajo mucha mercancía? ¿Y la da barata?

—Sí, don Rafo. No vale la pena que usté abra sus petaquitas. Ya todo el mundo ha comprao. ¿A que no me trajo los cuaernos de las moas cuando má los menesto?[38]. Tengo que yevá ropa de primera.

—Por ahí le traigo uno.

—¡Dios se lo pague!

La vieja Sebastiana, arrugada como un higo seco, de cabeza gris y brazos temblones, nos alargó sendos pocillos de café amargo, que ni Alicia ni yo podíamos tomar y que don Rafo saboreaba vertiéndolo en el platillo. La niña Griselda se apresuró a traer una miel oscura, que sacaba de un garrafón, para que endulzáramos la bebida.

---

[36] *pegujal*: Fortuna, hacienda, ganado, etc., muy pequeños (MM).

[37] *Pore*: Población de Casanare. Griselda explica su relación con Fidel y aclara que se casaron por la Iglesia después de haber vivido en unión libre.

[38] ¿A que no me trajo las revistas de modas cuando más las necesito?

—Muchas gracias, señora.

—¿Y esta buena moza es su mujé? ¿Usté es el yerno de don Rafo?

—Como si lo fuera.

—¿Y ustées también son tolimas?*[39].

—Yo soy de ese Departamento; Alicia, bogotana.

—Parece que usté juera pa algún joropo, según tá de cachaca*. ¡Qué bonito traje y qué buenos botines! ¿Ese vestío lo cortó usté?

—No, señora, pero entiendo algo de modistería. Estuve tres años en el colegio asistiendo a la clase.

—¿Me enseña? ¿No es verdá que me enseña? Pa eso compré máquina. Y miren qué lujo de telas las que tengo aquí. Me las regaló Barrera el día que vino a vernos. A Tiana también le dio. ¿Onde ta la tuya?

—Colgá en la percha. Ora la treigo.

Y salió.

La niña Griselda, entusiasmada porque Alicia le ofrecía ser su maestra de corte, se zafó de la pretina las llaves y, abriendo el baúl, nos enseñó unas telas de colores vivos.

—¡Esas son etaminas comunes!

—Puros cortes de sea, don Rafo. Barrera es rasgaísimo*. Y miren las vistas del fábrico*[40] en el Vichada, a onde quere yevarnos. Digan imparcialmente si no son una preciosidá esos edificios y si estas fotografías no son primorosas. Barrera las ha repartío por toas partes. Miren cuántas tengo pegáas en el baúl.

Eran unas postales en colores. Se veían en ellas, a la ori-

---

39 *tolima* (adj.): Tolimense, del departamento de Tolima. José Eustasio Rivera nació en Neiva (Huila). Nombrado inspector escolar, reside en Ibagué (Tolima) de 1909 a 1911. En esos años desarrolla una importante actividad literaria, además de continuar con sus lecturas y su interés por el mundo de la selva y de las caucherías. De esa época y de esos lugares provienen algunos de los sonetos que publicará en *Tierra de promisión* (1921) (HH). Es, pues, significativo que su personaje Arturo Cova sea del departamento de Tolima.

40 *fábrico*: Construcción de piedra o ladrillo y argamasa (DRAE). Barrera usa estas postales de construcciones urbanas como contraste con las viviendas de la región, de madera y palma, y como prueba del progreso económico que significa el trabajo en las caucherías.

lla montuosa de un río, casas de dos pisos, en cuyos barandales se agrupaba la gente. Lanchas de vapor humeaban en el puertecito.

—Aquí viven má de mil hombres y tóos ganan una libra diaria. Ayá voy a poné asistencia pa las peonáas. ¡Supóngase cuánta plata cogeré con el solo amasijo![41]. ¿Y lo que gane Fidel?... Miren, estos montes son los cauchales. Bien dice Barrera que otra oportunidad como ésta no se presentará.

—Lo que yo siento es tar tan cascáa[42]; si no, me iba también tras de mi zambo[43] —dijo la vieja, acurrucándose de nuevo en el quicio.

—Aquí tá la tela —añadió, desdoblando una zaraza roja.

—Con ese traje parecerás un tizón encendido.

—Blanco —me replicó—: pior es no parecer náa.

—Andá —ordenóle la niña Griselda—, buscále a don Rafo unos topochos* maúros[44] pa los cabayos. Pero primero decíle al Miguel que se deje de tar echao en el chinchorro, porque no se le quitan las fiebres: que le saque el agua a la curiara* y le ponga cuidao al anzuelo, a vé si los caribes*[45] tragaron ya la carnáa. Púee que haya afilao* algún bagrecito*. Y danos vos algo de comé, que estos blancos yegan de lejos. Venga pa acá, niña Alicia, y aflójese la ropa. En este cuarto nos quearemos las dos.

---

[41] *amasijo:* Especie de pan o bizcocho, de sal o de dulce, amasado con agua y harina de maíz, trigo o yuca. Así se denomina también la acción de hacer estos panes. Griselda quiere ir a las caucherías a preparar comida y vendérsela a las peonadas. Espera encontrar obreros asalariados y no sospecha el sistema de esclavitud de las caucherías.

[42] *cascáa:* Cascada (adj.). Aplícase a la persona o cosa que se halla muy trabajada o gastada (DRAE).

[43] *zambo:* Mestizo de negro e india, o viceversa (DRAE).

[44] *topochos maúros:* Topochos maduros. Es una variedad de plátano no grueso.

[45] *caribe o piraña (Serrasalmus spp.):* Pez de escama, aplanado y redondeado, que vive en casi todos los ríos, caños y lagunas de la Orinoquia y de la Amazonia. Sus dientes, triangulares y cortantes, y su gran voracidad lo hacen muy peligroso si se cae herido al agua. Alcanza unos 20 centímetros de longitud. Los caribes representan los aspectos más peligrosos de la selva y llegan a tener una función protagónica en diversos episodios de la novela.

Y parándose ante mí, agregó con picaresco descaro:

—¡Me la yevo! ¿Ustées ya separaron cama?

* * *

Verdadera lástima sentí por don Rafael ante el fracaso de su negocio. Tenía razón la niña Griselda: todos se habían provisto ya de mercancías.

Sin embargo, dos días después de nuestra llegada, vinieron del hato unos hombres enjutos y pálidos, cuyas monturas húmedas disimulaban su mal aspecto con el bayetón que los jinetes dejaban colgando sobre las rodillas. Del otro lado del monte pidieron a gritos la curiara, y, creyendo no ser oídos, hicieron disparos de wínchester. Vista la tardanza, sin desmontarse, lanzaron sus cabalgaduras al caño y lo cruzaron trayendo las ropas amarradas en la cabeza.

Llegaron. Vestían calzones de lienzo, camisa suelta llamada lique y anchos sombreros de felpa castaña. Sus pies desnudos oprimían con el dedo gordo el aro de los estribos.

—Buen día... —prorrumpieron con voz melancólica entre los ladridos de los perros.

—Ojalá que nos hubieran matao, por tá de chistosos —exclamó la niña Griselda.

—Era pa la curiara...

—¡Qué curiara! Este no es paso rial.

—Venimos a vé la mercancía.

—Sigan, pero dejen sus rangos* afuera.

Los hombres se apearon, y con los ronzales de cerda torcida que servían de rendaje, amarraron los trotones bajo el samán[46] de la entrada y avanzaron con los bayetones al hombro. Alrededor del cuero en que don Rafo había extendido la chuchería se acuclillaron indolentes.

—Miren los diagonales extras; aquí están unos cuchi-

---

[46] *samán (Pithecolobium saman):* Arbol de la familia de las mimosáceas, muy corpulento. Como la ceiba, era un árbol sagrado bajo cuya sombra se sepultaba a los caciques (LC).

llos garantizados; fíjense en esta faja de cuero, con funda para el revólver, todo de primera clase.

—¿Trajo quinina?

—Muy buena, y píldoras para las calenturas.

—¿A cómo el hilo?

—Diez centavos madeja.

—¿No la da en cinco?

—Llévela en nueve.

Todo lo fueron tocando, examinando, comparando, casi sin hablar. Para saber si una tela desteñía, se empapaban en saliva los dedos y la refregaban. Don Rafael con la vara de medir les señalaba todo, agotando los encomios para cada cosa. Nada les gustó.

—¿Me deja en veinte riales esa navaja?

—Llévela.

—Le doy por los botones lo que le dije.

—Tómelos.

—Pero me encima la aguja pa prenderlos.

—Cójala.

Así compraron bagatelas por dos o tres pesos. El hombre de la carabina, desanudando la punta del pañuelo, alargó una morrocota:

—Páguese de tóo, es de veinte dólares.

Y la hizo retiñir contra el acero del arma.

—¡A vé los trueques!

—¿Por qué no compran el restico?

—A esos precios no se alcanza ni con la carabina. Vaya usté al hato pa que vea cosas regaláas.

—¡Adió, pue!

Y montaron.

—Hola, socio —voceó regresando el de peor estampa—, nos mandó Barrera a quitate la mercancía, y es mejó que te largués con eya. Quedás notificao: ¡lejos con eya! ¡Si no te la quitamos ahora, es por lo poquita y lo cara!

—¿Y quitarla por qué? —indagó don Rafo.

—¡Por la competencia!

—¿Crees tú, infeliz, que este anciano está solo? —prorrumpí, empuñando un cuchillo, entre los aspavientos de las mujeres.

—Mirá —repuso el hombre—, por sobre yo, mi sombrero. Por grande que sea la tierra, me quea bajo los pies. Con vos no me toy metiendo. Pero si querés, ¡pa vos también hay!

Espoleando el potro, me tiró a la cara los objetos comprados y galopó con sus compañeros a lo largo de la llanura.

* * *

Esa noche, como a las diez, llegó Fidel Franco a la casa. Aunque la embarcación se deslizaba sin ruido sobre el agua profunda, los gozques la sintieron y al instante cundió la alarma.

—Es Fidel, es Fidel —decía la niña Griselda, tropezando en nuestros chinchorros. Y salió al patio en camisola, envuelta desde la cabeza en un pañolón oscuro, seguida de don Rafael.

Alicia, asustada en las tinieblas, empezó a llamarme desde su cuarto:

—Arturo, ¿sentiste? ¡Ha llegao gente!

—¡Sí, no te afanes, no vengas! Es el dueño de casa.

Cuando en franela y sin sombrero salí al aire libre, iba un grupo bajo los platanales llevando un hachón encendido. La cadena de la curiara sonó al atracar y desembarcaron dos hombres armados.

—¿Qué ha pasado por aquí? —dijo uno, abrazando secamente a la niña Griselda.

—¡Náa, náa! ¿Por qué te aparecés a semejante hora?

—¿Qué huéspedes han llegado?

—Don Rafael y dos compañeros, hombre y mujé.

Franco y don Rafo, después de un apretón amistoso, regresaron con los del grupo hacia la cocina.

—Me vine alarmadísimo porque esta noche al yegar al hato con la torada supe que Barrerra había mandado una comisión. No querían prestarme cabayo, pero apenas comenzó la juerga, me traje la curiara de ayá. ¿A qué vinieron esos forajidos?

—A quitarme el chucho* —repuso humildemente don Rafo.

—¿Y qué pasó, Griselda?

—¡Náa! Si má, hay camorra, porque el guatecito* se les encaró, cachiblanco* en mano. ¡Un horror! ¡Nos hizo chiyá!

—Seguí pa dentro —agregó de repente la patrona, lívida, trémula—, y mientras les dan el trago de café, guindá[47] tu chinchorro* en el correor, porque toy en el cuarto con la doña.

—De ningún modo: Alicia y yo nos alojaremos en la enramada —dije avanzando hacia el corrillo.

—Usté no manda aquí —replicó la niña Griselda esforzándose por sonreír—. Venga, conozca a este yanero, que es el mío.

—Servidor de usted —repuse devolviendo el abrazo.

—¡Cuente conmigo! Basta que usted sea compañero de don Rafael.

—¡Y si vieras con qué trozo de mujé se ha enyugao![48]. ¡Coloraíta que ni un merey![49]. ¡Y las manos que tiene pa cortá la sea, y lo modosa pa enseñá!

—Pues manden a sus nuevos criados —repetía Franco.

Era cenceño[50] y pálido, de mediana estatura, y acaso mayor que yo. Cuadrábale el apellido al carácter y su fisonomía y sus palabras eran menos elocuentes que su corazón. Las facciones proporcionadas, el acento y el modo de dar la mano advertían que era hombre de buen origen, no salido de las pampas sino venido a ellas.

—¿Usted es oriundo de Antioquia?[51].

---

[47] *guindar:* Colgar.

[48] *enyugarse:* Casarse o unirse como pareja. De *enyugar,* la acción de amarrar la res al botalón para amansarla.

[49] *merey, marañón o cayú (Anacardium occidentale):* Árbol de la familia de las anacardiáceas, de mediana altura, que se encuentra en toda la gran selva sudamericana. El fruto, un pedúnculo carnoso, jugoso y de sabor ácido, es un excelente refresco, y la semilla es una almendra comestible (AC). Según el Padre José Gumilla, «su fruta es muy sabrosa, del color y casi de la hechura de una manzana» («La maravillosa Orinoquia del siglo xviii», MC, pág. 91).

[50] *cenceño:* Delgado o enjuto (DRAE).

[51] *Antioquia:* Región andina y montañosa, de gran tradición histórica y desarrollo cultural y económico. Es el departamento más importante de Co-

—Sí, señor. Hice algunos estudios en Bogotá, ingresé luego en el ejército, me destinaron a la guarnición de Arauca y de allí deserté por un disgusto con mi capitán. Desde entonces vine con Griselda a calentar este rancho, que no dejaré por nada en la vida —y recalcó—: ¡Por nada en la vida!

La niña Griselda, con mohín amargo, permanecía muda. Como advirtió que estaba en traje de alcoba, se fue con pretexto de vestirse, llevando dentro de la mano ahuecada la luz de una vela.

Y no volvió más.

Mientras tanto, la vieja Tiana hacía llamear el fogón de tres piedras, sobre las cuales pendía un alambre para colgar el caldero o la marma. Al tibio parpadear de la lumbre nos sentamos en círculo, sobre raíces de guadua o sobre calaveras de caimán, que servían de banquetas. El mocetón que llegó con Franco me miraba con simpatía, sosteniendo entre las rodillas desnudas una escopeta de dos cañones. Como sus ropas estaban húmedas, desarremangóse los calzoncillos y los oreaba sobre las pantorrillas de nudosos músculos. Llamábase Antonio Correa y era hijo de Sebastiana, tan cuadrado de espaldas y tan fornido de pecho, que parecía un ídolo indígena.

—Mamá —dijo rascándose la cabeza—: ¿cuál jué el entrometío que yevó al hato el chisme de la mercancia?

—Eso no tié náa de malo: avisando se vende.

—Sí, ¿pero qué jué a hacé ayá la tarde que yegaron estos blancos?

—¡Yo qué sé! Lo mandaría la niña Griselda.

En esta vez fue Franco quien hizo el mohín. Después de corto silencio indagó:

—Mulata, ¿cuántas veces ha venido Barrera?

—Yo no he reparao. Yo vivo ocupáa aquí en mi cocina.

lombia, después de Cundinamarca, y su capital, Medellín, la segunda ciudad del país, después de Bogotá. El hecho de que Fidel Franco proceda de esta región determina muchos rasgos de su carácter y se expresa en las diversas motivaciones y decisiones de su vida y de sus viajes.

Saboreado el café y referido por don Rafo algún incidente de nuestro viaje, repreguntó Franco, obedeciendo a su obstinada preocupación:

—¿Y el Miguel y el Jesús qué han estado haciendo? ¿Buscaron los marranos en la sabana? ¿Compusieron el tranquero de los corrales? ¿Cuántas vacas ordeñan?

—Sólo dos de ternero grande. Las otras las hizo soltá la niña Griselda porque ya empieza a habé plaga y los zancúos matan las crías.

—¿Y dónde están esos flojos?

—Miguel, con calentura. No se quié hacé el remedio: son cinco hojitas de borraja, pero arrancás de pa arriba, porque de pa abajo, proúcen vómito. Ahí le tengo el cocimiento, pero no lo traga. Y eso que ta enviajao pa las caucherías. ¡Se la pasa jugando naipes con el Jesús, y ése sí que ta perdío por irse!

—Pues que se larguen desde ahora, en la curiara del hato, y no vuelvan más. No tolero en mi posada ni chismosos ni espias. Mulata, asómate al caney* y diles que desocupen: ¡que ni me deben, ni les debo!

Cuando salió Sebastiana, preguntó don Rafael por la situación del hato: ¿Era verdad que todo andaba manga por hombro?

—Ni sombra de lo que usted conoció. Barrera lo ha trastornado todo. Ayá no se puede vivir. Mejor que le prendieran candela.

Luego refirió que los trabajos se habían suspendido porque los vaqueros se emborrachaban y se dividían en grupos para toparse en determinados sitios de la llanada, donde, a ocultas, les vendían licor los áulicos[52] de Barrera. Unas veces dejaban matar los caballos, entregándolos estúpidamente a los toros; otras, se dejaban coger de la soga, o al colear* sufrían golpes mortales; muchos se volvían a juerguear con Clarita; éstos derrengaban[53] los rangos apos-

---

[52] *áulico:* Dícese en especial del que sirve incondicionalmente o adula a los poderosos (LC).

[53] *derrengar:* Descaderar. Lastimar gravemente el espinazo o lomo de una persona o de un animal (DRAE).

tando carreras, y nadie corregía el desorden ni normalizaba la situación, porque ante el señuelo del próximo viaje a las caucherías ninguno pensaba en trabajar cuando estaba en vísperas de ser rico. De esta suerte, ya no quedaban caballos mansos sino potrones, ni había vaqueros sino enfiestados; y el viejo Zubieta, el dueño del hato, borracho y gotoso, ignorante de lo que pasaba, esparrancábase en el chinchorro a dejar que Barrera le ganara dinero a los dados, a que Clarita le diera aguardiente con la boca, a que la peonada del enganchador sacrificara hasta cinco reses por día, desechando, al desollarlas, las que no parecieran gordas.

Y para colmo, los indios guahibos[54] de las costas del Guanapalo[55], que flechaban reses por centenares, asaltaron la fundación del Hatico, llevándose a las mujeres y matando a los hombres. Gracias a que el río detuvo el incendio, pero hasta no sé qué noche, se veía el lejano resplandor de la candelada.

—¿Y qué piensa usted hacer con su fundación? —pregunté.

—¡Defenderla! Con diez jinetes de vergüenza, bien encarabinados, no dejaremos indio con vida.

En ese instante volvió Sebastiana:

—Ya se jueron.

—Mamá, cuidao se yevan mi tiple*.

---

[54] *guahibos:* Indígenas localizados en diversos lugares de Arauca, Meta, Vichada y Vaupés. Los grupos indígenas que ocupaban los territorios de Los Llanos desde antes de la llegada de los españoles en su mayoría han sido exterminados o desalojados. Al final de esta primera parte se describe una cacería de guahibos, a los que el colono no consideraba racionales. El grupo guahibo, sin embargo, es uno de los grupos indígenas más numerosos y uno de los pocos que ha logrado sobrevivir hasta ahora, en resguardos o reservas. Se encuentran grupos localizados en las márgenes del río Meta, en lugares que corresponden aproximadamente a los que Rivera menciona en la segunda parte de la novela, cuando Cova y sus compañeros viven un tiempo con un grupo guahibo, entre el Meta y el Guanapolo. A diferencia de la forma como se mencionan en *La vorágine,* en la antropología actual el nombre de los grupos indígenas se escribe con mayúsculas y en singular: los Guahibo, los Piapoco, etc. Véase la nota 11 de la segunda parte.

[55] *Guanapalo:* Afluente del río Meta.

110

—Que si no manda razón alguna.

—Sí: al viejo Zubieta que no me espere. Que le sigo dirigiendo la vaquería cuando me dé mejores yaneros.

En pos de la mulata salimos al patio. La noche estaba oscura y comenzaba a lloviznar. Franco nos siguió a la sala y se tendió en la barbacoa. Afuera los que se marchaban cantaron a dúo:

> Corazón, no seás caballo:
> aprendé a tener vergüenza;
> al que te quiera, querélo,
> y al que no, no le hagás fuerza[56].

Y la pala del remo en la onda y el repentino rebotar de la lluvia apagaron el eco de la tonada.

* * *

Pasé mala noche. Cuando menudeaba el canto de los gallos conseguí quedarme dormido. Soñé que Alicia iba sola, por una sabana[57] lúgubre, hacia un lugar siniestro donde la esperaba un hombre, que podía ser Barrera. Agazapado en los pajonales iba espiándola yo, con la escopeta del mulato en balanza; mas cada vez que intentaba tenderla contra el seductor, se convertía entre mis manos en una serpiente helada y rígida. Desde la cerca de los corrales, don Rafo agitaba el sombrero exclamando: ¡Véngase! ¡Eso ya no tiene remedio!

Veía luego a la niña Griselda, vestida de oro, en un país extraño, encaramada en una peña de cuya base fluía un hilo blancuzco de caucho. A lo largo de él lo bebían gentes innumerables echadas de bruces. Franco, erguido sobre un

---

[56] *copla llanera:* Forma narrativa de cuatro versos octosílabos rimados de dos en dos, en que se resalta la vida regional, la naturaleza y las costumbres típicas. Una modalidad preferida es la del contrapunteo o improvisación sobre un tema en forma de coplas, en que participan dos copleros en un desafío verbal.

[57] *sabana:* En América, llanura, en especial si es muy dilatada, sin vegetación arbórea (DRAE).

promontorio de carabinas, amonestaba a los sedientos con este estribillo: «¡Infelices, detrás de estas selvas está el más allá!»[58]. Y al pie de cada árbol se iba muriendo un hombre, en tanto que yo recogía sus calaveras para exportarlas en lanchones por un río silencioso y oscuro.

Volvía a ver a Alicia, desgreñada y desnuda, huyendo de mí por entre las malezas de un bosque nocturno, iluminado por luciérnagas colosales. Llevaba yo en la mano una hachuela corta, y, colgando al cinto, un recipiente de metal. Me detuve ante una araucaria[59] de morados corimbos[60], parecida al árbol del caucho, y empecé a picarle la corteza para que escurriera la goma. ¿Por qué me desangras?, suspiró una voz falleciente. Yo soy tu Alicia y me he convertido en una parásita[61].

Agitado y sudoroso desperté como a las nueve de la mañana. El cielo, después de la lluvia anterior, resplandecía lavado y azul. Una brisa discreta suavizaba los grandes calores.

—Blanco, aquí tá el desayuno —murmuró la mulata—. Don Rafo y los hombres montaron y las mujeres tán bañándose.

Mientras que yo desayunaba, sentóse en el suelo y comenzó a ajustar con los dientes la cadenita de una medalla que llevaba al cuello. «Resolví ponerme esta prenda, por-

---

[58] *el más allá*: Esta expresión aparece entre comillas en la quinta edición (1928), y en itálicas en la primera (1924) y en la de la Biblioteca Ayacucho (1976). Siguiendo el criterio de suprimir el exceso de comillas e itálicas, y dado que ésta es una expresión común para referirse a lo que espera al alma después de la muerte, se eliminan también en este caso.

[59] *araucaria* (*Araucaria excelsa* o, en este contexto, *Araucaria brasiliensis*): Árbol conífero de América del Sur, de tronco recto y ramas que salen horizontalmente y luego se encorvan hacia arriba; sus piñas tienen unos piñones grandes como castañas, que se comen cocidos (MM).

[60] *corimbos*: Grupo de flores o frutos que, naciendo en distintos puntos del tallo, llegan todos a la misma altura (MM).

[61] El primer sueño de Arturo Cova, presentado en estilo indirecto («Soñé que...») es un núcleo de elementos simbólicos y carnavalescos del personaje y de la novela. Es el primer encuentro con la selva imaginaria y combina el impulso que le da a la narración, por ser un sueño-predicción-oráculo, con el acercamiento al mundo interior de Arturo Cova. (cfr. MO, páginas 450-453).

que ta bendita y es milagrosa. A vé si el Antonio se anima a yevarme. Por si me dejare desamparáa, le di en el café el corazón de un pajarito llamao piapoco*[62]. Puée irse muy lejos y corré tierras; pero onde oiga cantá otro pájaro semejante, se pondrá triste y tendrá que volverse, porque la guiña* tá en que viene la pesaúmbre a poné de presente la patria y el rancho y el queré olvidao, y tras de los suspiros tiée que encaminarse el suspiraor o se muere de pena. La madaya también ayúa si se le cuelga al que se va.»

—¿Y Antonio pretende ir al Vichada?

—Quién sabe. Franco no quere desarraigarse, pero la mujé ta enviajáa[63]. Antonio hace lo que diga el hombre.

—¿Y anoche, por qué se fueron los muchachos?

—El hombre no los aguantó má. Tá malicioso. El Jesús jué al hato la tardecita que yegaron ustées, no a yamá al Barrera sino a decile que no arrimara porque no se podía. Eso jué tóo. Pero el hombre es avispao y los despachó.

—¿Barrera viene frecuentemente?

—Yo no sé. Si acaso habla con la Griselda es en el caño, porque eya, en achaque[64] del anzuelito, anda remolona con la curiara. Barrera es mejó que el hombre; Barrera es una oportunidá[65]. Pero el hombre es atravesao y la mujé le tiée mieo dende lo acontecío en Arauca. Le soplaron que el capitán andaba tras de eya y le madrugó: ¡con dos puñaláas tuvo!

En ese momento, interrumpiéndonos el palique, avanzaban en animado trío Alicia, la niña Griselda y un

---

[62] *piapoco, tucán* o *diostedé:* Ave típica de la selva tropical americana, de la familia de las ramfastídeas, que se caracteriza por su enorme pico de colores, arqueado, casi tan largo como su cuerpo. Su plumaje es negro, de variados y vivos colores en el cuello y el pecho. En el Vaupés y el río Negro distinguen nítidamente como *tucán* al género *Rhamphastos* y denominan *arazarís* a géneros de menor tamaño, especialmente los géneros *Selenidera* y *Pteroglossus* (AC). Existe una tribu indígena con ese nombre, los Piapoco, en la región del Meta y el Vichada.

[63] *enviajáa:* Enviajada (adj.), preparada para salir de viaje.

[64] *achaque:* Pretexto.

[65] *Barrera es una oportunidá:* Definición de Barrera, dada por la vieja Sebastiana. En la tercera parte, Ramiro Estévanez definirá al siniestro coronel Funes con una expresión paralela: «Funes es un sistema.»

hombre elegante, de botas altas, vestido blanco y fieltro gris.

—Ahí tá don Barrera. ¿No lo quería conocé?

* * *

—Caballero —exclamó inclinándose—: doble fortuna es la mía que, impensadamente, me pone a los pies de un marido tan digno de su linda esposa.

Y sin esperar otra razón, besó en mi presencia la mano de Alicia. Estrechando luego la mía, añadió zalamero:

—Alabada sea la diestra que ha esculpido tan bellas estrofas. Regalo de mi espíritu fueron en el Brasil, y me producían suspirante nostalgia, porque es privilegio de los poetas encadenar al corazón de la patria los hijos dispersos y creárle súbditos en tierras extrañas. Fui exigente con la fortuna, pero nunca aspiré al honor de declararle a usted, personalmente, mi admiración sincera[66].

Aunque estaba prevenido contra ese hombre, confieso que fui sensible a la adulación y que sus palabras templaron el disgusto que me produjo su cortesía con mi garbosa daifa[67].

Pidiónos perdón por entrar en la sala con botas de campo; y después de averiguar por la salud del dueño de casa, me suplicó que le aceptara una copa de whisky. Ya había advertido yo que la niña Griselda traía la botella en la mano.

Cuando Sebastiana colocó sobre la barbacoa los pocillos y el hombre se inclinó a colmarlos, observé que éste llevaba al cinto niquelado revólver y que la botella no estaba llena.

Alicia, mirándome, se resistía a tomar.

—Otra copita, señora. Ya se convenció usted de que es licor suave.

---

[66] Este primer parlamento identifica tanto a Barrera como a Cova. Señala como función de la poesía la formación de una conciencia de nacionalidad.

[67] *daifa:* Manceba, concubina. Antiguamente, huéspeda a la que se trata muy bien (MM).

114

—¡Cómo! —dije ceñudo—. ¿Tú también has bebido?

—Insistió tanto el señor Barrera... Y me ha regalado este frasco de perfume —musitó, sacándolo del cestillo donde lo tenía culto.

—Un obsequio insignificante. Perdone usted, lo traía especialmente...

—Pero no para mi mujer. ¡Quizás para la niña Griselda! ¿Acaso ya los tres se conocían?

—Absolutamente, señor Cova: la dicha me había sido adversa.

Alicia y la niña Griselda enrojecieron.

—Supe —aclaró el hombre— que ustedes estaban aquí, por noticias de unos mozuelos que anoche llegaron al hato. Inmenso pesar me causó la nueva de que seis jinetes, ladrones sin duda, habían pretendido expropiar en mi nombre una mercancía; y tan pronto como amaneció, me encaminé a presentar mis respetuosas protestas contra el atentado incalificable. Y ese whisky y ese perfume, ofrendas humildes de quien no tiene, fuera de su corazón, más que ofrecer, estaban destinados a corroborar la ferviente adhesión que les profeso a los dueños de casa.

—¿Oyes, Alicia? Dale ese frasco a la niña Griselda.

—¿Y luego no son también ustées dueños de este rancho? —apuntó la patrona, con voz resentida.

—Como tales los considero yo, porque donde quiera que lleguen, son, por derecho de simpatía, amos de cuanto los rodea.

A pesar de mi semblante agresivo, el hombre no se desconcertó; mas diole al discurso giro diverso[68]: sucedían tantas cosas en Casanare, que daba grima pensar en lo que llegaría a convertirse esa privilegiada tierra, fuerte cuna de la hospitalidad, la honradez y el trabajo. Pero con los asilados de Venezuela que la infestaban como dañina langosta, no se podía vivir. ¡Cuánto había sufrido él con los voluntarios que le pedían enganche! ¡Tantos se le presentaban explotando la condición de los desterrados políticos, y

---

[68] Ejemplo de discurso indirecto libre, en donde se integra el discurso de Cova con el de Barrera.

eran vulgares delincuentes, prófugos de penitenciarías! Mas era peligroso rechazarlos de plano, en previsión de algún desmán. Indudablemente a esta clase pertenecían los que pretendieron desvalijar a don Rafael. ¡Jamás podría indemnizarlo la empresa del Vichada de tantos disgustos! Era verdad, y sería ingratitud no reconocerlo y proclamarlo, que le había hecho distinciones honrosas. Primero lo envió al Brasil, residencia de los principales accionistas, con un gran cargamento de caucho, y ellos le rogaron que aceptara la gerencia de la explotación; mas la rehusó por carecer de aptitudes. ¡Ah! ¡Si entonces hubiera adivinado que yo quería habitar el desierto! Si yo pudiese indicarle un candidato, con cuánto orgullo propondría su nombre; y si ese candidato quisiera irse con él, en la seguridad de que sería nombrado...

—Señor Barrera —interrumpí—: jamás tuve noticia de que en el Vichada hubiera empresas de la magnitud de la suya.

—¡Mía, no; mía, no! Soy un modesto empleado a quien sólo le pagan dos mil libras anuales, fuera de gastos.

Audazmente fijó en mí los ojos sobornadores, pasóse por el rostro un pañuelo de seda, acarició el nudo de la corbata y se despidió, encareciéndonos una y otra vez que saludáramos a los caballeros ausentes y les transmitiéramos su protesta contra el abuso de los salteadores. Sin embargo, él pensaba volver otro día a presentarla personalmente.

La niña Griselda lo acompañó hasta el caño, y allí se detuvo más tiempo del que requiere una despedida.

—¿De dónde salió este sujeto? —dije en tono brusco, encarándome con Alicia, apenas quedamos solos.

—Llegó a caballo por aquella costa y la niña Griselda lo pasó en la curiara.

—¿Tú lo conocías?

—No.

—¿Te parece interesante?

—No.

—¿Resuelves aceptar el perfume?

—No.

—¡Muy bien! ¡Muy bien!

Y rapándole el frasco del bolsillo del delantal, lo estrellé con furia en el patio, casi a los pies de la niña Griselda que regresaba.

—¡Cristiano, usté tá loco, usté tá loco!

* * *

Alicia, entre humillada y sorprendida, abrió la máquina y empezó a coser. Hubo momentos en que sólo se oía el ruido de los pedales y el charloteo del loro en la estaca.

La niña Griselda, comprendiendo que no debía abandonarnos, dijo, sonreída y astuta:

—Esos caprichos de este Barrera sí que me hacen gracia. Ora se le ha encajao la idea de conseguí unas esmeraldas y les ha puesto el ojo a las de mis candongas[69]. ¡De las orejas me las robaría!

—No sea que se las lleve con su cabeza —repliqué, realzando la sátira con una carcajada eficaz.

Y me fui a los corrales, sin escuchar las alarmadas disculpas.

—¡Bien hace en no discutí conmigo, porque se la yevo ganáa!

Trepado en la talanquera daba desahogo a mi acritud, al rayo del sol, cuando vi flotar a lo lejos, por encima de los morichales, una nube de polvo, ondulosa y espesa. A poco, por el lado opuesto, divisé la silueta de un jinete que, desalado, cruzaba a saltos las ondas pajizas de la llanura, volteando la soga y revolviéndose presuroso. Un gran tropel hacía vibrar la pampa, y otros vaqueros atravesaron el banco* antes que la yeguada apareciera a mi vista, de cuyo grupo desbandábase a veces alguna potranca cerril, loca de juventud, quebrándose en juguetones corcovos. Oía ya claramente los gritos de los jinetes que ordenaban abrir el

---

[69] *candongas:* Pendientes. Varias veces, durante la novela, las candongas de Griselda son elementos funcionales. Así como la orquídea es la flor nacional, la esmeralda es la piedra preciosa de Colombia y su color verde es el color de la selva.

tranquero; y apenas tuve tiempo de obedecerles cuando se precipitó en el corral el atajo*, nervioso, bravío, resoplador.

Franco, don Rafael y el mulato Correa se apearon de sus trotones ijadeantes, que, sudando espuma, refregaban contra la cerca las cabezas estremecidas.

—Egoístas, ¿por qué no me convidaron?

—El que primero madruga, comulga dos veces. Ya lo veremos enlazar en otra ocasión.

En tanto que aseguraban las puertas de los reductos liándoles gruesos travesaños, acudieron las mujeres a contemplar por entre los claros del palo a pique* la yeguada pujante, que se revolvía en círculo, ganosa de atropellar el encierro. Alicia, que traía en la mano su tela de labor, chillaba de entusiasmo al ver la confusión de ancas lucientes, crines huracanadas, cascos sonoros. ¡Aquél para mí! ¡Éste es el más lindo! ¡Miren el otro cómo patea! ¡Y de los ijares convulsos, del polvo pisoteado y de los relinchos rebeldes, ascendía un hálito de alegría, de fuerza y brutalidad!

Correa estaba feliz.

—¡Cogimos el resabiao! ¡Es aquel padrote[70] negro, crinúo[71], patiblanco! ¡Se le yegó su día, y más vale que no hubiera nacío! ¡No he visto zambo que no le tenga mieo, pero ya dirán ustées si tumba al hijo e mi máma!

—Mulato condenao, ¿qué vas a hacé? —gruñó la vieja—. ¿Pensás que ese cabayo te ha parío?

Estimulado por nuestra presencia, le dijo a Alicia:

—Le voy a dedicá la faena. ¡Apenas almuercen, me monto!

Y como percibiera el olor de la esencia derramada en el patio, dilató las ventanillas de la nariz repitiendo:

—¡Ah...! ¡Güele a mujé, güele a mujé!

No quiso almorzar. Echóse a la boca un puñado de plátano frito, deshilachó un trozo de carne y remojó la lengua con café cerrero[72]. Mientras tanto, entre el refunfuño de

---

[70] *padrote:* Semental.

[71] *crinúo:* Crinudo, de muchas crines.

[72] *cerrero:* Cerril. Dícese de una bebida amarga. En este caso, del café cargado y sin azúcar.

Un rodeo en los llanos

Sebastiana, montura al hombro, salió a esperarnos en el corral.

También fuimos parcos en el comer, por la exaltación de ánimo, agravada con la novedad del espectáculo próximo. Alicia, en breve rezo mental, encomendaba el mulato a Dios.

—¡Hombres! —plañía Bastiana—: no vayan a dejá que esa bestia me mate al motoso*[73].

Sacamos las sogas, de cuero peludo, y unas maneas cortas, llamadas sueltas, de medio metro de longitud, en cuyos extremos se abotonaban gruesos anillos de fique[74] trenzado.

Como el potro esquivaba los lazos agachándose entre el tumulto, ordenó Franco dividir la yeguada, para lo cual se abrió el tranquero de la corraleja contigua. Cuando el caballo quedó solo, atrevió las manos contra la cerca, a tiempo que el mulato lo arropó con la soga. Grandes saltos dio el animal, agachando la maculada cerviz en torno de la horqueta del botalón* donde humeaba la cuerda vibrante; y al extremo de ella se colgó colérico, ahorcándose en hipo angustioso, hasta caer en tierra, desfallecido, pataleador.

Franco sentósele en el ijar, y agarrándolo por las orejas le dobló sobre el dorso el gallardo cuello, mientras el mulato lo enjaquimaba[75] después de ajustarle las sueltas y de amarrarle un rejo* en la cola. De esta manera lo sometían, y en vez de cabestrearlo por la cabeza, lo tiraban del rabo, hasta que el infeliz, debatiéndose contra el suelo, quedó fuera de los corrales. Allí lo vendamos con la testera[76] y la montura le oprimió por primera vez los lomos indómitos.

En medio del vociferante trajín saltaron las yeguas, que

---

[73] *motoso:* De pelo rizado. Aquí, apelativo cariñoso de la vieja Sebastiana a su hijo, el mulato Correa.

[74] *fique:* Fibra o cordel hecho de la hoja de la planta del mismo nombre (ALEC).

[75] *enjaquimar:* Poner la jáquima a una bestia (DRAE).

jáquima: Cabezada de cordel, que suple por el cabestro, para atar las bestias y conducirlas (DRAE).

[76] *testera:* Accesorio de los arreos, que en este caso se hace bajar de la frente y se usa para vendarle los ojos al caballo que se doma.

se adueñaron de la llanura; y el semental, puesto de frente a la planicie, temblaba receloso, enfurecido.

Al tiempo de zafarle las maneas, exclamó el jinete:

—¡Mama, a ve el escapulario!

Franco y don Rafael requirieron las cabalgaduras, mas el domador impidió que le sujetaran el potro:

—Quédense atrá, y si quiere voltearse, échenle rejo pa evitá que me coja debajo.

Luego, entre los gritos de Sebastiana, se suspendió del cuello la reliquia, santiguóse, y con gesto rápido destapó al animal.

Ni la mula cimarrona[77] que manotea espantada si el tigre se le monta en la nuca, ni el toro salvaje que brama recorriendo el circo apenas le clavan las banderillas, ni el manatí que siente el arpón, gastan violencia igual a la de aquel potro cuando recibió el primer latigazo. Sacudióse con berrido iracundo, coceando la tierra y el aire en desaforada carrera, ante nuestros ojos despavoridos, en tanto que los amadrinadores lo perseguían, sacudiendo las ruanas. Describió grandes pistas a brincos tremendos, y tal como pudiera corcovear un centauro, subía en el viento, pegada a la silla, la figura del hombre, como torbellino del pajonal, hasta que sólo se miró a lo lejos la nota blanca de la camisa.

Al caer la tarde regresaron. Las palmeras los saludaban con tremulantes cabeceos.

Llegó el potro quebrantado, sudoroso, molido, sordo a la fusta y a la espuela. Ya sin taparlo, le quitaron la silla, maneáronlo a golpes y quedó inmóvil y solo a la vera del llano.

Gozosos abrazamos a Correa.

—¿Qué opinan de mi patojo?*[78] —repetía Sebastiana orgullosa.

---

[77] *cimarrón:* Animal fiero, salvaje, indomable (ALEC).

[78] *patojo:* Originalmente, que tiene las piernas o pies torcidos, y camina balanceándose. En el vocabulario que Rivera anexa a la novela, piernicorto. Se aplica como apelativo cariñoso a los niños pequeños. En el texto, la expresión maternal y orgullosa de Sebastiana contrasta con la hazaña que acaba de realizar Correa.

—A él se le debe todo —apuntó Franco—. Tuvo la idea de ofrecerles la mejor fiesta de Casanare. Por casualidad encerramos las yeguas del hato y cogimos ese potro, que es mío y de ustedes. Ya vieron lo que pasó.

Al venir la noche, aquel rey de la pampa, humillado y maltrecho, despidióse de sus dominios, bajo la luna llena, con un relincho desolado.

* * *

Confieso, arrepentido, que en aquella semana cometí un desaguisado. Di en enamorar a la niña Griselda, con éxito escandaloso.

En los días que Alicia tuvo fiebres le prodigué las más delicadas atenciones; mas ahora, consultando mi conciencia, comprendo que el regocijo de barajarme con la patrona en los cuidados de la enfermería, me importaba tanto como la enferma.

La niña Griselda pasó una vez cerca de mi chinchorro y con mano insinuante la cogí del cuadril. Cerrando el puño, hizo ademán de abofetearme, miró hacia donde Alicia dormía y me sacudió con un cosquilleo.

—Pocapena[79], ya sabía que eras alebrestao[80].

Al inclinarse sobre mi pecho, sus zarcillos, columpiados hacia adelante, le golpeaban los pómulos.

—¿Estas son las esmeraldas que ambiciona Barrera?

—Sí, pero dejálas pa vos.

—¿Cómo podría quitarlas?

—Así —dijo, mordiéndome bruscamente la oreja. Y, ahogada en risa, me dejó solo. Luego, con el dedo en la boca, regresó para suplicarme:

—¡Que no lo vaya a sabé mi hombre! ¡Ni tu mujé!

Sin embargo, la lealtad me dominó la sangre y con desdén hidalgo puse en fuga la tentación. Yo, que venía de re-

---

[79] *pocapena:* En lenguaje coloquial, dícese del que tiene poca vergüenza.

[80] *alebrestao:* Alebrestado, alborotado, encabritado (VOX). En el vocabulario que Rivera anexa a la novela, mujeriego. Etimológicamente, significa tomar la actitud del caballo asustado por una liebre.

greso de todas las voluptuosidades, ¿iba a injuriar el honor de un amigo, seduciendo a su esposa, que para mí no era más que una hembra, y una hembra vulgar? Mas en el fondo de mi determinación corría una idea mentora: Alicia me trataba ya no sólo con indiferencia sino con mal disimulado desdén. Desde entonces comencé a apasionarme por ella y hasta me dio por idealizarla.

Creí haber sido miope ante la distinción de mi compañera. En verdad no es linda, mas por donde pasa los hombres sonríen. Placíame sobre todo otro encanto, el de su mirada tristona, casi despectiva, porque la desgracia le había contagiado el espíritu de una reserva dolorosa. En sus labios discretos apaciguábase la voz con un dejo de arrullo, con acentuación elocuente, a tiempo que sus grandes pestañas se tendían sobre los ojos de almendra oscura, con un guiño confirmador. El sol le había dado a su cutis un tinte levemente moreno, y, aunque era carnosa, me parecía más alta, y los lunares de sus mejillas más pálidos.

Cuando la conocí, me dio la impresión de la niña apasionada y ligera. Después llevaba el nimbo de su pesadumbre digna y sombríamente, por la certeza de la futura maternidad. Un día provoqué la suprema revelación, y casi con enojo repuso:

—¿No te da pudor?

Trajeada de olanes claros, era más fresca con el sencillo descote y con el peinado negligente, en cuyos rizos parecía aletear la cinta de seda azul, anudada en forma de mariposa[81]. Cuando se sentaba a coser, tendíame en el chinchorro frontero, aparentando no reparar en ella, pero mirándola a hurtadillas; y llenábame de impaciencia la frialdad de su trato, a tal punto que repetidas veces la interrogué colérico:

—¿Pero no estoy hablando contigo?

Ávido de conocer la causa de su retraimiento, llegué a pensar que estuviera celosa, e intenté hacer leve alusión a

---

[81] Primera referencia a una mariposa azul, que aparecerá en la segunda parte relacionada con la leyenda de la indiecita Mapiripana.

la niña Griselda, con quien se mantenía en roce constante y solía llorar.

—¿Qué te dice de mí la patrona?

—Que eres inferior a Barrera.

—¡Cómo! ¿En qué sentido?

—No sé.

Esta revelación salvó definitivamente el honor de Franco, porque desde ese momento la niña Griselda me pareció detestable.

—¿Inferior porque no la persigo?

—No sé.

—¿Y si la persiguiera?

—Que responda tu corazón.

—Alicia, ¿has visto algo?

—¡Qué ingenuo eres! ¿Todas se enamoran de ti?

Me provocó en ese instante, herido en mi orgullo, desnudarme los brazos y gritarle una y otra vez: ¡Imbécil, pregunta quién me dio estos mordiscos!

Don Rafo apareció en el umbral.

* * *

Venía del hato, a donde fue esa mañana a ofrecer los caballos. Franco y la niña Griselda, que lo acompañaron, regresarían por la tarde. Él se vino pronto, aprovechando la curiara, para consultarme un negocio y requerir mi consentimiento. El viejo Zubieta daba al fiado mil o más toros, a bajo precio, a condición de que los cogiéramos, pero exigía seguridades y Franco arriesgaba su fundación con ese fin. Era la oportunidad de asociarnos: la ganancia sería cuantiosa.

Gozoso le dije a don Rafo:

—¡Haré lo que ustedes quieran! —y agregué estrechando a Alicia en mis brazos:

—¡Ese dinero será para ti!

—Yo daré mis caballos como aporte y volaré a Arauca a exigir la cancelación de algunas deudas. Podré reunir hasta mil pesos, y con esa suma se harán, en parte, los gastos de saca. Además, empeñada la fundación, el viejo cerrará el negocio con Franco, de cuyos servicios necesita siempre, y más ahora que la ganadería está paralizada por el desorden de los vaqueros.

—Tengo aún treinta libras en el bolsillo. ¡Aquí están, aquí están! Sólo restaré algo para ciertos gastos de Alicia y para pagar nuestra permanencia en esta casa.

—¡Muy bien! Marcharé dentro de tres días, y aquí me tendrán a mediados del mes entrante, antes de las grandes lluvias, porque ya el invierno se acerca. A fines de junio llegaremos a Villavicencio con el ganado. ¡Luego, a Bogotá, a Bogotá!

Cuando Alicia y don Rafael salieron al patio, abrió mi fantasía las alas[82]:

Me vi de nuevo entre mis condiscípulos, contándoles mis aventuras de Casanare, exagerándoles mi repentina riqueza, viéndolos felicitarme, entre sorprendidos y envidiosos. Los invitaría a comer a mi casa, porque ya para entonces tendría una, propia, de jardín cercano a mi cuarto de estudio. Allí los congregaría para leerles mis últimos versos. Con frecuencia Alicia nos dejaría solos, urgida por el llanto del pequeñuelo, llamado Rafael, en memoria de nuestro compañero de viaje.

Mi familia, realizando un antiguo proyecto, se radicaría en Bogotá; y aunque la severidad de mis padres los indujera a rechazarme, les mandaría a la nodriza con el pequeño los días de fiesta. Al principio se negarían a recibirlo, mas luego, mis hermanas, curiosas, alzándolo en los brazos, exclamarían: «¡Es el mismo retrato de Arturo!» Y mi mamá, bañada en llanto, lo mimaría gozosa, llamando a mi padre para que lo conociera; mas el anciano, inexorable, se retiraría a sus aposentos, trémulo de emoción.

Poco a poco, mis buenos éxitos literarios irían conquistando el indulto. Según mi madre, debía tenérseme lástima. Después de mi grado en la Facultad se olvidaba todo. Hasta mis amigas, intrigadas por mi conducta, disimularían mi pasado con esta frase: ¡Esas cosas de Arturo...!

—Venga usted acá, soñador —exclamó don Rafo—, a

---

82 Primera fantasía, melodramática, de Arturo Cova.

saborear el último brandy de mis alforjas. Brindemos los tres por la fortuna y el amor.

¡Ilusos! ¡Debimos brindar por el dolor y la muerte!

* * *

El pensamiento de la riqueza se convirtió en esos días en mi dominante obsesión, y llegó a sugestionarme con tal poder, que ya me creía ricacho fastuoso, venido a los llanos para dar impulso a la actividad financiera. Hasta en el acento de Alicia encontraba la despreocupación de quien cuenta con el futuro, sostenido por la abundancia del presente. Verdad que ella seguía enclaustrada en su misterio, mas yo me agasajaba con esta seguridad: son extravagancias de mujer rica.

Cuando Fidel me avisó que el contrato se había perfeccionado, no tuve la menor sorpresa. Parecióme que el administrador de mis bienes estaba rindiéndome un informe sobre el modo acertado como había cumplido mi voluntad.

—¡Franco, esto saldrá a pedir la boca! ¡Y si el negocio fallare, tengo mucho con qué responder!

Entonces Fidel, por vez primera, me averiguó el objeto de mi viaje a las pampas. Lúcidamente, ante la posibilidad de que mi compañero hubiera cometido alguna indiscreción, respondí:

—¿No habló usted con don Rafael? —y añadí, después de la negativa:

—¡Caprichos, caprichos! Se me antojó conocer Arauca, bajar el Orinoco y salir a Europa[83]. ¡Pero Alicia está tan maltratada, que no sé qué hacer! Además, el negocio no me disuena. Haremos algo.

—Pena me da que esta pechugona*[84] de Griselda quiera convertir en modista a la señora de usted.

---

[83] Arturo Cova miente respecto a los objetivos de su viaje. Europa es la meta prestigiosa de la clase dominante.

[84] *pechugona:* Persona aprovechada, que pide favores o no paga deudas. En el vocabulario que Rivera anexa a la novela, indelicada.

—Despreocúpese. Alicia encuentra distracción en practicar lo que le enseñaron en el colegio. En casa divide el tiempo entre la pintura, el piano, los bordados, los encajes...

—Sáqueme de una duda. ¿Los cabayos de don Rafo se los dio usted?

—¡Ya se sabe cuánto lo estimo! Me robaron el mejor, ensillado, y todo el equipaje.

—Sí, me contó don Rafo... Pero quedan algunos buenos.

—Regulares; los de nuestras monturas.

—Al viejo Zubieta le gustarán. ¡Qué casualidad ésta del negocio, con un hombre tan desconfiado! Probablemente nos hizo el ofrecimiento en previsión de que Barrera se le atravesara. Nunca había vendido semejante cosecha. Les respondía a los compradores: ¡Si ya no tengo qué vender! ¡Sólo me quedan cuatro bichitos! Y para estimularlo a la venta, se le debían depositar, con pretexto de que las guardara, las libras destinadas al trato, en la seguridad de que el oro se quedaría allí. Una vez tuvo esa táctica un saquero* de Sogamoso, hombre corrido y negociante avisado, quien, para ganarse la voluntad del abuelo, duró borracho con él varios días. Mas cuando fueron a separar la torada, extendió Zubieta su bayetón fuera de los corrales y desanudó la mochila del cliente advirtiéndole: «A cada torito que salga, écheme aquí una morrocotica, porque yo no entiendo de números.» Agotado el depósito, insinuó el reinoso*[85]: «¡Me faltó dinero! ¡Fíeme los animalitos restantes!» Zubieta sonrió: «Camaráa, a usté no le falta dinero; ie que a mí me sobra ganao!»

Y recogiendo el bayetón regresó irreductible.

---

85 *reinoso:* En el vocabulario que Rivera anexa a la novela, hombre del interior. Originalmente, del Reino, en este caso de Sogamoso, población de Boyacá, en la antigua altiplanicie del Reino. La Providencia de Tunja fue uno de los más importantes centros políticos y culturales de lo que en la Colonia se llamó el Nuevo Reino. Incluso hasta el siglo pasado su jurisdicción comprendía, además de Boyacá y los Santanderes, muchos territorios de la Orinoquia y la Amazonia, como Meta, Arauca, Casanare, Vichada, Guaviare, Guainía y Vaupés.

Satisfecho de mi fortuna, escuchaba la anécdota.

—Franco —le dije golpeándole el hombro—: ¡No se sorprenda usted de nada! El viejo sabe lo que hace. ¡Habrá oído mi nombre...!

* * *

—¡Veleta, veleta, cómo tas de cambiao!

—Hola, niña Griselda, ¿qué es ese tuteo?

—¿Tas entonao por el negocio? Pa morrocotas, el Vichada. Yévame. ¡Quiero irme con vos!

Se echó a abrazarme, pero la aparté con el codo. Ella vaciló sorprendida:

—¡Ya sé, ya sé! ¡Le tenés terronera* a mi marío!

—¡Le tengo aversión a usted!

—¡Desagraecío! La niña Alicia no sabe náa. Sólo me encargó que no te creyera.

—¿Qué dice usted? ¿Qué dice usted?

—Que el yanero es el sincero; que al serrano, ni la mano[86].

Pálido de cólera, entré en la sala.

—Alicia, no me agrada tu compañerismo con la niña Griselda. ¡Puede contagiarte su vulgaridad! ¡No conviene que sigas durmiendo en su cuarto!

—¿Quieres que te la deje sola? ¿No respetarás ni al dueño de casa?

—¡Escandalosa! ¿Vuelven ya tus celos ridículos?

La dejé llorando y me fui al caney. La vieja Tiana prendía remiendos en la camisa del mulato, que, semidesnudo, con las manos bajo la cabeza, esperaba la obra tendido en un cuero.

—Blanco, refrésquese en ese chinchorro. ¡Ta haciendo un caló de agua!

En vano pretendí conciliar el sueño. Me importunaba el cacareo de una gallina que escarbaba en el zarzo, mientras sus compañeras, con los picos abiertos, acezaban a la sombra, indiferentes al requiebro del gallo que venía a arrastrarles el ala.

---

[86] Dicho o refrán que subraya la sinceridad y el carácter abierto del llanero, y afirma que se debe desconfiar del habitante de la sierra o región andina.

—¡Estas condenáas no dejan ni dormí!

—Mulata —le dije—: ¿cuál es tu tierra?

—Esta onde me hayo.

—¿Eres colombiana de nacimiento?

—Yo soy únicamente yanera, del lao de Manare. Dicen que soy craveña, pero no soy del Cravo; que pauteña, pero no soy del Pauto. ¡Yo soy de todas estas yanuras! ¡Pa qué más patria, si son tan beyas y tan dilatáas! Bien dice el dicho: ¿Onde tá tu Dios? ¡Onde te salga el sol!

—¿Y quién es tu padre? —le pregunté a Antonio.

—Mi mama sabrá.

—¡Hijo, lo importante es que hayás nació![87]

Con doliente sonrisa, indagué:

—Mulato, ¿te vas al Vichada?

—Tuve cautivao unos días, pero lo supo el hombre y me empajó*. Y como dicen que son montes y más montes, onde no se puée andá a cabayo, ¡eso pa qué! A mí me pasa lo que al ganao: sólo quiero los pajonales y la libertá.

—Los montes, pa los indios —agregó la vieja.

—A los pelaos* también les gusta la sabana: que lo diga el daño que hacen. ¡En qué no se ve pa enlazá un toro! Necesita hayarse bien remontao y que el potro empuje. ¡Y eyos los cogen de a pie, a carrera limpia, y los desjarretan uno tras otro, que da gusto! Hata cuarenta reses por día, y se tragan una, y las demás pa los zamuros*[88] y los carica-

---

[87] Doris Sommer parte de este corto diálogo entre Cova y la vieja Sebastiana para reflexionar sobre las relaciones entre patria, padre, tierra. La mulata no necesita ni al padre de sus hijos ni a la patria para legitimarse a sí misma, y se opone a los términos centralistas y jerárquicos de Cova. Para Sommer *La vorágine,* con sus contradicciones, se diferencia de las típicas novelas fundacionales y programáticas del siglo XIX, que ayudaron a forjar las naciones latinoamericanas. («El género deconstruido: Cómo releer el canon a partir de *La vorágine»,* TC, págs. 465-487).

[88] *zamuro (Coragyps atratus* o *Cathartes melambrotus)* También llamado chulo, guala, gallinazo, urubú. Ave muy útil en el llano y en la selva, porque se alimenta de preferencia de animales muertos y sirve para limpiar la región. Del orden de las rapaces diurnas, es del tamaño de una gallina. Su plumaje es negro y la cabeza amarilla o roja.

caricari (Cerchneis cinna momina): Halcón que se alimenta de reptiles, ratones e insectos.

ris*. Y con los cristianos también son atrevíos: ¡al dijunto Jaspe le salieron del matorral, casi debajo del cabayo, y lo cogieron de estampía y lo envainaron[89]. Y no valió gritarles. ¡Aposta, andábamos desarmaos, y eyos eran como veinte y echaban flecha pa toas partes!

La vieja, apretándose el pañuelo que llevaba en las sienes, terció en esta forma:

—Era que el Jaspe los perseguía con los vaqueros y con el perraje*. Onde mataba uno, prendía candela y hacía como que se lo taba comiendo asao, pa que lo vieran los fugitivos o los vigías que atalayaban sobre los moriches.

—Mama, jue que los indios le mataron a él la jamilia, y como puaquí no hay autoridá, tie uno que desenrearse solo. Ya ven lo que pasó en el Hatico: macetearon* a tóos los racionales y toavía humean los tizones. Blanco, ¡hay que apandiyarnos pa echarles una buscáa!

—¡No, no! ¿Cazarlos como a fieras? ¡Eso es inhumano!

—Pues lo que usté no haga contra eyos, eyos lo hacen contra usté.

—¡No contradigás, zambo alegatista! El blanco es más leído que vos. Preguntále más bien si masca tabaco y dale una mascáa[90].

—No, gracias, viejita. Eso no es conmigo.

—Ahí tan remendaos tus chiros* —díjole al mulato, aventándole la camisa—. Ora rompélos en el monte. ¿Ya trujiste la vengavenga?[91]. ¿Cuánto hace que te la han solicitao?

—Si me da café, le treigo.

---

[89] *envainar:* Poner en apuros. En este contexto, sucumbir, morir, como apunta Rivera en su vocabulario (LC). De *vaina,* contrariedad, molestia.

[90] *mascar tabaco:* La hoja del tabaco, de gran difusión precolombina, se chupaba y mascaba. Sólo en tiempos recientes se utilizó para fumarla. El tabaco para mascar viene en rollos compactos. La persona que masca tabaco escupe a intervalos regulares, tanto para deshacerse de los residuos como por el exceso de salivación.

[91] *vengavenga:* Según la vieja Sebastiana, es la cascarita de un palo, o árbol, que sirve para enamorar. Es decir, para que la persona que tome la infusión de esa planta se enamore de quien se la proporciona. Sólo al final de la novela se sabrán los motivos que tiene Griselda para acudir a pociones mágicas, y para quién está destinada la vengavenga que encarga.

130

—¿Y qué es eso de vengavenga?

—Encargos de la patrona. ¡Es la cascarita de un palo que sirve pa enamorá!

* * *

Mi sensibilidad nerviosa ha pasado por grandes crisis, en que la razón trata de divorciarse del cerebro. A pesar de mi exuberancia física, mi mal de pensar, que ha sido crónico, logra debilitarme de continuo, pues ni durante el sueño quedo libre de la visión imaginativa. Frecuentemente las impresiones logran su máximo de potencia en mi excitabilidad, pero una impresión suele degenerar en la contraria a los pocos minutos de recibida. Así, con la música, recorro la gama del entusiasmo para descender luego a las más refinadas melancolías; de la cólera paso a la transigente mansedumbre, de la prudencia a los arrebatos de la insensatez. En el fondo de mi ánimo acontece lo que en las bahías: las mareas suben y bajan con intermitencia.

Mi organismo repudia los excitantes alcohólicos, aunque saben llevar el marasmo a las penas. Las pocas veces que me embriagué lo hice por ociosidad o por curiosidad: para matar el tedio o para conocer la sensación tiránica que bestializa a los bebedores.

El día que don Rafo se separó de nosotros sentí vago pesar, augurio de males próximos, certidumbre de ausencia eterna. Yo participaba, al ver que se iba, del entusiasmo de la empresa, cuyo programa empezaba a cumplirse con las gestiones encomendadas a él. Pero a la manera que la bruma asciende a las cimas, sentía subir en mi espíritu el vaho de la congoja humedeciéndome los ojos. Y bebí con ahínco las copas que precedieron a la despedida.

Así, por un momento, reconquisté la animación veleidosa; pero mi mente seguía deprimiéndose con el eco tenaz de los sollozos de Alicia, cuando le dijo a don Rafael en un abrazo desesperado:

—¡Desde hoy quedaré en el desierto!

Yo entendí que ese desierto tenía algo que ver con mi corazón.

Recuerdo que Fidel y Correa debían acompañar al viajero hasta el propio Tame[92], en previsión de que los secuaces de Barrera lo asaltaran. Allí contratarían vaqueros remontados para nuestra cogienda y no podían tardar más de una semana en volver a La Maporita.

—«En sus manos queda mi casa» —había dicho Franco, y yo acepté la comisión con disgusto. ¿Por qué no me llevaban a las faenas? ¿Imaginarían que era menos hombre que ellos? Quizás me aventajaban en destreza, pero nunca en audacia y en fogosidad.

Ese día les cobré repentino resentimiento, y, loco de alcohol, estuve a punto de gritar: ¡el que cuida a dos mujeres con ambas se acuesta!

Cuando partieron, entré en la alcoba a consolar a Alicia. Estaba de bruces sobre su catre, oculto el rostro en los brazos, hipante y llorosa. Me incliné por acariciarla, y apenas hizo un movimiento para alargarse el traje sobre las pantorrillas. Luego me rechazó con brusquedad:

—¡Quita! ¡Sólo me faltaba verte borracho!

Entonces, en su presencia, le di un abrazo a la patrona.

—¿No es verdad que tú sí me quieres? ¿Que sólo he tomado dos copitas?

—Y si las bebieras con cáscara de quinina, no te darían calenturas.

—¡Sí amor mío! ¡Lo que tú quieras! ¡Lo que tú quieras!

Indudablemente, fue entonces cuando salió con la botella hacia la cocina y le puso vengavenga. Pero yo, a los pies de Alicia, me quedé profundamente dormido.

Y esa tarde no bebí más.

* * *

Desperté con el alma ensombrecida por la tristeza, huraño y nervioso. Miguel había llegado del hato en un potro coscojero*[93], de falsa rienda, y mantenía conversación en el caney con Sebastiana.

---

[92] *Tame:* Población de Arauca, al norte de Casanare.

[93] *coscojero:* En el vocabulario que Rivera anexa a la novela, caballo que tasca el freno. Aplícase a la cabalgadura que hace sonar los coscojos del freno (LC).

—Vengo a yevá mi gayo y a ve si Antonio me presta su tiple.

—Aquí el que manda ahora es el blanco. Pedíle permiso pa cogé tu poyo. El requinto[94] no lo pueo prestá no tando su dueño.

El hombre, desmontándose, acercóseme tímidamente:

—Ese gayito es mío, y lo quero poné en cuerda pa las riñas que vienen. Si me lo deja yevá, espero que escurezca pa cogelo en el palo.

El recién venido me pareció sospechoso.

—¿No mandó razón ninguna el señor Barrera?

—Pa usté, no.

—¿Para quién?

—Pa naide.

—¿Quién te vendió esa montura? —dije, reconociendo la mía, la misma que me robaron en Villavicencio.

—Se le mercó el señor Barrera a un guate que vino del interió, hace dos semana. Dijo que se la vendía porque una culebra le había matao el cabayo.

—¿Y cómo se llama el que la vendió?

Yo no lo vi. Apenas escuché el cuento.

—¿Y tú acostumbras usar la silla de Barrera? —rugí, acogotándolo—. ¡Si no me confiesas dónde está él, dónde quedó escondido, te trituro a palos! Pero si eres leal a mi pregunta, te daré el gallo, el tiple y dos libras.

—Suélteme, pa que no malicén que le confieso.

Lo llevé hacia la corraleja, y me dijo:

—Quedó agazapao en la otra oriya del monte, porque no vido la señal convenía, es decir, el bayetón extendío en el tranquero, por el lao rojo. Por eso me mandó con la recomienda de que si no había peligro desensiyara el rango y lo esperara. Él vendrá con la noche, y yo, como aviso, debo tocá tiple, pero no he poído hablá con la mujé.

---

[94] *requinto:* Instrumento más pequeño que el tiple, que consta de cuatro cuerdas, se toca con un plectro y es de carácter melódico. Como el triple, pertenece a la región andina y no debe confundirse con el *cuatro* de la región llanera, un instrumento más pequeño y agudo, que se utiliza como instrumento acompañante. En este pasaje de la novela, parece que se confunden instrumentos tales como tiple, requinto y cuatro.

—¡No le digas nada!

Y lo obligué a desensillar.

Ya había oscurecido, y sólo en el límite de la pampa diluía el crepúsculo su huella sangrienta. La vieja Tiana salió de la cocina, llevando encendido el mechero de kerosén. Las otras mujeres rezaban el rosario con murmullo lúgubre. Dejé al hombre en espera y me fui al cuartucho de Antonio por el requinto. A oscuras lo descolgué de la percha y saqué la escopeta de dos cañones.

Acabado el rezo, me presenté con las manos vacías ante la niña Griselda:

—Un hombre la espera en el patio.

—¡Ah! ¡Miguelito! ¿Vino a buscá el tiple?

—Sí. Es bueno prestárselo. Lléveselo usted. En ese rincón está.

Cuando salió, pretendí, en vano, descubrir en los ojos de Alicia alguna complicidad. Estaba fatigada, quería recogerse temprano.

—¿No apetece ver la salía de la luna? —propuso Sebastiana.

—No —dije—. La llamaré cuando sea tiempo.

Y con disimulo cogí la botella bajo la ruana. Serenamente, sin que en mi rostro se delatara el propósito trágico, le advertí a la niña Griselda apenas regresó:

—Sebastiana puede quedarse aquí, en la sala. Yo guindaré mi chinchorro en el corredor del caney. Necesito aire fresco.

—Eso sí es bien pensao. Con estos calores no se púee dormir —observó la mulata.

—Si querés —propúsole la patrona—, dejá la puerta de par en par.

Al oír esto, sentí maligna satisfacción. Di las buenas noches acentuando estas frases:

—Miguel me ofreció cantar un corrido*. No tardaré en acostarme.

Al breve rato apagaron la luz.

* * *

Mi primer cuidado fue mirar si en el patio estaban los perros. Los llamé en voz baja, anduve por todas partes con extraordinaria cautela. ¡Nada! Afortunadamente habrían seguido a los viajeros.

Llegué al caney, orientado por el tabaco que fumaba el hombre.

—Miguelito, ¿quieres un trago?

Devolvióme la botella escupiendo:

—¡Qué amargo ta ese ron!

—Dime: ¿con quién tiene cita Barrera?

—No sé bien con cuál es.

—¿Con ambas?

—Así será.

El corazón empezó a golpearme el pecho, como un redoblante. En mi garganta se ahogaba, seca, la voz.

—¿Barrera es un caballero generoso?

—Es de chuzo*⁹⁵. Dice que da cuanta mercancía querá el solicitante, lo hace firmá en un libro y le entrega cualquier retazo advirtiendo: «Lo demás se lo tengo en el Vichada.» Yo le he perdío la voluntá.

—¿Y cuánto dinero te dio?

—Cinco pesos, pero me cogió recibo por diez. Me tiée ofrecía una muda nueva, y nada me ha dao. Así con tóos. Ya despachó gente hacia San Pedro de Arimena, pa que le listen bongos* en el Muco. El hato ha quedao casi solo. Hasta el Jesús ya se largó, pero pasando por Orocué⁹⁶ con una razón del viejo Zubieta pa la autoridá.

—¡Está bien! Toma el requinto y canta.

—Toavía es temprano.

Esperamos casi una hora. La idea de que Alicia me fuera infiel llenábame de cóleras súbitas, y para no estallar en sollozos me mordía las manos.

—¿Usté piensa matá al hombre?

—¡No, no! Sólo quiero saber a qué viene.

---

⁹⁵ *chuzo:* Objeto que pincha. En sentido figurado, y en el vocabulario de Rivera, embaucador.

⁹⁶ *San Pedro de Arimena* y *Orocué:* Poblaciones llaneras, al sur de La Maporita, en las orillas del río Meta. Por el río Muco se apartan de la cuenca del Meta y salen al río Vichada.

—¿Y si es a toparse con su mujercita?

—Tampoco.

—Pero eso le quedaría feo a usté.

—¿Crees que debo matarlo?[97].

—Ésas son cosas suyas. Lo que ha de tené es cuidao con yo. Aguáitelo[98] en la talanquera, porque me voy a poné a cantá.

Le obedecí. A poco, me dijo:

—No se emborrache. Póngale pulso a la puntería.

Por encima de la platanera tendió más tarde la luna un reflejo indeciso, que fue dilatándose hasta envolver la inmensidad. El tiple elevó su rasgueo melancólico en el preludio de la tonada:

> Pobrecita palomita,
> que el gavilán la cogió;
> aquí va la sangrecita
> por donde se la llevó.

Con el alma en los ojos, tendía yo la escopeta hacia el caño, hacia los corrales, hacia todas partes. El pavo, desde la cumbrera de la cocina, hirió la noche con destemplados gritos. Afuera, en alguna senda del pajonal, aullaron los perros.

> Aquí va la sangrecita
> por donde se la llevó.

Las mujeres encendieron luz en el cuarto. La vieja Tiana, como un ánima en pena, asomó al umbral:

—Hola, Miguel: la niña Griselda que dejés dormí.

El cantador enmudeció y fue luego a buscarme.

—Se me olvidó decile que yo taba obligao a yevarle la curiara. Me voy. Cuando volvamos, tírele al de adelante. ¡Si le pega, yo se lo echaré a los caimanes, y acabáas son cuentas!

---

[97] Esta pregunta y esta duda persiguen a Arturo Cova hasta el final de la obra.

[98] *aguaitar:* Acechar (DRAE).

Le vi alejarse en la embarcación, sobre el agua enlunada donde los árboles tendían sus sombras inmóviles. Entró luego en la zona oscura del charco, y sólo percibí el cabrilleo[99] del canalete[100], rútilo[101] como cimitarra anchurosa.

Esperé hasta la madrugada. Nadie volvió.

¡Dios sabe lo que hubiera pasado!

* * *

Al rayar el día, ensillé el caballo de Miguel y puse la escopeta en el zarzo. La niña Griselda, que andaba con un cubo rociando las matas, me observaba inquieta.

—¿Qué tas haciendo?

—Aguardo a Barrera, que amaneció por aquí.

—¡Exagerao! ¡Exagerao!

—Oiga, niña Griselda: ¿cuánto le debemos?

—¡Cristiano! ¿Qué me decís?

—Lo que oye. La casa de usted no es para gentes honradas. Ni a usted le conviene echarse en el pajonal teniendo su barbacoa.

—¡Ponéle freno a tu lengua! Tas bebío.

—Pero no con el licor que le trajo Barrera.

—¿Acaso fue pa mí?

—¿Quiere usted decir que fue para Alicia?

—Vos no la podéis obligá ni a que te quera ni a que te siga, porque el cariño es como el viento: sopla pa cualquier lao.

Al oír esto, con alterna premura, chupé la botella y bajé el arma. La niña Griselda salió corriendo. Empujé la puerta. Alicia, a medio vestir, estaba sentada en el catre.

—¿Comprendes lo que está pasando por ti? ¡Vístete! ¡Vámonos! ¡Aprisa! ¡Aprisa!

---

[99] *cabrilleo:* Acción de formar cabrillas en el agua, o sea, pequeñas olas de espuma que brillan como lucecitas con el movimiento (MM). Este vocablo es tal vez una referencia a la constelación de las Pléyades, llamada popularmente las Siete Cabrillas.

[100] *canalete:* Remo de pala muy ancha con el cual se boga, y sirve al mismo tiempo para gobernar las canoas (DRAE).

[101] *rútilo:* De color brillante como de oro. Resplandeciente, rutilante (DRAE).

—¡Arturo, por Dios!...
—¡Me voy a matar a Barrera en presencia tuya!
—¡Cómo vas a cometer ese crimen!
—¡No llores! ¿Te dueles ya del muerto?
—¡Dios mío!... ¡Socorro!
—¡Matarlo! ¡Matarlo! ¡Y después a ti, y a mí y a todos! ¡No estoy loco! ¡Ni tampoco digan que estoy borracho! ¿Loco? ¡No! ¡Mientes! ¡Loco, no! ¡Quítame ese ardor que me quema el cerebro! ¿Dónde estás? ¡Tiéntame! ¿Dónde estás?

Sebastiana y la niña Griselda se esforzaban por sujetarme.

—¡Calma, calma, por lo más querío! Soy yo. ¿No me conocés?

Me echaron en un chinchorro y pretendieron coserlo por fuera; mas con pataleo brutal rompí las cabuyas y, agarrando a la niña Griselda del moño, la arrastré hasta el patio.

—¡Alcahueta! ¡Alcahueta! —Y de un puñetazo en el rostro, la bañé en sangre.

Luego, en el delirio vesánico[102], me senté a reír. Divertíame el zumbido de la casa, que giraba en rápido círculo, refrescándome la cabeza. «¡Así, así! ¡Que no se detenga porque estoy loco!» Convencido de que era un águila, agitaba los brazos y me sentía flotar en el viento, por encima de las palmeras y de las llanuras. Quería descender para levantar en las garras a Alicia, y llevarla sobre una nube, lejos de Barrera y de la maldad. Y subía tan alto, que contra el cielo aleteaba, el sol me ardía el cabello y yo aspiraba el ígneo resplandor.

Cuando la convulsión hizo crisis, intenté caminar, pero sentía correr el suelo bajo mis plantas en sentido contrario. Apoyándome en la pared, entré en la sala vacía. ¡Habían

---

102 *delirio vesánico:* Delirio producido por la locura. Famosa escena de demencia, satanismo y convulsión, en donde Cova se ve a sí mismo como el gavilán de las coplas de la noche anterior y como Ícaro, figura mitológica que se aproxima al sol. En el contexto, sin embargo, no es locura sino embriaguez.

huido! Tenía sed y de nuevo apuré la botella. Recogí el arma y para enfriarme las mejillas las oprimía contra los cañones. Triste porque Alicia me desamparaba, empecé a llorar. Luego declamé a gritos:

—¡No le hace que me dejes solo! ¡Para eso soy hombre rico! ¡Nada quiero de ti, ni de tu muchacho ni de nadie! ¡Ojalá que ese bastardo te nazca muerto! ¡Ni será hijo mío! ¡Lárgate con el que se te antoje! Tú no eres más que una querida cualquiera.

Después hice disparos.

—¿Dónde está Franco, que no sale a defender a su hembra? ¡Aquí me tiene! ¡Yo vengaré la muerte del capitán! ¡Al que se presente, lo mato! ¡A Barrera no, a Barrera no, para que Alicia se vaya con él! ¡Se la cambio por brandy, por una botella no más!

Y recogiendo la que tenía, monté en el potro, me tercié la escopeta y partí a escape por el llano impasible, dando a los aires este pregón enronquecido y diabólico:

—¡Barrera, Barrera! ¡Alcohol, alcohol!

* * *

Media hora después, los del hato me vieron pasar. Del otro lado del caño me gritaban y me hacían señas. Por el vado que me indicaron hostigué el potro y salí al patio, dispersando la gente a pechadas[103], entre una algarabía de protestas.

—¡A ver! ¿Quién manda aquí? ¿Por qué se esconde Barrera? ¡Que salga!

Y colgando la escopeta en la montura, salté desarmado. Todos esperaban perplejos. Algunos sonrieron mirándose.

—¡Guá, chico! ¿Que quieres tú?

Tal dijo una mujercilla halconera, de rostro envilecido por el colorete, cabello oxigenado y brazos flacuchos, puestos en jarras sobre el cinturón del traje vistoso.

---

[103] *pechada:* Empujón, atropello. Golpe que da el jinete con el pecho del caballo (DRAE).

—¡Quiero jugar a los dados! ¡Nada más que jugar! ¡En este bolsillo están las libras!

Y tiré unas a lo alto, y se regaron en el suelo.

Entonces oí la voz carrasposa del viejo Zubieta, que ordenaba desde el cuarto contiguo:

—Clarita, al cabayero, que siga.

Acaballado en el chinchorro y tendido de espaldas, en camiseta y calzoncillos, estaba el hacendado, de barriga protuberante, ojos de lince, cara pecosa y pelo rojizo. Alargándome sus manos, que además de ser escabrosas parecían hinchadas, hizo rechinar entre los bigotes una risa:

—¡Cabayero, dispense que no me pueo enderezá!

—¡Yo soy el socio de Franco, el cliente de los mil toros, y, si quiere, se los pagaré de contado!

—¡Asina sí; asina sí! Pero usté debe cogelos porque el zambaje* que tengo tá de a pie, y no sirve pa náa.

—Yo conseguiré vaqueros, bien montados, y no dejaré que me los sonsaquen para el Vichada.

—Me gusta usté. ¡Eso tá bien hablao!

Salí a meter mis aperos y vi a Clarita, cuchicheando con mi enemigo, mientras que con una totuma le echaba agua en las manos. Al verme, se escondieron detrás de la casa.

—¿Qué ladrón recogió el oro que tiré aquí?

—Vení, quitámelo —replicó un hombre, en quien reconocí al del wínchester que pretendió decomisarle la mercancía a don Rafael—. ¡Ora sí podemos arreglá lo del otro día! ¡Sinvergüenza, ora sí me topás!

Adelantóse amenazante, mirando hacia el punto donde su patrón estaba escondido, como en espera de una orden. ¡Sin darle tiempo, lo aplasté de una sola trompada!

Barrera acudió exclamando:

—Señor Cova, ¿qué pasa? Venga usted acá. ¡No haga caso de los peones! Un caballero como usted...

El ofendido fue a sentarse contra el pretil, y, sin apartar de mí los ojos, se enjugaba la sangre de las narices.

Barrera lo reprendió con dictados crueles: «¡Malcriado, atrevido! ¡El señor Cova merece respeto!» Mas a tiempo que me invitaba a penetrar en el corredor, prometiendo

que el oro me sería devuelto religiosamente, el hombre des-
ensilló mi caballo, guardóse la escopeta y yo me olvidé del
arma. La gente hacía comentarios en la cocina.

En el cuarto, Clarita estaría refiriéndole al viejo lo que
pasaba, porque enmudecieron al verme.

—¿El cabayero se regresa hoy?

—No, amigo Zubieta. ¡No se me antoja! ¡Vine a beber y
a jugar, a bailar y a cantar!

—Es un honor que no merecemos —afirmó Barre-
ra—. El señor Cova es una de las glorias de nuestro país.

—¿Y gloria, por qué? —interrogó el viejo—. ¿Sabe
montá? ¿Sabe enlazá? ¿Sabe toreá?[104].

—¡Sí, sí! —grité—. ¡Lo que usted quiera!

—¡Asina me gusta, asina me gusta! —Y se agachó hacia
el cuero de tigre que tenía bajo el chinchorro—. Clarita,
danos unos brándises[105] —dijo, indicándole el garrafón.

Barrera, para no beber, salió al corredor, y a poco, vino
alargándome un puñado de oro.

—Estas monedas son de usted.

—¡Miente! Desde ahora son de Clarita.

Ella las recibió sonriendo y me dio las gracias con este
cumplido:

—¡Aprendan! ¡Es una dicha encontrar cabayeros!

Zubieta se quedó pensativo. De pronto mandó que
acercaran la mesa y, cuando vaciamos otras copas, señaló
un morralito suspendido de un cuerno en la pared fron-
teriza:

—Clarita, danos las muelas de Santa Polonia[106].

---

[104] Barrera sigue adulando a Cova por ser poeta, pero el viejo Zubieta
cuestiona su opinión e impone los valores llaneros, en los que Cova poco se
destaca, como montar, enlazar, torear.

[105] *brándises:* Plural de brandy, coñac. Plural vulgar formado por analogía
con otros plurales del castellano, como es el caso de «papáses» en lugar de
«papás».

[106] *las muelas de Santa Polonia [sic]:* Forma de referirse a los dados aludiendo
a Santa Apolonia, anciana virgen y mártir, a quien como parte de su tormento le arrancaron los dientes. Esta expresión se usa también como exclama-
ción. Según *La leyenda dorada* del dominico italiano Santiago de la Vorágine
(1228-1298), Apolonia vivió en Alejandría en tiempos del emperador Decio
(cfr. Santiago de la Vorágine, *La leyenda dorada*, Madrid, Alianza Editorial,
1982, pág. 278).

Clarita puso los dados sobre la mesa.

* * *

Indudablemente, mi nueva amiga me favoreció aquella noche en ese juego plebeyo, desconocido para mí. Tiraba yo los dados con nerviosidad y a veces caían debajo del chinchorro. Entonces el viejo, entre carcajadas y toses, preguntaba: ¿Me ganó? ¿Me ganó? Y ella, entre una humareda de tabaco, ladeando la farola, respondía: Echó senas[107]. Es un chico de suerte.

Barrera, simulando confianza en las palabras de la mujer, confirmaba tales decisiones; pero vivía celoso de que no escaseara el licor. Clarita, ebria, me apretaba la mano al descuido; el viejo, ebrio, tarareaba una canción obscena; mi rival, por encima de la luz temblorosa, me sonreía irónico; yo, semiinconsciente, repetía las paradas*. En la puerta del acalorado cuartucho los peones seguían el juego, con interés.

Cuando quedé dueño de casi todo el montón de frisoles[108] que representaban un valor convenido, Barrera me propuso jugarlos en paro vaciando las morrocotas del chaleco. «Tire por mitad, cien toros», exclamó el vejete, dando fuertes golpes en la mesa. Entonces noté que los zapatos de mi adversario pisaban los de Clarita, y tuve el presentimiento de que llegaba el fraude.

Con frase feliz decidí a la mujer:

—Juguemos esto en compañía.

Ella extendió al instante sobre el montoncillo de granos las manos avaras. El rubí de su anillo se encendió en sangre.

Zubieta maldijo su suerte cuando lo venció mi jugada.

—Ahora con usted —le dije a Barrera, sonando los dados.

---

[107] *senas:* En el juego de dados, lance que consiste en que salgan a la vez las caras de seis puntos de los dos dados. En las tres ediciones cotejadas (1924, 1928 y 1976) figura «cenas», con ortografía equivocada, y parece que así se encuentra en la mayoría de las ediciones.

[108] *frisol:* Fríjol, judía seca.

Recogiólos sin inmutarse, y, mientras los agitaba, cambiándolos, pretendió distraernos con un chiste de baja ley. Pero al lanzarlos sobre la mesa, los atrapé de un golpe:

—¡Canalla, estos dados son falsos!

Trabóse de súbito una reyerta y la lámpara rodó por el suelo. Gritos, amenazas, imprecaciones. El viejo cayó del chinchorro, pidiendo auxilio. Yo, a oscuras, esgrimía los puños a diestro y siniestro, hacia cualquier sitio donde oyera una voz de hombre. Alguien hizo un disparo, ladraron los perros, rechinaba la puerta con el afán del ahuyentado tumulto, y la ajusté de un empellón, sin saber quién quedaba adentro.

Barrera exclamó en el patio:

—¡Ese bandido vino a matarme y a robar al señor Zubieta! ¡Anoche me estuvo puesteando![109] ¡Gracias a Miguel, que se opuso al crimen y me denunció la asechanza![110] ¡Prendan a ese miserable! ¡Asesino, asesino!

Yo, desde adentro, le lanzaba atrevidos insultos, y Clarita, conteniéndome, suplicaba:

—¡No salgas, no salgas, porque te acribiyan!

El viejo gimoteaba espantado:

—¡Alumbren, que escupo sangre!

Cuando me ayudaron a echar el cerrojo, sentí humedecida una de mis muñecas. Tenía una puñalada en el brazo izquierdo.

Con nosotros quedó encerrada una persona que me puso en las manos un wínchester. Al sentir que me buscaba, intenté cogerla, por lo cual, susurrando, me repetía:

—¡Cuidado con yo! ¡Soy el tuerto Mauco, amigo de tóo el mundo!

Afuera empujaban la puerta, y yo, sin permanecer en un solo punto, perforaba las tablas a tiros, iluminando la estancia con el relampagueo de los fogonazos. Al fin terminó la agresión. Quedamos sumidos en el más pavoroso si-

---

[109] *puestear o aguaitar:* Acechar (LC).

[110] *asechanza:* Trampa o engaño para hacer daño a otro. Con esta ortografía [s] aparece en las ediciones de 1924 y 1928. En la edición de Ayacucho aparece acechanza [con c], acción de estar al acecho, espiar.

lencio y mi oído acechante dominaba la oscuridad. Por los huecos que abrieron mis balas observé con sigilosa pupila. Hacía luna y el patio estaba desierto.

Mas por instantes recogía el rumor de voces y risotadas que venían quién sabe de dónde. El dolor de la herida empezó a rendirme y el vértigo del alcohol me echó a tierra. Allí me desangré hasta que Dios quiso, entre el pánico de mis compañeros, que en algún rincón se decían: «Parece que está agonizando.»

—¡Agua, agua! ¡Estoy herido! ¡Me muero de sed!

* * *

Al amanecer, abrieron el cuarto y me dejaron solo. Desperté con desmayada dolencia a los gritos que daba el dueño del hato, reprendiendo a la peonada por indolente, pues no quiso salvarlo de la batahola.

—¡Gracias al guate* —repetía—, gracias al guate, estoy contando el cuento! Él tenía razón, los daos eran falsos y con eyos me había estafao mi plata ese tramposo del Barrera. ¡Aquí topé uno bajo la mesa! Convénzanse. Tiene azogue por dentro.

—No podíamos arrimá por los tiros.

—¿Y quién hirió a Cova?

—¿Quién sabrá?

—Vayan a decirle al Barrera que no lo quero aquí; que pa eso tiene sus toldos, que se quede ayá. ¡Que si no sabe pa qué son los caminos; que el guate ta aquí con la carabina!

Clarita y el tuerto Mauco vinieron en mi socorro trayendo un caldero de agua caliente. Descosieron la manga de la camisa para quitármela sin lastimar el brazo túmido, y luego, humedeciendo los bordes de la tela pegada, descubrieron la herida, pequeña pero profunda, abierta sobre el músculo cercano al hombro. La lavaron con aguardiente, y, antes de extenderle la cataplasma tibia, el tuerto, con unción ritual, exclamó:

—Pongan fe, porque la voy a rezá.

Admirado yo, observaba al hombruco, de color terroso,

mejillas fofas y amoratados labios. Puso en el suelo, con solicitud minuciosa, el bordón en que se apoyaba, y encima el sombrero grasiento de roídas alas, que tenía como cinta un mazo de cabuyas a medio torcer. Por entre los harapos se le veían las carnes hidrópicas, principalmente, el abdomen, escurrido en rollo sobre el empeine. Volvió, parpadeando, hacia la puerta el ojillo tuerto, para regañar a los muchachos que se asomaban:

—¡Esto no es cosa de juego! ¡Si no han de poné fe, lárguense, porque se pierde la virtú!

Los gandules permanecieron fervorosos, como en un templo, y el viejo Mauco, después de hacer en el aire algunos signos de magia, masculló una retahíla que se llamaba «la oración del justo juez».

Satisfecho de su ministerio recogió el sombrero y el palo, y dijo inclinándose sobre el cuero de toro donde me hallaba tendido:

—No se deje acochiná* del doló. Yo lo curo presto: con otra rezáa tiene.

Miré con asombro a Clarita como para indagar la certidumbre de cuanto estaba pasando. Era convencida creyente, que manifestaba respeto fanático. Para ahuyentar mis dudas, expuso:

—¡Guá chico!, Mauco sabe de medicina. Es el que mata las gusaneras[111], rezándolas. Cura personas y animales.

—No sólo eso —añadió el mamarracho—. Sé muchas oraciones pa tóo. Pa topá las reses perdías, pa sacá entierros, pa hacerme invisible a los enemigos. Cuando el reclutamiento de la guerra grande me vinieron a cogé, y me les convertí en mata de plátano. Una vez me apañaron antes de acabá el rezo y me encerraron en una pieza, con doble yave; pero me volví hormiga y me picurié. Si no hubiera sío por yo, quién sabe qué nos hubiera acontecío en la gresca de anoche. Yo tuve listo pa evaporarme, cuando entraran, y taparlos a tóos con mi neblina. Apenas supe

---

111 *gusanera:* Conjunto de gusanos en las llagas de las reses. Nacen de la cresa que pone una mosca y llegan a ocasionar la muerte del animal. Las gusaneras se combaten popularmente con conjuros y rezos.

que usté taba herío, le recé la oración del «sana que sana» y la hemorragia se contuvo.

Lentamente fui cayendo en una quietud sonámbula, en un vago deseo de dormir. Las voces iban alejándose de mis oídos y los ojos se me llenaron de sombra. Tuve la impresión de que me hundía en un hoyo profundo, a cuyo fondo no llegaba jamás.

* * *

Un sentimiento de rencor me hacía odioso el recuerdo de Alicia, la responsable de cuanto pasaba. Si alguna culpa podía corresponderme en el trance calamitoso, era la de no haber sido severo con ella, la de no haberle impuesto a toda costa mi autoridad y mi cariño. Así, con la sinrazón de este razonamiento, envenenaba mi ánima y enconaba mi corazón.

¿Verdaderamente me habría sido infiel? ¿Hasta qué punto le había mareado el espíritu la seducción de Barrera? ¿Habría existido esa seducción? ¿A qué hora pudo llegarle la influencia del otro? ¿Las palabras reveladoras de la niña Griselda, no serían mensaje de astucia para decidirme en su favor, calumniando a mi compañera? Tal vez había sido yo injusto y violento; pero ella debía perdonarme, aunque no le pidiera perdón, porque le pertenecía con mis cualidades y defectos, sin que le fuera dable hacer distingos en mí. Agregábase en descargo mío que la vengavenga me llevó a la locura. ¿Cuándo en sano juicio le di motivos de queja? Entonces, ¿por qué no venía a buscarme?

Parecíame a ratos verla llegar, bajo el sombrero de lánguidas plumas, tendiéndome los brazos entre sollozos:

«¿Qué desalmado te hirió por causa mía? ¿Por qué estás tendido en el suelo? ¿Cómo no te dan una cama?». Y anegándome el rostro en lágrimas sentábase a mi cabecera, dándome por almohada sus muslos trémulos, peinando hacia atrás mis cabellos, con mano enternecida y amorosa.

Alucinado por la obsesión, me reclinaba sobre Clarita, apartándome al reconocerla.

—Chico, ¿por qué no descansas en mis rodillas? ¿Quieres más limonada para la fiebre? ¿Te cambio el vendaje?

A veces sentía la tos impaciente de Zubieta en el corredor:

—Mujé, quitáte de ahí que acalorás al enfermo. ¡Ni tu marío que juera!

Clarita se alzaba de hombros.

¿Y por qué aquella mujer no me desamparaba, siendo una escoria de lupanar, una sobra del bajo placer, una loba ambulante y famélica? ¿Qué misterio redimía su alma cuando me consentía con avergonzada ternura, como cualquier mujer de bien, como Alicia, como todas las que me amaron?

Alguna vez me preguntó cuántas libras me quedaban en el bolsillo. Eran pocas, y las guardó en el seno; mas en un momento que nos dejaron solos, me leyó un papel al oído: «Zubieta te debe doscientos cincuenta toros; Barrera cien libras, y yo te tengo guardadas veintiocho.»

—Clarita, tú me has dicho que mi ganancia en el juego estuvo exenta de dolo. Todo eso es para ti, que has sido tan buena conmigo.

—Chico, ¿qué estás diciendo? No creas que te sirvo por interés. Sólo quiero volver a mi tierra, a pedirles perdón a mis padres, a envejecer y morir con eyos. Barrera quedó de costearme el viaje a Venezuela, y, en compensación, abusa de mí, sin más medida que su deseo. Zubieta dice que se quiere casar conmigo y yevarme a Ciudad Bolívar, al lado de mis viejecitos. Confiada en esta promesa, he vivido borracha casi dos meses, porque él me amonesta con su norma invariable: «¿Cuál será mi mujé? La que me acompañe a bebé.»

»En estas fundaciones me dejó botada el coronel Infante, guerriyero venezolano que tomó a Caicara. Ayí me rifaron al tresiyo[112], como simple cosa, y fui ganada por un tal Puentes, pero Infante me descontó al liquidar el juego.

---

[112] *tresillo:* Juego de naipes que se juega entre tres personas, cada una de las cuales recibe nueve cartas, y gana en cada lance la que hace mayor número de bazas (DRAE).

Después lo derrotaron, tuvo que asilarse en Colombia y me abandonó por aquí.

»Antier, cuando yegaste a cabayo, con la escopeta al arzón, atropeyando la gente, caída la gorra sobre la nuca, te me pareciste a mi hombre. Luego simpaticé contigo desde que supe que eres poeta.»

* * *

Mauco entraba a rezarme la herida y tuve el tino de aparentar que creía en la eficacia de sus oraciones. Sentábase en el chinchorro a mascar tabaco, royéndolo de una rosca que parecía tasajo[113] reseco, e inundaba el piso de salivazos sonoros. Después me daba informes sobre Barrera:

—Se la pasa metío en el toldo, afiebrao. Sólo me pregunta que hasta cuándo va a quearse usté aquí. ¿Quién sabe pa qué cosa le tará haciendo usté mal tercio?[114].

—¿Por qué no ha venido Zubieta a ocupar su chinchorro?

—Porque es alertao* y teme otra chirinola[115]. Duerme en la cocina y se tranca por dentro.

—¿Y Barrera ha vuelto a La Maporita?

—Las calenturas no lo dejan pará.

Esta afirmación me aquietaba el espíritu, pues vivía celoso de Alicia y hasta de la niña Griselda. ¿Qué estarían haciendo? ¿Cómo calificarían mi conducta? ¿Cuándo vendrían por mí?

El primer día que tuve fuerzas para levantarme, suspendí el brazo de un pañuelo, a manera de cabestrillo, y salí al corredor. Clarita barajaba los naipes junto al chinchorro donde el viejo dormía la siesta. La casa, pajiza y a medio construir, desaseada como ninguna, apenas tenía habitable el tramo que ocupaba yo. La cocina, de paredones cubier-

---

113 *tasajo:* Cecina. Trozo de carne salada y conservada seca (MM). El narrador compara con carne seca la hoja enroscada de tabaco que masca y escupe Mauco.

114 *hacer mal tercio:* Hacer daño o estorbo.

115 *chirinola:* Disputa, discusión.

tos de hollín, defendía su entrada con un barrizal, formado por las aguas que derramaban las cocineras, sucias, sudorosas y desarrapadas. En el patio, desigual y fragoso, se secaban al sol, bajo el zumbido de los moscones, cueros de reses sacrificadas, y de ellos desprendía un zamuro* sanguinolentas tiras. En el caney de los vaqueros vigilaban, amarrados sobre perchas, los gallos de riña, y en el suelo refocilábanse perros y lechones.

Sin ser visto, me acerqué al tranquero. En los corrales, de gruesos troncos clavados, la torada prisionera se trasijaba de sed. Detrás de la casa dormían unos gañanes sobre un bayetón extendido encima de las basuras. A poco trecho, en la costa del caño, divisábanse los toldos de mi rival, y en el horizonte, hacia la fundación de La Maporita, perdíase la curva de los morichales... ¡Alicia estaría pensando en mí!

Clarita, al verme, acudió con la sombrilla de muaré blanco:

—Chico, el sol puede irritarte la herida. Vente a la sombra. ¡No vuelvas a cometer despropósitos semejantes!

Y sonreía exhibiendo los dientes llenos de oro.

Como intencionadamente me hablaba en voz alta, el viejo, al oírla, se incorporó:

—¡Asina me gusta! ¡Los jóvenes no deben vivir encamaos!

Sentéme sobre la viga que servía de pretil y avoqué el meditado interrogatorio:

—¿A cómo piensa darnos las resecitas?

—¿Cuáles serán?

—Las de nuestro negocio con Franco.

—Con él, propiamente, no quedamos en náa. La fundación que da en prenda vale muy poco. Pero como usté las paga de relance[116], será bueno cogelas, si tiene cabayos, y después les ponemos precio.

Clarita interrumpiónos:

—¿Y cuándo le das a Cova las doscientas cincuenta que te ganó?

---

116 *de relance:* Casualmente, cuando no se esperaba (DRAE).

—¡Cómo! ¿Qué doscientas cincuenta?

Enderezándose me argüía:

—¿Y si usté hubiera perdío, con qué había pagao? Enséñeme las libritas que trujo.

—¿Qué es eso? —replicó la mujer—. ¿Acaso el único rico eres tú? ¡El que pierde paga!

El viejo hundía los dedos entre las mallas del chinchorro. De repente propuso:

—Mañana es domingo, y me da el desquite en las riñas de gayos.

—¡Muy bien!

* * *

«Mi admirado señor Cova:

»¿Qué poder maléfico tiene el alcohol, que humilla la razón humana abajándola a la torpeza y al crimen? ¿Cómo pudo comprometer la condición mansa de mi temperamento en un altercado que me enloqueció la lengua, hasta ofender de palabra la dignidad de usted, cuando sus merecimientos me imponen vasallaje enaltecedor que me llena de orgullo?

»Si pudiera, públicamente, echarme a sus pies para que me pisoteara antes de perdonarme las reprobables ofensas, créame usted que no tardaría en implorarle esa gracia; mas como no tengo derecho ni de ofrecerle esa satisfacción, heme aquí, cohibido y enfermo, maldiciendo los pasados ultrajes, que, por fortuna, no alcanzaron a salpicarle siquiera la merecida fama de que goza.

»Como estoy envilecido por mis desaciertos, mientras usted no me dignifique con su benevolencia, no ha de parecerle extraña la condición lamentable en que a usted llego, convertido en mercachifle común, que trata de introducir en los dominios de la poesía la propuesta de un negocio burgués. Es el caso —y perdone usted el atrevimiento— que nuestro buen amigo el señor Zubieta me debía sumas de consideración, por dinero prestado y por mercancías, y me las pagó con unos toros que se hallan en el corral, y que yo recibí entonces en la expectativa de que usted pudiera necesitarlos. Véalos, pues, y si algún precio se digna ponerles, sepa que mi mayor ganancia será la de haberle sido útil en algo.

»Besa sus pies, fervorosamente, su desgraciado admirador,

Barrera.»

Delante de Clarita me fue entregada esta carta. El chicuelo que la trajo me veía palidecer de cólera y se iba retirando, cautelosamente, ante la tardanza de la respuesta.

—¡Diga usted a ese desvergonzado que cuando se encuentre a solas conmigo sabrá en qué para su adulación!

Mientras tanto, Clarita releía el papelucho.

—Chico, nada te dice de lo que te debe, ni de la puñalada, ni del disparo; porque él fue quien te hirió. Aquel día, al verte yegar, preparó el revólver y engrasó el estilete. Ojo de garza[117] con el Miyán, el hombre a quien le pegaste en el patio: ése tiene órdenes terminantes. ¿Y sabes tú que Zubieta nada le debe al cauchero por sumas prestadas? Éste le dio a guardar unas morrocotas, en la confianza de que yo se las robaría; pero el viejo las enterró. Después lo estafó con los dados que conoces. Cada mañana me pregunta: «¿Ya le sacaste las amariyas? De ayí te daré para el viaje. Bien se conoce que no deseas volver a tu extraordinario país». Ese hombre tiene planes siniestros. Si no hubieras estado aquí...

—Dame la carta para mostrársela al viejo.

—No le digas nada, que él es muy sabido. Comprende que Barrera es peligroso, y, para distraerlo, le entregó la torada que está en el corral; mas porque no pueda sacarla, mandó a esconder los cabayos. Apenas le dejó los peones en alquiler, después de enviar emisarios a todas partes con la noticia de que este año no le vendería ganados a nadie. Como Barrera se enteró de eyo, el viejo, para desmentirlo, hizo un simulacro de negocio con Fidel Franco, sin advertirle que era una simple treta contra el modesto huésped.

---

[117] *ojo de garza:* Ojo avizor, alerta.

—¿De suerte que no nos venderá ganado ninguno?

—Parece que ha congeniado contigo.

—¿Cómo haré para ganarme su voluntad?

—Es muy senciyo. Soltar el ganado que le dio a Barrera. Con sólo asustarlo romperá los corrales.

—¿Me ayudarás esta noche en la empresa?

—Cuando te dé la gana. Bastará que yo, con este vestido blanco, me asome al tranquero para que la torada barajuste*. Lo importante es que no mueran atropeyados los peones que velan en contorno de los encierros. Afortunadamente, se retiran temprano.

—¿Y podrán descubrirnos?

—Absolutamente. Los pocos hombres y mujeres que no se han enganchado, se van a los toldos a jugar naipes, tan pronto como el viejo se encocina[118]. Yo también iré, para alejar falsos testimonios; y cuando calcules que vuelvo, me esperas en el corredor con la piel de tigre que Zubieta tiene en la sala, bajo el chinchorro abandonado. La yevamos por la platanera y la sacudimos en el corral.

—Después, el que pudiera vernos pensaría: Esos se levantaron al fragor del tropel.

* * *

Sepulté en mi ánimo el ardid vengativo, como puede guardarse un alacrán en el seno: a cada instante se despertaba para clavarme el aguijón.

Ya cuando la tarde se reclinó en las praderas, regresaron los vaqueros con la torada numerosa. Habíanla llevado al pastoreo vespertino, de gramales profusos y charcas inmóviles, donde, al abrevarse, borraban con sus belfos la imagen de alguna estrella crepuscular. Venía adelante el rapaz que servía de puntero, acompasando al trotecito de su yegua la tonada pueril que amansa los ganados salvajes. Seguíanlo en grupos los toros de venerable testa y enormes cuernos, solemnes en la cautividad, hilando una espuma en la trompa, adormilados los ojos, que enrojece, con re-

---

[118] *encocinarse:* Acostarse a puerta cerrada en la cocina.

pentino fuego, la furia. Detrás, al paso de sus rocines y entre el dejo de silbidos monótonos, avanzaban las filas de peones, a los flancos del rodeo formidable y letárgico.

Lo encerraron de nuevo, con maña paciente, cuidadosos de la dispersión. Oíase apenas el melancólico sonsonete del guía, más eficaz que el toque de cuerno en las majadas de mi tierra. Corrieron las trancas y las liaron con rejos indóciles. Y cuando oscureció, encendieron alrededor del corral fogatas de boñiga[119] seca, para aquerenciar al rebaño, que absorto miraba las candelas y el humo, con rumiar apacible, al amparo de las constelaciones.

Mientras tanto, yo meditaba en nuestro plan de la medianoche, en pugna con el temor que me enfriaba las sienes y me fruncía las cejas. Mas la certidumbre de la venganza, la posibilidad de causarle a mi enemigo algún mal, ponía viveza en mis ojos, ingenio en mis palabras, ardentía en mi decisión.

A eso de las ocho, el tuerto Mauco protestó contra las hogueras porque le trasnochaban los gallos de riña. Como nadie quiso apagarlas, los llevó a mi cuarto.

—Démeles posaíta, que los poyos son güenos. ¡Pero si se desvelan, se vuelven náa!

Más tarde, el hato quedó en silencio. Sobre los pajonales vecinos tendían su raya luminosa las lámparas de los toldos.

Clarita volvió casi ebria.

—¡Ánimo, chico, y sígueme!

Llegamos a la barda de los corrales por entre el platanal. Un vasto reposo adormecía a la manada. Afuera estornudaban los caballos de los veladores. Entonces Clarita, trepada en mi rodilla, sacudió la aurimanchada piel.

Súbito, el ganado empezó a remolinear, entre espantado choque de cornamentas, apretándose contra la valla del encierro, como vertiginosa marejada, con ímpetu arrollador. Alguna res quebróse el pecho contra la puerta, y murió al instante, pisoteada por el tumulto. Los vigías empezaron a cantar, acudiendo con los caballos, y la torada se

---

[119] *boñiga:* Excremento de los bovinos o equinos (ALEC).

contuvo; mas pronto volvió a remecerse en aborrascadas ondas, crujió el tranquero, hubo berridos, empujones, cornadas. Y así como el derrumbe descuaja montes y rebota por el desfiladero satánico, rompió el grupo mugiente los troncos de la prisión y se derramó sobre la llanura, bajo la noche pávida[120], con un estruendo de cataclismo, con una convulsión de embravecido mar.

La peonada y el mujerío acudieron con lámparas, pidiendo socorro. Hasta Zubieta, siempre encerrado, averiguaba a gritos qué ocurría. Los perros persiguieron el barajuste, cloquearon las gallinas medrosas y los zamuros de la ceiba vecina hendieron la sombra con vuelos entorpecidos.

En los portillos de la corraleja quedaron aplastadas diez reses, y más lejos, cuatro caballos. Clarita vino con estos pormenores a encarecerme la reserva de nuestra complicidad.

Cuando coloqué en su antiguo sitio la piel de tigre, todavía retumbaba el desierto.

* * *

Al siguiente día me levanté después de los comentarios al suceso nocturno y de las bravatas del viejo, que disimulaba con blasfemias su regocijo interior:

—¡Maldita sea! Yo no tengo la culpa de que el ganao barajustara. Díganle al Barrera que vaya a cogelo, si tiene bagajes pa remontá la gente. ¡Pero que me pague primero los cabayos que se malograron! ¡Maldita sea!

—El señó Barrera quié vení pa acá a discutí con usté lo de anoche.

—Aquí no puée acercarse, porque el guate anda armao y no quero más disgustos en mis propiedaes.

—Se me pone —observaba uno— que jue la ánima del dijunto Julián Hurtao la que se presentó en el corral, y por eso barajustó la toráa. Alguno de los velaores vio una figura blanca sobre la cerca, del lao onde dicen que dejó el entierro.

---

[120] *pávido:* Medroso, lleno de pavor.

—Púee ser verdá.

—Sí, porque ya otra noche se nos apareció, con una linternita en la mano, por la oriya de la sabana, caminando sin pisar el suelo.

—¿Y por qué no le preguntaron, de parte de Dios, qué quería?

—Porque apagó la lucecita y casi quedamos privaos[121]

—¡Bandíos! —rugió Zubieta—. Ustedes jueron entonces los que tuvieron cavando entre las raíces del algarrobo. ¡Ojalá los tope yo en esas vagabunderías pa echarles bala!

Cuando salí al patio, había mucha gente reunida, pero Barrera no estaba allí. Dándoles de inocente, me asomé al corral, donde varios hombres descuartizaban los toros destripados.

—No valió —decía uno— que yo me le pusiera adelante al ganao, corriendo de estampía y cantándole en la oscuridá pa ver si lo apaciguaba. Fui hasta muy lejos, y, gracias a mi potro, no morí atropeyao.

Momentos después, al regresar a la casa, vi que Clarita les vendía ron, en un coquillo labrado, a los de la junta. Había hombres desconocidos y debajo de los bayetones les cantaban los gallos. Quienes discurrían cazando apuestas a la tapada, o les afilaban las espuelas a los campeones, o con buches de aguardiente les rociaban el costado, alzándoles el ala. Patiamarrados con cordeles, escarbando el suelo, desafiábanse los rivales de plumajes vistosos y cuellos congestionados. Por fin, Zubieta tomó un carbón y trazó en el piso del caney un círculo irregular. Colocóse en su asiento, recostándolo a una columna, frecuentó la botella, y con áspera risotada propuso:

—¡Voy cien toretes al requemao* contra el canaguay!*.

Clarita, detrás del grupo, movió la cabeza para indicarme que no apostara. Pero yo, con insolente arrogancia, avancé diciendo:

—¡Escojo el pollo y voy las doscientas cincuenta reses que le gané a los dados!

---

[121] *privaos:* Privados, desmayados.

El viejo se corrió.

Entonces le dijo un sujeto, apretando el puño:

—Eche diez toros contra las libras que hay aquí o contra el resto que guardo en mi faja.

Zubieta tampoco aceptó. Pero el hombre replicaba porfiado:

—¡Mire, patrón, son aguilitas y reinitas[122] pa su entierrito de la topochera![123].

—¡Mentís! Pero si el oro es legítimo, te lo cambio por monea papel.

—No le jalo[124].

—Préstame una libra pa reconocerla.

Observóla el viejo por todas partes con hambrientos ojos, palpó el grabado, hízola sonar y luego la llevó a los dientes. Satisfecho, gritó:

—¡Pago! ¡Tá ida la pelea contra el canaguay!

—Pero con la condición de que el tuerto Mauco se largue, porque puée rezarme el poyo.

—¡Yo qué rezo ni qué náa!

No obstante, lo hicieron salir del grupo, refunfuñando, y lo encerraron en la cocina.

Los careadores levantaron los gallos, y chupándoles los espolones, se los frotaron luego con limón, a contentamiento del público. Presto, a la voz del juez de pelea, los enfrentaron dentro del círculo.

El gallero gritaba, agachado sobre el palenque:

—¡Hurra, poyito! ¡Al ojo, que es rojo; a la pierna, que es tierna; al ala, que es rala; al pico, que es rico; al pescuezo que es tieso; al codo, que es godo; a la muerte, que ésa es mi suerte!

Miráronse los contendores con ira, picoteando la arena, esponjando sobre el dorso rasurado y sanguíneo la gorguera de plumas tornasoladas y temblorosas. Con simultáneo

---

[122] *aguilitas y reinitas:* Se refiere a las figuras o imágenes que aparecían en las monedas de oro.

[123] *entierrito de la topochera:* Se refiere a la costumbre de esconder morrocotas, monedas y objetos de valor, enterrándolos cerca de un árbol. *Topochera* es un platanal de *topochos.*

[124] *jalarle:* Arriesgarse, hacerle frente a algo. Comprometerse en algo o continuar realizando una actividad.

revuelo, en azul resplandor, lancearon el vacío, por encima de sus cabezas, esquivas a la punzada y al aletazo. Rabiosos, entre el vocerío de los espectadores que ofrecían gabelas, se acometieron una y otra vez, se cosían a puñaladas, se prendían jadeantes; y donde agarraba el pico, entraba la espuela, con tesón homicida, entre el centelleo de los plumajes, entre el salpique de la sangre ardorosa, entre el ruido de las monedas en el estadio, entre la ovación palmoteada que hizo la gente cuando vio rodar al canaguay con el cráneo abierto, sacudiéndose bajo la pata del vencedor, que erguido sobre el moribundo saludó a la victoria con un clarineo triunfal.

En este momento palidecí: Franco pasó el tranquero, seguido de varios jinetes.

* * *

Zubieta no se impresionó menos al ver a los recién llegados. Arrastrando el paso les salió al encuentro:

—Y ustées, camaráas, ¿pa ónde bueno caminan?

—Para aquí no más —dijo Franco apeándose.

Y me abrazó con efusión.

—De mi rancho, ¿qué noticias me tienes? ¿Qué te pasó en el brazo?

—¡Nada! ¿Acaso no vienes de La Maporita?

—Salimos directamente de Tame; pero desde ayer le ordené al mulato Correa que extraviara hacia mi casa y se viniera contigo, trayendo los cabayos. Este abrazo te lo manda don Rafael. Siguió su viaje sin complicaciones, gracias a Dios. ¿Dónde podemos desensiyar?

—Aquí, en el caney —rezongó Zubieta. Y les gritó a los jugadores—: ¡Váyanse lejos con su vagabundería, porque menesto la ramáa!

Ellos, recogiendo sus gallos, salieron en dirección a los toldos, con jaleo de tiples y maracas*[125]. Y los vaqueros desensillaron.

---

[125] *maraca:* Instrumento musical para acompañar el ritmo, hecho de un calabazo, o totuma (véase la nota 32 de la primera parte), pequeño y redondo, con granos de maíz por dentro y con un palo inserto que le sirve de mango. Generalmente se usan dos y se hacen sonar agitándolas.

—Verdad que anoche hubo barajuste?

—¿Por qué lo decís?

—Desde esta mañana vimos partidas de ganado que corrían solas. Y pensamos: ¡o barajuste, o los indios! Pero ahora que pasamos por los corrales...

—¡Sí! Barrera me dejó ir el rodeo. No sé cómo remediará, sin cabayos...

—Nosotros nos comprometemos a cogerle las reses que quiera, según lo que él nos pague —repuso Franco.

—Yo no permito más correteos en mis sabanas, porque los bichos se mañosean.

—Quería decir que como desde mañana empezaremos la cogienda de los toros que negociamos...

—¡Yo no he firmao documento con naide, ni recuerdo de trato ninguno!

Al repetir esto se golpeaba la pierna.

Cuando el viejo ocupó la hamaca, vino el gallero perdidoso y nos dijo:

—Dispensen que los interrumpa.

—Echame pa acá las libras que te gané.

—De eso quería tratarle: al canaguay lo volvieron loco, al canaguay le dieron quinina, porque desde ayer el tuerto Mauco mercó las píldoras en los toldos, y usted mismo las revolvió con granos de maíz. El señor Barrera quiso que yo apostara contra usté, a pesar de lo sucedío, pa probarle que tampoco hace juego legal y que no debe seguir desacreditándolo delante del señor Cova.

—Eso lo arreglarán después —interrumpió Franco, sacudiendo al amostazado vejete—. ¡Lo importante es que me aclare ahora mismo lo del negocio, porque usted se equivoca si piensa que puede jugar conmigo!

—Franquito, ¿venís a matarme?

—Vengo a coger el ganado que me vendió, y para eso traje vaqueros. ¡Lo cogeré, cueste lo que cueste! ¡Y si no, que nos yeve el judas!

Los vaqueros, ganosos de nuevo espectáculo, se agruparon alrededor del chinchorro. Al verlos, exclamó Zubieta:

—Señores, sírvanme de testigos que me taba chanceando.

Y cadavérico, porque Franco tenía revólver, se volvió hacia mí con párpados húmedos:

—¡Guate, por Dios! ¡Yo te pago tus resecitas! ¡Franquito, no me hablés de ese modo, que me asustás!

El intruso, que presumía de leguleyo, sentenció:

—¡La legalidá es pa tóos! Páguele también al señor Barrera, y quedamos en paz. Él tá de salía pal Vichada, y usted es responsable de la demora y los perjuicios.

Con energúmena reprimenda estalló el anciano, colocándose entre Fidel y yo:

—¡Juyero, juyero![126] ¿No sabés quiénes tan aquí? ¿Querés que te saquemos a palos? ¿Por qué te mezclás con estos cabayeros, que son mis clientes y amigos queríos? ¡Decíle a tu Barrera que no me sobe[127], porque éstos me hacen respetá!

Y, apoyándose en nuestros hombros, le asestó un puntapié.

* * *

Cuando Franco me vio la herida y le conté lo sucedido, cogió el wínchester para desafiar a Barrera y salió corriendo. Clarita lo contuvo en el patio.

—¿Qué vas a hacer? Nosotros tomamos ya venganza —y le refirió lo del barajuste.

Al ver la decisión de aquel hombre leal que arriesgaba la vida por mí, sobrecogíme de remordimientos y quise confesarle lo sucedido en La Maporita, para que me matara.

—Franco —le dije—: Yo no soy digno de tu amistad. ¡Yo le pegué a la niña Griselda!

Desconcertado, se ahogó en estas voces:

—¿Alguna falta que te cometió? ¿A tu señora? ¿A ti?

—¡No, no! Me emborraché y las ofendí a ambas, sin motivo alguno. Hace ya siete días que las dejé solas. ¡Dispara contra mí esa carabina!

---

[126] *juyero:* Fullero, tramposo.
[127] *sobar:* Molestar, fastidiar con trato impertinente (DRAE).

Tirándola al suelo, se echó en mis brazos:

—Tú debes tener razón, y si no la tienes, te la concedo.

Y nos separamos sin decir una palabra más.

Entonces Clarita me estrechó la mano:

—¿Por qué no me habías dicho que tienes señora?

—Porque de ella no debemos hablar los dos.

Quedóse pensativa, con la vista baja, volteando entre los dedos el cordón de una llave. Después me la ofreció diciendo:

—¡Ahí te queda tu oro!

—Yo te lo regalé, y si no lo aceptas como obsequio, déjalo en pago de tus solicitudes durante mi enfermedad.

—¡Ojalá que te hubieras muerto!

La vi alejarse hacia la cocina, donde los músicos bebían guarapo[128]. Desde allí, para que yo la oyera, acentuó:

—¡Díganle a Barrera que siempre me voy con él!

Y, despechada, empezó a bailotear un bunde*[129], alzándose el traje más arriba de las rodillas, entre cuchufletas y palmoteos.

Mi corazón, liberado del peso de la inquietud, comenzó a latir ágilmente. Ya no me quedaba otra congoja que la de haber ofendido a Alicia, pero cuán dulce era el pensamiento de la reconciliación, que se anunciaba como aroma de sementera, como lontananza del amanecer. De todo nuestro pretérito sólo quedaría perdurable la huella de los pesares, porque el alma es como el tronco del árbol[130], que no guarda memoria de las floraciones pasadas sino de las heridas que le abrieron en la corteza. Pero, cuitados o di-

---

128 *guarapo:* Bebida fermentada hecha con el jugo de la caña de azúcar o del maíz, y también agua fermentada en la que sobrenadan cortezas de piña (LC).

129 *bunde:* Baile zapateado de procedencia negra, que se baila en forma circular, moviendo las faldas. Generalmente asociado con la región andina, y no con el Llano, existe también como canto fúnebre y para honrar a los santos patronos en el litoral del Pacífico.

130 La relación hombre-árbol es una metáfora recurrente, que se presenta desde muy diversos ángulos, llegando incluso a la identificación de Cova con el árbol del caucho.

chosos, debíamos serlo en grado sumo, para que más tarde, si la fatalidad nos apartaba por diversos caminos, nos aproximara el recuerdo, al hallar abrojos semejantes a los que un día nos sangraron, o perspectivas como las que otrora nos sonrieron, cuando teníamos la ilusión de que nos amábamos, de que nuestro amor era inmortal.

Hasta tuve deseos de confinarme para siempre en esas llanuras fascinadoras[131], viviendo con Alicia en una casa risueña, que levantaría con mis propias, manos a la orilla de un caño de aguas opacas, o en cualquiera de aquellas colinas minúsculas y verdes donde hay un pozo glauco[132] al lado de una palmera. Allí de tarde se congregarían los ganados, y yo, fumando en el umbral, como un patriarca primitivo de pecho suavizado por la melancolía de los paisajes, vería las puestas de sol en el horizonte remoto donde nace la noche; y libre ya de las vanas aspiraciones, del engaño de los triunfos efímeros, limitaría mis anhelos a cuidar de la zona que abarcaran mis ojos, al goce de las faenas campesinas, a mi consonancia con la soledad.

¿Para qué las ciudades? Quizá mi fuente de poesía estaba en el secreto de los bosques intactos, en la caricia de las auras, en el idioma desconocido de las cosas; en cantar lo que dice al peñón la onda que se despide, el arrebol a la ciénaga, la estrella a las inmensidades que guardan el silencio de Dios. Allí en esos campos soñé quedarme con Alicia, a envejecer entre la juventud de nuestros hijos, a declinar ante los soles nacientes, a sentir fatigados nuestros corazones entre la savia vigorosa de los vegetales centenarios, hasta que un día llorara yo sobre su cadáver o ella sobre el mío.

* * *

Franco dispuso que yo no fuera a las sabanas porque podía gangrenarse mi brazo si se enconaba la cicatriz.

---

[131] Esta fantasía de Arturo Cova, después de liberarse de Clarita y de resolver su relación con Franco, es una visión bucólica y poética que surge de imaginarse dueño de ganados y tierras sin límites.

[132] *glauco:* Verde claro (DRAE).

Además, los potros escaseaban y era mejor destinarlos a los vaqueros reconocidos. Este razonamiento me llenó de amargura.

Salieron del hato quince jinetes a las dos de la madrugada, después de apurar el sorbo de café tinto tradicional. Al lado de las monturas, sobre el ijar derecho de las caballerías, colgaban en rollo las sogas llaneras, cuyo extremo se anudaba a la cola de cada trotón. Lucían los vaqueros sendos bayetones, extendidos sobre los muslos, para defenderse del toro en los lances frecuentes, y al cinto portaban el dentado cuchillo para descornar. Franco me dio el revólver, pero colgó su wínchester del borrén[133] de la silla.

Volvió luego a rendirme el sueño. ¡Ah, si hubiera sentido lo que entonces debió de pasar!

A poco de salir el sol, llegó el mulato Correa trayendo reatados los caballos de don Rafael. Le salí al encuentro, por delante de los toldos, y vi que Barrera estaba afeitándose. Clarita, sentada sobre un baúl, le sostenía el espejo con las manos. Sin contestarles el saludo, me puse al estribo del mulato y entramos en la corraleja.

—¿Viste a Alicia, qué recado me traes?

—Con eya no pude verme porque taba yorando encerráa. La niña Griselda les mandó esta maleta de ropa, será pa que se le presenten mudaos. A tóo momento se asoma, a vé si ustedes yegan. Taba arreglando petacas y dijo que hoy se venían pa acá.

Esta noticia me tornó jovial. ¡Por fin mi compañera vendría a buscarme!

—¿Y llegarán en la curiara?

—La patrona hizo dejá tres cabayos.

—¿Y te preguntaron por mí?

—Mi mama me dijo que usté le iba a yená al hombre la cabeza de cuentos.

—¿Y sabían lo de mi brazo?

—¿Qué le pasó? ¿Lo tumbó alguna bestia?

—Una heridita, pero ya estoy bien.

---

[133] *borrén:* En las sillas de montar, unión de la silla con las almohadillas de delante y de detrás (MM).

—¿Y ónde me tiene mi morocha?* [134].

—¿Tu escopeta? Debe estar con mi montura en los toldos. Vete a reclamarlas.

Al quedar solo, una duda lancinante me conmovió: ¿Barrera habría vuelto a La Maporita? Yo lo hacía vigilar por Mauco a mañana y noche; ¿pero el tuerto me diría la verdad? Y pensé: puesto que Barrera se acicala, ha sabido ya que Alicia llega. Tal vez sí, tal vez no.

Pero Alicia sabría conducirse. Además, aquel hombre me tenía miedo. ¿Por qué no lo apartaba de mi pensamiento para hundirme en el augurio de la visita feliz? Si Alicia me buscaba, era obedeciendo al amor, y vendría a reconquistarme, a hacerme suyo para siempre, entre azorada y puntillosa. Con agravado acento, con tono de reconvención, me reprocharía mis faltas; y para hacérmelas mayores, se ayudaría de aquel gesto inolvidable y habitual con que sellaba su boca, contrayendo los labios para llenar de gracia los hoyuelos de las mejillas. Y queriendo perdonar, me repetiría que era imposible el perdón, aunque la enmienda superara al propósito y a la súplica.

Por mi parte, pondría también en juego mi habilidad para retardarle el instante del beso gemebundo y conciliador. Desde la orilla del caño le alargaría la mano ceremoniosa para que saliera de la curiara, cuidando de que advirtiera el cabestrillo de mi brazo enfermo, y negándome después a la urgencia de sus preguntas: ¿Estás herido? ¿Estás herido? [135].

—No es nada grave, señora. ¡Me apena tu palidez!

Lo mismo haría al acercármele a su caballo, si venían por tierra.

---

[134] *morocha:* En el vocabulario que Rivera anexa a la novela, escopeta de dos cañones. Se usa también en el sentido de morena y, en este contexto, parece que el personaje le diera a su arma un apelativo cariñoso.

[135] En esta fantasía de Cova se mezclan registros y formas de tratamiento. La imagen de Alicia como madre comprensiva se confunde con la de amante entregada y sensual y con la de la pálida dama de una corte medieval a quien ayuda galantemente a bajar de su montura o carruaje, en este caso una *curiara*. La curiara, a diferencia del bongo, que es para mucha carga, es una embarcación pequeña y ligera, hecha del tronco de un solo árbol.

Pensé exhibírmele cual no me vio entonces: con cierto descuido en el traje, los cabellos revueltos, el rostro ensombrecido de barba, aparentando el porte de un macho almizcloso y trabajador. Aunque Mauco solía desollarme la cara con su navaja de tajar correas, tomé la resolución de no ocuparlo aquel día, para distinguirme de mi rival.

¡Decidí luego irme del hato sin esperar a las mujeres, y aparecer una tarde, confundido con los vaqueros, trayendo a la cola del potrejón algún toro iracundo, que me persiguiera bufando y me echara a tierra la cabalgadura, para que Alicia, desfallecida de pánico, me viera rendirlo con el bayetón y mancornarlo[136] de un solo coleo[137], entre el anhelar de la peonada atónita!

El mulato volvió de los toldos con arma y montura.

—El señó Barrera quedó apenaísimo. Que no sabía que estas cosas taban ayá. Les entendí que mandarían gente a cogé los bichos dispersaos.

—Te prohíbo esa compañía. Si no quieres ir solo, iré contigo.

—¿Onde le dijeron que anochecían?

—En Matanegra.

—Pero don Fidel me indicó la vega del Pauto. Me voy porque me coge la noche y se me riega la brigáa.

—Guarda esa ropa en aquel cuarto y tráeme la carabina. Vamos a cualquier parte. Yo te acompañaré.

Fui a la cocina a despedirme de Zubieta. Llamélo varias veces. Nadie respondió.

* * *

Cuando íbamos tan distantes del hato que sólo se advertían los airones de sus palmares, el mulato se desmontó a cargar la escopeta.

—Siempre es bueno andá prevenío. Pólvora poca y munición hasta la boca.

---

136 *mancornar:* Poner a un novillo con los cuernos fijos en la tierra, dejándole sin movimiento (DRAE).

137 *coleo:* Acción de colear, que se refiere a tirar de la cola de una res para derribarla, corriendo a caballo.

—¿A qué obedece tu precaución?

—Puée alcanzarnos la gente del hombre. Por eso repetí que íbamos a la vega del Pauto, pa que lo oyeran los mucharejos que componían las puertas del corral. Ora cogemos ponde dijo usté.

Habríamos caminado tres leguas más, cuando volvió a apartarme del pensamiento de Alicia.

—Yo quiero consultarle mi caso, y perdone. La Clarita me ha puesto el ojo.

—¿Estás enamorado de ella?

—Esa es la consulta. Hace quince días me echó este floreo: ¡Qué negrito tan bien jormao! ¡Asina me provoca uno!

—¿Y qué respondiste?

—Me dio vergüenza...

—¿Y después?

—Eso también va con la consulta: me propuso que colgáramos al viejo Zubieta y nos juyéramos pa lejos.

—¿Y por qué? ¿Cómo? ¿Para qué?

—Pa que diga ónde tiée el oro enterrao.

—¡Imposible! ¡Imposible! Esa es una sugestión de Barrera.

—Cabalmente, porque él me dijo después: Si este mulatico se vistiera bien, cómo quedara de plantao y qué mujeres las que topara. Yo sé de una personita que lo quere mucho.

—¿Y qué respondiste?

—«¡Esa personita con usté duerme!» Asina se las eché, pero el maldito no se ofende por náa. Se puso a desbarrá contra Zubieta diciendo que no le pagaba al zambaje su trabajo; y que cuando se le ocurría darle a uno alguito, sacaba los daos pa descamisarlo al juego. Y ésa sí es la verdá.

Como me iba sofocando el calor, le ordené al mulato que me llevara a algún estero donde pudiera saciar la sed.

—Puaquí no topamos agua en ninguna parte. Onde hay un jagücy* jamoso[138] es al lado de aquellos médanos.

---

[138] *jagüey jamoso:* jagüey famoso, manantial o pozo.

Empezamos a atravesar unos terronales inmensos, de tierra tan reseca y endurecida, que limaba los cascos de las cabalgaduras. Y era necesario avanzar por allí, pues los zurales laberínticos extendían a los lados sus redes de acequias exhaustas, conocidas sólo del tigre y de la serpiente.

El bebedero era una poceta de agua salobre y turbia, espesa como jarabe, ensuciada por los cuadrúpedos de la región. Al verla, sentí repugnancia instintiva, pero Correa me sedujo con el ejemplo. Agachóse sobre el estribo, y de entre las patas de los caballos sitibundos sacó su cuerno rebosante.

—Tápelo con el pañuelo pa que le sirva de cedazo[139].

Así lo hice varias veces, sacudiendo los animalillos que hervían pegados en el revés de la tela húmeda.

—Blanco, puaquí anda gente forastera. Aquí tá el rastro de una mula herráa, y eso no es de ley en estas sabanas, onde no hay piedra.

El mulato tenía razón, porque a poco trecho del pozo columbramos dos puntos que se movían a distancia.

—Esas son personas que andan perdías.

—Parece más bien ganado.

—Le apuesto a que son racionales.

Probablemente nos habrían visto, porque se enderezaron hacia nosotros. Ya percibíamos el paraguas rojo del que venía adelante, afligiendo a la mula con los estribos, envuelto en una sábana enorme, a la manera de las matro-

---

[139] Ya el padre Gumilla registra así, en el siglo XVIII, esta manera de colar el agua: «En primer lugar aclararé la queja de que las aguas de las lagunas, y anegadizos circunvecinos al Orinoco, matan mucha gente. Sí lo creo; pero si con un pañuelo doblado, o con un jirón de la capa o de la casaca, hubieran colado dos o tres veces aquella agua antes de beber, nadie hubiera muerto, y hasta hoy murieran muchos, si no se usara esta fácil diligencia: se corrompe el agua en aquellos anegadizos, y luego cría el agua lama verde sobre sí, y dentro engendra multitud de sanguijuelas, renacuajos, cabezones, y otros innumerables animalejos, casi imperceptibles a la vista, que transferidos al estómago, se aferran de él, ahora sea porque allí crecen, o sea porque sin crecer más, llevan consigo bastante malignidad de ellos; y de la putrefacción del agua originaban dichas muertes, las que hoy no se experimentan» (MC, pág. 129).

nas rurales. Los esperamos bajo un moriche de egoísta sombra, con curiosidad y recelo.

Mientras Correa remudaba los bagajes, llegaron los sujetos desconocidos, saludándonos a grandes voces:

—¡Favor a la justicia, que anda extraviada!

—Ora y siempre —respondió el mulato ingenuo.

—Muéstrennos el camino de Hato Grande. ¡Este dotor es juez de Orocué, y yo su secretario interino, por añadidura, baquiano!

Al oírlo, le averigüé si ese funcionario era el que firmaba José Isabel Rincón Hernández; e hice esta pregunta porque del tal yo sabía que de peoncejo de carretera ascendió a músico de banda municipal y luego a Juez de Circuito de Casanare, donde sus abusos lo hacían célebre.

—¡Sí! —respondió el emparaguado—. Yo soy el doctor y éste que les hablaba es un simple escribiente.

El tísico rostro del señor juez era bilioso como sus espejuelos de celuloide y repulsivo como sus dientes llenos de sarro. Simiescamente risible, apoyaba en el hombro el quitasol para enjugarse el pescuezo con una toalla, maldiciendo los deberes de la justicia que le imponía tantos sacrificios, como el de viajar mal montado por tierras de salvajes, en inevitable comercio con gentes ignorantes y mal nacidas, dándose al riesgo de los indios y de las fieras.

—Llévennos ahora mismo —ordenó con acento declamador, revolviendo el mulengue— al hato infernal donde un tal Cova comete crímenes cotidianos; donde mi amigo, el potentado Barrera, corre serios peligros en vida y hacienda; donde el prófugo Franco abusa de mi criterio tolerante, que sólo le exige conducta correcta y nada más. ¡Pónganse ustedes, incondicionalmente, al servicio de la justicia y cámbiennos estas bestias por otras mejores!

—Se equivoca usted, señor, tanto en sus conceptos como en el camino que busca. Ni el hato queda por aquí, ni las personas que nombra son todas como usted piensa, ni mis caballos, bienes mostrencos[140].

---

[140] *bienes mostrencos:* Bienes o semovientes que, por no tener dueño conocido, se aplican al Estado.

—Sepa usted, irrespetuoso joven —replicóme airado—, que por celo plausible nos aventuramos solos en estas pampas. El mensajero que me envió Zubieta clamando auxilio contra Barrera, fue seguido por otro de éste, para exigir caución al facineroso Cova. Venimos a dispensar garantías, y ustedes se favorecen también con ellas, porque la justicia es como el cielo, que nos cubre a todos. Y si es verdad que el empíreo[141] nos cobija de balde, no es menos cierto que las relaciones de los humanos hacen necesario el sostenimiento unánime del bien común. Toda contribución es legal y pertenece al derecho público. Si no quieren ustedes servir de guías, entréguenme una cuota equivalente a lo que un baquiano de buena voluntad pidiera por su servicio.

—¿Nos decreta usted una multa?

—¡Irrevocable, sin apelación! —confirmó el secretario—. Considere que ahora no nos pagan los sueldos.

—Pues miren ustedes —repuse maleante—, el hato está cerca y nosotros vamos para Corozal. Descabecen aquella sabana, orillen luego la mata de monte, crucen el caño, déjense ir por el esterón y desde allí divisarán la casa antes de media hora.

—¿Oyes? —regañó el juez—. ¡Lo que yo te decía! Tú me hiciste asolear por aquí, por rutas desacostumbradas, por pajonales trágicos, defraudando tus obligaciones de conocedor. ¡Te impongo una multa de cinco pesos!

Y después de reducirnos la nuestra al suministro de tabacos y fósforos, entraron en el horizonte, con rumbo contrario.

* * *

Correa me aclaró algunos detalles relativos al embrollo de Franco en Arauca[142]. Un joven llamado Helí Mesa, que

---

[141] *empíreo:* Dícese de la región en la que los ángeles, santos y bienaventurados gozan de la presencia de Dios (DRAE).

[142] Ésta es otra versión sobre el homicidio que persigue a la pareja, del que hablan diversos personajes a lo largo de la novela, incluyendo a los protagonistas del evento, Franco y Griselda.

actualmente vivía como colono en el caño Caracarate, vino una vez a La Maporita, y mientras desyerbaban el conuco*, le relató los sucesos como testigo presencial. Franco era teniente de la guarnición y estableció su casa lejos del cuartel, a la orilla del río. El capitán dio en perseguir a la niña Griselda, y, para cortejarla a su antojo, dejaba en servicio al subalterno. Éste, enterado ya de los propósitos del jefe, abandonó el puesto una noche y corrió a su habitación. Nadie ha sabido qué pasaría a puerta cerrada. El capitán apareció con dos puñaladas en el pecho, y, debilitado por el desangre, murió de fiebres en la misma semana, después de hacerle declaraciones a la justicia, favorables al acusado.

Ni el hombre ni su mujer fueron perseguidos jamás, aunque desaparecieron la misma noche de la desgracia. Sólo el juez de Orocué les expedía de motu propio boletas de comparendo, equivalentes a letras de cambio, pues, el oro corría a hablar por ellos, con tan descarada costumbre, que ya las órdenes judiciales se limitaban a decir: «Manden lo de este mes.»

En tanto que departíamos por la estepa, un cefirillo repentino y creciente empezó a alborotar las crines de los caballos y a retozar con nuestros sombreros. A poco, unas nubes endemoniadas se levantaron hacia el sol, devorando la luz, y un cañoneo subterráneo estremecía la tierra. Correa me advirtió que se avecinaba el chubasco, y abreviamos las planicies a galope tendido, arreando la brigada, suelta, para que se defendiera con libertad. Buscábamos el abrigo de los montes lontanos, y salimos a una llanada donde gemían las palmeras, zarandeadas por el brisote[143] con tan poderosa insolencia, que las hacía desaparecer del espacio, agachándolas sobre el suelo, para que barrieran el polvo de los pastizales crispados. En las rampas, con disciplinada premura, congregábanse los rebaños, presididos por toros mugientes, de desviadas colas, que se imponían al vendaval agrupando a las hembras cobardes, y abriendo en contorno una brecha categórica y defensiva. Las aguas

---

[143] *brisote:* Brisa dura y con fuertes chubascos (DRAE).

corrían al revés y las bandadas de patos volteaban en las alturas, cual hojas dispersas. Súbito, cerrando las lejanías entre cielo y tierra, descolgó sus telones el nublado terrible, rasgado por centellas, aturdido por truenos, convulsionado por borrascas que venían empujando a la oscuridad.

El huracán fue tan furibundo que casi nos desgajaba de las monturas, y nuestros caballos detuviéronse, dando las grupas a la tormenta. Rápidamente nos desmontamos, y, requiriendo los bayetones bajo el chaparrón, nos tendimos de pecho entre el pajonal. Oscurecióse el ámbito que nos separaba de las palmeras y sólo veíamos una, de grueso tallo y luengas alas, que se erguía como la bandera del viento y zumbaba al chispear cual una yesca bajo el relámpago que la encendía; y era bello y aterrador el espectáculo de aquella palmera heroica, que agitaba alrededor del hendido tronco las fibras del penacho flamante y moría en su sitio, sin humillarse ni enmudecer[144].

Cuando pasó la tromba, advertimos que la brigada había desaparecido y cabalgamos para perseguirla. Calados, entre la ventolera procelosa, anduvimos leguas y leguas sin poder encontrarla, y caminando tras la nube que corría como negro muro, dimos con los peñones del desbordado Meta. Desde allí mirábamos hervir las revolucionadas ondas, en cuyos crestones mojábanse los rayos en culebreo implacable, mientras que los barrancos ribereños se desprendían con sus colonias de monte virgen, levantando altísimas columnas de agua. Y el estruendo de la caída era seguido por el traqueteo de los bejucos[145], hasta que al fin

---

[144] Famosa descripción del huracán en el llano y personificación de las palmeras. La «palmera heroica» está presentada con metáforas guerreras. William Bull, ya en 1948, anotó la frecuencia del uso de metáforas antropomórficas en la novela («Naturaleza y antropomorfismo en *La vorágine*», TC, págs. 319-334), una característica recurrente en el texto, que señalan la mayoría de las lecturas críticas sobre Rivera.

[145] *bejuco:* Nombre de diversas plantas tropicales sarmentosas, de diversas familias como las dileniáceas, las cesalpináceas o las aráceas. De tallos largos, resistentes, flexibles y delgados, forman una maraña con los árboles de la selva. Pueden ser enredaderas o rastreras.

bejucal o *bejuquero:* Lugar lleno de bejucos.

Puente de bejucos

giraba el bosque en el oleaje, como la balsa del espanto.

Después, entre yerbales llovidos donde las palmeras iban enderezándose con miedo, proseguimos la busca de la bestiada, y ambulando siempre, cayó sobre nosotros la noche. Mohíno, trotaba en pos de Correa, al parpadeo de los postreros relámpagos, metiéndonos hasta la cincha en los inundados bajíos[146], cuando desde el comienzo de un ajarafe[147] divisamos lejanas hogueras que parecían alegrar el monte. «¡Allí vivaquean nuestros compañeros, allí están!» Y alborozado, principié a gritarlos.

—¡Por Dios, por Dios, cierre la boca que son los indios!

Y otra vez nos alejamos por el desierto oscuro, donde comenzaban a himplar[148] las panteras, sin resolvernos a descansar, sin abrigo, sin rumbo, hasta que la aurora tardía abrió su alcázar de oro a nuestra desfalleciente esperanza.

* * *

Apenas aclaró el día, vinos unos vaqueros que traían por delante la madrina de bueyes amaestrados, indispensable en toda faena, pues sirve para aquietar a los toros recién cogidos. Había salido el sol, y, sobre los grandes reflejos que extendía en la llanura, avanzaban las reses descopando la grama.

Entre los jinetes que nos saludaron no estaba Fidel, pero Correa los llamó por sus nombres, atropellándose en los detalles del repentino chubasco, de la desaparición de las bestias, del encuentro con los indígenas.

—Mano Ugenio, es la primera vez que me embejuco[149] de noche en estas sabanas, y pa colmo, con este blanco tan resignao, que ni siquiera tiene los brazos güenos. Ya pensará que soy un zambo indecente.

---

[146] *bajío:* Terreno bajo (DRAE).
[147] *ajarafe:* Terreno alto y extenso (DRAE).
[148] *himplar:* Emitir la pantera su voz natural (DRAE).
[149] *embejucarse:* En el texto, quedarse sin saber qué hacer, como enredado o aprisionado entre bejucos. Según uso popular, enojarse (LC).

—Eso nos pasa a tóos, mano Antuco: Yanero no bebe caldo ni pregunta por camino; pero con agua, trueno y relámpago, no se púee garantizá.

—¿Y ustées andaban de ojeo? ¿Cómo les jué?

—Cochinamente. Nos alegramos de que yoviera y nos vinimos por la tardecita. Toa la noche velamos sin ver ninguna punta porque el ganao se asustó con la tronamenta y no quiso dejá el monte. A la madrugáa salió una manchita de reses, pero no jué posible ojearla, aunque la madrina* se portó rebién, convidándola con mugíos. Entonces revolvimos echarle los rangos encima, pa ve qué cogíamos: era puro vacaje viejo y se perdió la carrera. Tóos enlazamos sin provecho, menos aquel zambito del interió, que dejó esnucá el cabayo corriendo en la ocuridá. Por eso viene a pie, con la montura en las costiyas.

—Mano Tista —gritó Correa—: venga, móntese en este potro, que yo deseo desentumirme.

Porque no se creyera que me acoquinaban las fatigas, invoqué el recuerdo de Alicia para avivarme, y dije:

—Mano Sidoro, ¿cuántas reses cogieron ayer a lazo?

—Como cinquienta. Pero po la tarde burriaron*[150] los pescozones y casi hay vaina* entre Miyán y Fidel.

—¿Qué pasa? ¿Qué pasa?

—Que Miyán se apareció con una gente a decí que menestaba los corrales de Matanegra, pa meté los toros del barajuste, porque venían a cogerlos de nuevo. Franco no quiso responderle ni jota, pero cuando vio que habían treido perraje, le mentó la mama. Mientras tanto, los otros, que andan por cierto mal montaos, se asomaron a la madrina y dijeron que los orejanos* que taban cogíos eran los mesmos que se le jueron a don Barrera, y querían quitarlos por la juerza. Entonces nos prendimos a muecos+ unos con otros, y Franco le tendió la carabina a Miyán.

—¿Y dónde echa soga la gente de Barrera?

—Unos, se volvieron. Otros, andan por ahí, enmache-

---

[150] *burriar:* Zumbar. Arrojar (ALEC). En el vocabulario que Rivera anexa a la novela, abundar.

taos[151]. Esto se pone feo. Y pa pior, ustées dejaron ir los cabayos.

—Lo malo no es eso —exclamó uno a quien nombraban mano Jabián—, lo grave es que el juez tá en el hato, según dijeron. Como que lo toparon embarbascao[152], y Miyán hizo que un vaquero lo encaminara hasta la vivienda. Y con la justicia no nos metemos, porque nos coge sin plata. Nosotros queremos irnos.

—¡Compañeros —repuse—, yo les responderé de que nada pasa!

—¿Y quién responde por usté, que es al que busca la autoridá?

* * *

Fidel no se amilanó por el contratiempo ni le hizo reprensiones al mulato; hasta se alegró de ver que mi brazo herido podía regir las riendas. Era de opinión que la brigada se había vuelto a los comederos acostumbrados y que en La Maporita la hallaríamos.

Lo noté reacio a referirme el altercado con Millán. «Esa discusión no vale un comino. Además, en esta sabana caben muchísimas sepulturas; el cuidao está en conseguir que otros hagan de muertos y nosotros de enterradores.» Así dijo sonriente; pero recibió sobresaltado la noticia de que los vaqueros querían dejarnos solos. «De seguro se irán, porque todos tienen cuentas con la justicia, porque todos roban ganado.»

—¿Y a qué hora seguirá la cogienda? —averigüéle, devorando el almuerzo de carne tostada, que cortaba yo mismo de la costilla chirriante al rescoldo.

---

[151] *enmachetarse:* Armarse con machete. El machete es más corto que la espada, ancho, de mucho peso y de un solo filo. Es una importante herramienta para trabajar en el campo y para desmontar selva.

[152] *embarbascao:* Embarbascado. Confundido, enredado. En el vocabulario que Rivera anexa a la novela, extraviado.

barbasco (Lonchocarpus spp., Clibadium spp., Phyllantus spp., Tephrosia spp.): Nombre de bejucos y otras plantas que aturden o matan a los peces, utilizados por los indígenas para la pesca. Costumbre antigua, mencionada por el Padre Gumilla en el siglo XVIII, en su clásica obra sobre el Orinoco.

—Sólo esperábamos la madrina. Fue un error yevarla al Guanapalo, sabiendo que por ahí ganadean los indios y que los rodeos se enmontan por eyo. Pero en este banco hay dos mil cachones[153] a cual mejor. Los cabayos resisten todavía dos carreras, o sean treinta toros cogidos, porque el jinete que pierde lazo paga multa.

—Y los enviados de Barrera, ¿dónde se hallan?

—Míralos: en aqueyos mogotes[154] amanecieron. Esa gente no es del oficio, a excepción del Miyán, que es una lanza[155] para el coleo. Ya les notifiqué personalmente que si el perraje me alborotaba la vaquería se encomendaran al diablo y le llevaran saludes nuestras, porque los mandaríamos al infierno.

Entre tanto, los de la madrina encaminábanla llanura abajo, y la dejaron en un estero, pastoreada por varios rapaces. Al límite opuesto de un morichal veíanse puntas de toros, pastando al descuido. Avanzamos abiertos en arco para caerles como turbión[156], cuando oyéramos el grito de los caporales[157]; pero las reses nos ventearon y corrieron hacia los montes, quedando sólo algún macho desafiador que empinaba la cornamenta para amedrentar a la cabalgata.

Entonces lanzáronse los caballos sobre el desbande, por encima de jarales y comejeneras[158], con vertiginosa celeridad, y los fugitivos se fatigaron bajo el zumbido de las lazadas, que abiertas cruzaban el viento, para caerles a los cachos*. Y cada vaquero enlazó su toro, desviándose a la iz-

---

[153] *cachón:* Dícese del animal adulto, que tiene los cuernos grandes (LC).

[154] *mogote:* Montículo aislado (DRAE).

[155] *ser una lanza:* Ser muy hábil.

[156] *turbión:* Multitud de cosas que caen de golpe, llevando tras de sí lo que encuentran (DRAE).

[157] *caporal:* Capataz de una estancia de ganado (DRAE).

[158] *jaral:* Sitio poblado de arbustos llamados jaras (*Cistus ladaniferus*) (MM).

comejenera: Lugar donde se cría comején (DRAE).

comején o *termite:* Insecto de color blanco de la familia de los isópteros. Hacen sus nidos en los árboles y en el maderamen de las casas. Es un devorador insaciable, digiere celulosas, y solo los metales y el vidrio escapan de su acción (AC).

quierda, para que saltara lejos de la montura el resto de la soga enrollada y el potro resistiera el tirón en la cola, sin enredarse ni flaquear.

Brincaba en los matorrales la fiera indómita al sentirse cogida y se aguijaba tras del jinete ladeando su media luna de puñales. Con frecuencia le empitonaba el rocín, que se enloquecía corcoveando para derribar al cabalgador sobre las astas enemigas. Entonces el bayetón prestaba ayuda: o caía extendido para que el toro lo corneara mientras el potro se contenía, o en manos del desmontado vaquero coloreaba como un capote, en suertes desconcertantes, sin espectadores ni aplausos, hasta que la res, coleada, cayera. Diestramente la maneaba, le hendía la nariz con el cuchillo y por allí pasaba la soga, anudando las puntas a la crin trasera del potrajón, para que el vacuno quedara sujeto por la ternilla[159] en el vibrante seno de la cuerda doble. Así era conducido a la madrina*, y cuando en ella se incorporaba, volvíase el jinete sobre la grupa, soltaba un cabo del rejo brutal y lo hacía salir a tirones por la nariz atormentada y sangrante.

Montaba yo, alegremente, un caballito coral, apasionado por las distancias, que al ver a sus compañeros abalanzarse sobre la grey, disparóse a rienda tendida tras de ellos, con tan ágil violencia que en un instante le pasó la llanura bajo los cascos. Adiestrado por la costumbre, diose a perseguir a un toro barcino[160], y era de verse con qué pujanza le hacía sonar el freno sobre los lomos. Tiraba yo el lazo una y otra vez, con mano inexperta; mas, de repente, el bicho, revolviéndose contra mí, le hundió a la cabalgadura ambos cuernos en la verija[161]. El jaco, desfondado, me descar-

---

[159] *ternilla:* Cartílago (DRAE). En el texto, cartílago perforado de la nariz del toro, por donde se pasa el rejo.

En este párrafo se hace evidente la voz poética y literaria de Cova, que relata la escena con admiración y con metáforas como «media luna de puñales» para describir los cuernos del toro, unidas a la descripción naturalista de «la nariz atormentada y sangrante» del animal. Contrasta este párrafo con el siguiente, en donde Cova-narrador pasa a describir a Cova-personaje, un hombre inconsciente e inexperto, que pierde el caballo, se pone en peligro, pone en peligro a sus compañeros y parece no entender la vida del Llano.

[160] *barcino:* Dícese de los animales de pelo blanco y pardo (DRAE).

[161] *verija:* Parte inferior del vientre (MM).

gó con rabioso golpe y huyó enredándose en las entrañas, hasta que el cornúpeto embravecido lo ultimó a pitonazos contra la tierra.

Advertidos del trance en que me veía, desbocáronse dos jinetes en mi demanda. Fugóse el animal por los terronales, Correa me dio su potro y, al salir desalado tras de Franco, vi que Millán, con emulador aceleramiento, tendía su caballo sobre la res; mas ésta, al inclinarse el hombre para colearla, lo enganchó con un cuerno por el oído, de parte a parte, desgajólo de la montura y, llevándolo en alto como a un pelele, abría con los muslos del infeliz una trocha profunda en el pajonal. Sorda la bestia a nuestro clamor, trotaba con el muerto de rastra, pero en horrible instante, pisándolo, le arrancó la cabeza de un golpe, y, aventándola lejos, empezó a defender el mútilo tronco a pezuña y a cuerno, hasta que el wínchester de Fidel, con doble balazo, le perforó la homicida testa.

Gritamos auxilio y nadie venía; corrí a todas partes con la noticia y a nadie encontraba. Al fin topé unos vaqueros que tenían unidos caballo y toro a los extremos de cada soga. Al verme, las cortaron con sus cuchillos para acudir a mi llamamiento.

Y corríamos más pálidos que el cadáver.

* * *

Cuando llegamos al sitio de la tragedia, llevaban hacia el monte los despojos del victimado, en la hamaquilla de un bayetón sostenido por las cuatro puntas. Franco tenía la camisa llena de sangre y desfogaba a voces su agitación entre el grupo de peones silenciosos. El muerto yacía de espaldas sobre un moriche caído, y lo tenían cubierto con su propia ruana, en espera de la rigidez.

Entonces fuimos a buscar los restos de la cabeza entre las matujas atropelladas, y en parte ninguna los hallamos. Los perros, alrededor del toro yacente, le lamían la cornamenta.

A pleno sol regresamos al montezuelo. Correa, con una rama, le espantaba al muerto las moscas. Franco, en un esterito próximo, se limpiaba los cuajarones[162]. Los compañeros de Millán hacían proyectos para bailar el velorio[163].

—Lo que es yo —rezongaba uno— tuviera agradecío si dende ayer se hubieran descogotado en nuestra presencia. Pero esto de decir que lo mató el toro, cuando oímos claramente los tiros, poco me suena. No había pa qué arrastrarlo y descabezarlo. Esa crueldá sí ofende a Dios.

—¿No sabe usted cómo fue la desgracia?

—Sí, señó. El asesino, el toro; el muerto, Miyán; los cómplices, nosotros, y los inocentes, ustées. ¡Por eso me voy adelante con el aviso, pa que abran el hoyo y alisten música y trago, y corten la mortaja pa quen la merece!

Así dijo, y mascullando amenazas alejóse a escape.

Yo no quería ver al difunto. Sentía repugnancia al imaginar aquel cuerpo reventado, incompleto, lívido, que fue albergue de un alma enemiga y que mi mano castigó. Me perseguía el recuerdo de aquellos ojos colorados y rencorosos que me asaltaron por doquiera, calculando si en mi cintura iba el revólver. Aquellos ojos, ¿dónde cayeron? ¿Colgarían de alguna breña, adheridos al frontal roto, vaciados, repulsivos, goteantes? ¿Qué sería de aquella cabeza obtusa, centro de la malicia, filtro de la venganza, cubil de la maldad y del odio? Yo la sentí crujir al choque del cuerno curvo, que le asomó por la sien opuesta, mientras el sombrero embarboquejado[164] saltaba en el aire; la vi cuando el toro, desgarrándola de la cerviz, la proyectó hacia arriba, cual greñudo balón. ¿Y qué se hizo? ¿Dónde sangraba? ¿La enterraría la fiera con sus pezuñas cuando, defendiendo el cadáver, trilló el barzal?[165].

Lentamente, el desfile mortuorio pasó ante mí: un hombre de a pie cabestreaba el caballo fúnebre, y los taci-

---

[162] *cuajarón:* Coágulo.

[163] *bailar el velorio:* Expresión que se refiere a la costumbre de pasar la noche velando al muerto con baile y jolgorio. El velorio, o velatorio, también puede referirse a las nueve noches de reuniones y celebraciones posteriores al entierro.

[164] *embarboquejado:* Se refiere al sombrero que se lleva ajustado a la barbilla. *barboquejo:* cinta para sujetar por debajo de la barba (DRAE).

[165] *barzal:* Terreno cubierto de zarzas y maleza (DRAE).

turnos jinetes venían detrás. Aunque el asco me fruncía la piel, rendí mis pupilas sobre el despojo. Atravesado en la montura, con el vientre al sol, iba el cuerpo decapitado, entreabriendo las yerbas con los dedos rígidos, como para agarrarlas por última vez. Tintineando en los calcañales desnudos pendían las espuelas que nadie se acordó de quitar, y del lado opuesto, entre el paréntesis de los brazos, destilaba aguasangre el muñón del cuello, rico de nervios amarillosos, como raicillas recién arrancadas. La bóveda del cráneo y la mandíbula que la sigue faltaban allí, y solamente el maxilar inferior reía ladeado, como burlándose de nosotros. Y esa risa sin rostro y sin alma, sin labios que la corrigieran, sin ojos que la humanizaran, me pareció vengativa, torturadora, y aun al través de los días que corren me repite su mueca desde ultratumba y me estremece de pavor[166].

* * *

Más tarde, cuando la comitiva empezó a fumar y la charla se hizo ruidosa, propuso Franco:

—Pues que será preciso suspender la cogienda, mientras se normaliza la situación, conviene regresar en busca de las cabayerías. Los vaqueros mejor montados, vengan acá; los otros, yeven la madrina tras del muerto. Por ayá les caeremos al anochecer.

Sólo siete peones obedecieron. Antes de abandonar a los remisos, le rogué a un muchacho adelantarse con noticias nuestras, para prevenir el ánimo de Alicia cuando divisara el cortejo, que en aquel minuto entraba en el morichal de la lejanía, como entre las columnatas de una basílica descubierta. Los bueyes del madrineo alargaban la procesión[167].

---

[166] El crítico chileno Juan Loveluck considera la muerte de Millán como uno de los muchos ejemplos de feísmo goyesco y naturalista que se encuentran en la novela (JL, págs. xxxiv-xxxv). La risa macabra de la mandíbula de Millán, que Cova recordará varias veces, ha sido considerada, también, como parte del mundo grotesco, satánico y carnavalesco de la obra.

[167] Comparación del morichal con las columnatas de una basílica. Metáfora culta y religiosa para describir la naturaleza.

Aunque el mulato me señalaba las sabanetas donde anochecimos la víspera, fueme imposible reconocerlas, por su semejanza con las demás; pero advertía el rastro del ventarrón en el desgreño de los ramajes, en los fulminados troncos de algunas palmeras, en el desgonce de los pastos vencidos. En tanto, el recuerdo del mutilado me acompañaba; y con angustia jamás padecida quise huir del llano bravío, donde se respira un calor guerrero y la muerte cabalga a la grupa de los cuartagos[168]. Aquel ambiente de pesadilla me enflaquecía el corazón, y era preciso volver a las tierras civilizadas, al remanso de la molicie, al ensueño y a la quietud.

Destemplado por la zozobra, me atrasé de mis camaradas cuando nos alcanzaron los perros. De repente, la aulladora jauría, con la nariz en alto, circundó el perímetro de una laguna disimulada por elevados juncos. Mientras los jinetes corrían haciendo fuego, vi que una tropa de indios se dispersaba entre la maleza, fugándose en cuatro pies, con tan acelerada vaquía[169] que apenas se adivinaba su derrotero por el temblor de los pajonales. Sin gritos ni lamentos las mujeres se dejaban asesinar, y el varón que pretendiera vibrar el arco, caía bajo las balas, apedazado por los molosos[170]. Mas con repentina resolución surgieron indígenas de todas partes y cerraron con los potros para desjarretarlos a macana[171] y vencer cuerpo a cuerpo a los jine-

---

[168] *cuartago:* Caballo de tamaño mediano (MM).

[169] *vaquía:* Baquía. Conocimiento práctico, destreza (DRAE). Rivera escribió «vaquía» y «váquiro» con «v», incluso en el vocabulario que anexa al texto. Se mantiene aquí la ortografía de Rivera, ya que tradicionalmente así aparecen estos vocablos en todas las ediciones de *La vorágine*. Rivera escribe *baquiano*, sin embargo, con «b». Véase la nota 13 de la primera parte.

[170] *moloso:* Se aplica a cierta casta de perros de Molosia, ciudad antigua del Epiro. Es también un pie de la poesía griega y latina, compuesto de tres sílabas largas (MM). En este contexto, la palabra es un cultismo, más que la referencia a una raza específica.

[171] *desjarretar:* Cortarles a las reses el jarrete de las piernas. El jarrete es la parte situada inmediatamente debajo de la corva.

macana: Arma ofensiva fabricada por los indios con la madera de una palma. Es un palo o garrote fuerte, cortante y muy labrado, con la forma de espada de dos filos por la parte inferior.

tes. Diezmados en las primeras acometidas, desbandáronse a la carrera, en larga competencia con los caballos, hasta refugiarse en intrincados montes.

—¡Aquí, Dólar; aquí, Martel![172] —gritaba yo de estampía, defendiendo a un indio veloz que desconcertaba con sus corvetas[173] a dos perros feroces. Siguiéndolo siempre, paralelo a las curvas que describía, lo vi desandar la misma huella, gateando mañosamente, sin abandonar su sarta de pescados. Al toparme, se enmatorró[174], y yo, receloso de sus arrestos, paré las riendas. Mas de rodillas abrió los brazos:

—¡Señor Intendente, señor Intendente! ¡Yo soy el Pipa! ¡Piedad de mí!

Y sin esperar que le respondiera, miedoso de la perrada, saltó a la grupa de mi alazán, abrazándome compungido:

—¡Perdón, perdón! ¡Ahora le refiero lo del caballo!

Creyendo que el cuitado me maltrataba, acudieron los hombres en mi socorro y Correa lo tiró al suelo de un culatazo; pero más se tardó en caer que en encaramarse de nuevo, exclamando:

—¡Nosotros somos amigos! ¡Yo soy el paje de la señora!

—Miren a este come-ganao, capitán de la guajibera[175], salteador de las fundaciones, a quien tantas veces hemos corrío. ¡Ora me las pagás de contao!

—¡Caballero, no se equivoque, no se precipite, no me confunda; fue que los indios me aprehendieron, me empelotaron[176] y el señor Intendente me libertó. ¡Él me conoce mucho y su señora me necesita!

---

[172] *Dólar y Martel:* Estos dos perros los acompañarán durante toda la novela. Sus nombres evocan dos de los imanes de esta vorágine: el dinero y el alcohol, en este caso un famoso cognac (MM).

[173] *corveta:* Esguince. Movimiento ágil del cuerpo con que se evita la acometida de algo, un golpe o una caída (MM).

[174] *enmatorrarse:* Se conoce el término enmatarse, esconderse tras las matas. Por extensión, esconderse tras los matorrales. En el Llano, se denomina *mata* al soto o boscaje circunscrito que se halla en medio de una sabana (LC).

[175] *guajibera:* En sentido despectivo, tribu de guahibos o guajibos.

[176] *empelotar:* Desnudar (DRAE).

Como todos le achacaban los incendios en el Hatico, fingía llorar a mares, consternado por la calumnia. Luego, aferrándose a mis cuadriles, alzó sus piernas sobre las mías para que los perros no lo mordieran, simulando vergüenza de verse desnudo. Y yo, que pasé de la sorpresa a la caridad, lo conduje en ancas, con rumbo al hato, entre la protesta de mis compañeros, que lo amenazaban con la castración en represalia de sus fechorías.

* * *

Apenas recobró la confianza, inició el cautivo su mendoso discurso, que interrumpía para pedirme que les ordenara a los vaqueros adelantarse:

—No lo hago por mí —decía— sino por usted: ¡se les puede salir un tiro y nos atraviesan las espaldas!

Luego, en el tono del amante que convence al oído, agregó:

—¿Cómo iba a ser posible que el señor Intendente llegara a su capital sin que le hicieran digno recibimiento? Estas minucias me desvelaban aquella noche, y monté en su caballo para llevar la noticia al pueblo, tan decidido a regresar pronto, que le dejé a usted mi yegua enjalmada. Pero al saber las tropelías que iban a cometerle, por la traída de la señora, eché cabeza de este modo: Si lo encarcelan, nadie me libra de mi padrino; si le registran el equipaje, se quedan con todo; el caballo vale más que la potrancona, pero ambos a dos se los quitarán, y es preferible que yo dé mi trotadita por Casanare y regrese al fin del verano a devolver todo, rango y montura. Mas al bajar por estas sabanas, me atajaron los vaqueros de un tal Barrera diciendo que yo andaba tras del ganado, y querían llevarme preso para el Hatico, y me robaron hasta el sombrero, y, por quedar a pie, me cautivaron los guahibos. Pero olvidaba preguntarle por la señora ¿Cómo la tiene?

En cualquiera otra situación me habría divertido la pintoresca trama de sus disculpas; pero entonces, casi al anochecer, sólo quería alcanzar al muerto para impedir que Alicia lo viera.

Por las llanuras, a media luz, iban dos jinetes, a paso lento.

Cuando los alcanzamos sus caras no se distinguían, pero Franco los reconoció:

—¿Por dónde siguen los del cadáver?

—Los caporales resolvieron tirarlo al caño, por que no se aguantaba la jedentina*. Después se jueron a sus tierras, pues no querían trabajar má.

—Nosotros tampoco lo acompañamos —advirtieron unos.

—A mí no me gustan los sinvergüenzas, y prefiero quedar solo. El que quiera sus jornales, véngase conmigo.

Ellos pronunciaron esta gran frase:

—Nosotros preferimos la libertá.

—¿Pa qué lao cogieron los camaráas?

—Pa la costa del Guachiría.

—¡Adió, pue!

Y galoparon ante la noche.

Los cuatro restantes caminamos a toda prisa en busca del hato semiborroso, donde hacía guiños una candela. Aunque el Pipa clamaba amparo, lo forcé a que se apeara. Y zaguero[177], como oscuro fantasma, nos perseguía en la sobretarde.

* * *

Raro temor me escalofriaba cuando nos acercamos a los corrales. Desde allí percibimos que la ramada estaba en silencio y que un gran fogón esclarecía el patio. Miré hacia los toldos y ya no los vi. Con súbita carrera llegué al tranquero, y el potro, encandilado, se resistía a invadir la estancia. Mauco y unas mujeres acudieron:

—¡Por Dios! ¡Váyanse presto, que los cogen![178].

—¿Qué pasa? ¿Dónde está Alicia? ¿Dónde está Alicia?

---

[177] *zaguero:* Que va atrás (DRAE). Opuesto a puntero, que va adelante.
[178] Como otros personajes de la novela, Arturo Cova es perseguido, además de perseguidor. Aquí, la justicia lo busca por un nuevo motivo.

—El viejo Zubieta duerme enterrao y tamos consolándonos con la candela.

—¿Qué ha sucedido? ¡Dilo pronto!

—Que esa voláa les salió mal.

Hubo que amenazarlo para que informara: se había cometido un crimen la víspera. Viendo que Zubieta no se levantaba, desquiciaron la puerta de la cocina. Colgado por las muñecas en el lazo del chinchorro, balanceábase el vejete, vivo todavía, sin quejarse ni articular, porque en la raíz de la lengua le amarraron un cáñamo[179]. Barrera no quiso verlo; mas, cuando el juez llegó al hato, hizo contra nosotros imputaciones tremendas. Juró que en días anteriores habíamos amenazado al abuelo para que revelara el escondrijo de sus tesoros; que esa noche, apenas la gente se fue a los toldos a embriagarse, penetramos por la cumbrera y cometimos la atrocidad, distribuidos en grupos, para cavar simultáneamente en la topochera[180], en el cuartucho, en los corrales El juez hizo firmar a todos la consabida declaración y regresó esa misma tarde, custodiado por Barrera y su personal; y el occiso fue sepultado en una de aquellas excavaciones, bajo el mango grande, quizás encima de las tinajas de morrocotas, sin ponerle alpargatas nuevas, sin que le ajustaran las quijadas con un pañuelo, ni le rezaran el Santo Dios, ni le bailaran las nueve noches. Y para mayor desgracia, tenían que cuidar ellos de que los marranos no revolcaran la sepultura, pues ya una vez habían desenterrado un brazo del muerto y se lo tragaron entre horribles gruñidos.

Tan aturdido estaba yo con tal historia, que no había reparado en que una de las mujeres era Bastiana. Al verla le grité con pávido acento:

—¿Dónde está Alicia? ¿Dónde está mi Alicia?

—¡Se jueron! ¡Se jueron y nos dejaron!

—¿Alicia? ¿Alicia? ¿Qué estás diciendo?

---

[179] *cáñamo* (*Cannabis sativa*): Planta cannabácea de cuyos tallos se obtiene una fibra textil llamada de la misma manera (MM). La muerte de Zubieta es uno de los primeros casos de crimen y tortura en el texto.

[180] En la topochera se encuentra el entierro de morrocotas.

—¡Se la yevó la niña Griselda!

Apoyando en el tranquero los codos, comencé a llorar con llanto fácil, sin sollozos ni contorsiones; era que la fuente de la desgracia, vertiéndose de mis ojos, me aliviaba el corazón de tan desconocida manera, que permanecí un momento insensible a todo. Miré con cara aflictiva a mis compañeros, sin sentir pudor de mis lágrimas, y los veía consolarme, como en un sueño. Allí me rodeaban todos: el Pipa se había apropiado uno de mis vestidos, las mujeres asaban carne y Franco me exigía que me acostara. Mas al decirme que Alicia y Griselda eran dos vagabundas y que con otras mejores las reemplazaríamos, estalló mi despecho como un volcán, y, saltando al potro, partí enloquecido para darles alcance y muerte[181]. Y en el vértigo del escape me parecía ver a Barrera, descabezado como Millán, prendido por los talones a la cola de mi corcel, dispersando miembros en las malezas, hasta que, atomizado, se extinguía entre el polvo de los desiertos.

Tan cegado iba por la iracundia, que sólo tarde advertí que galopaba tras de Franco y que íbamos llegando a La Maporita. ¡Era verdad que Alicia no estaba allí! En la hamaca de mi rival se tendería libidinosa, mientras yo, desesperado, desvelaba a gritos la inmensidad.

Entonces fue cuando Franco le prendió fuego a su propia casa.

* * *

La lengua del fósforo hizo vibrar los flecos de la palmicha*, abriéndose en ola sonante que llenó la comarca de resplandores cárdenos. Al momento, el platanal, chamuscado, aflojó las hojas y las chispas multiplicaron el estrago en la cocina y el cancey. A la manera de la víbora mapanare[182], que vuelve los colmillos contra la cola, la llamarada

---

[181] Esta meta de Cova, «darles alcance y muerte», sufrirá variaciones durante el viaje. Aquí aparece una nueva fantasía de Cova, en la que identifica a Barrera con Millán.

[182] *víbora mapanare* o *mapaná* (*Bothrops atrox*): Serpiente muy venenosa de la familia de las viperídeas, cuya ponzoña produce la putrefacción de la carne.

se retorcía sobre sí misma, ahumando la limpidez de la noche, y empezó a disparar bombas en la llanura, donde el viento —aliado luciferino— le prestó sus alas a la candela.

Nuestros caballos, espantados, retrocedieron hacia el caño de aguas bermejas, y desde allí vi desplomarse la morada que brindó abrigo a mis sueños de riqueza y paternidad. Entre los muros de la alcoba que fue de Alicia se columpiaba el fuego como una cuna.

Idiotizado contemplaba el piélago[183] asolador sin darme cata del peligro; mas cuando vi que Franco se alejaba de aquellos lares maldiciendo la vida, clamé que nos arrojáramos a las llamas. Alarmado por mi demencia, recordóme que era preciso perseguir a las fugitivas hasta vengar la ofensa increíble. Y corriendo, corriendo entre claridades desmesuradas, observamos que la casa del hato ardía también y que la gente daba alaridos en los montes.

La calurosa desvastación campeaba en los pajonales de ambas orillas, culebreando en los bejuqueros, trepándose a los moriches y reventándolos con retumbos de pirotecnia. Saltaban cohetes llameantes a grandes trechos, hurtándole combustible a la línea de retaguardia, que tendía hacia atrás sus melenas de humo, ávida de abarcar los límites de la tierra y batir sus confalones[184] flamígeros en las nubes. La devoradora falange iba dejando fogatas en los llanos ennegrecidos, sobre cuerpos de animales achicharrados, y en toda la curva del horizonte los troncos de las palmeras ardían como cirios enormes.

Es muy peligrosa debida a su excelente mimetismo con las hojas secas y la corteza de ciertos árboles. Se encuentra en toda la Amazonia y la Orinoquia (AC). Sus colores forman en el lomo una cadena de negro y amarillo o rosado, y tiene el vientre de color amarillo que pasa sensiblemente a blanco (LC). Aquí, se compara la llamarada del incendio con esta serpiente, añadiendo el viento «luciferino» a las imágenes del infierno. En el siguiente párrafo el fuego, «como una cuna», reemplaza lo que Cova llama sus «sueños de riqueza y paternidad».

[183] *piélago:* Mar (DRAE).

[184] *confalón:* Gonfalón. Bandera o estandarte (MM). De nuevo utiliza imágenes de guerra («retaguardia», «confalones», «falange») y compara las palmeras encendidas con una imagen religiosa, «cirios enormes».

El traquido de los arbustos, el ululante coro de las sierpes y de las fieras, el tropel de los ganados pavóricos, el amargo olor a carnes quemadas, agasajáronme la soberbia; ¡y sentí deleite por todo lo que moría a la zaga de mi ilusión, por ese océano purpúreo que me arrojaba contra la selva aislándome del mundo que conocí, por el incendio que extendía su ceniza sobre mis pasos!

¿Qué restaba de mis esfuerzos, de mi ideal y mi ambición? ¿Qué había logrado mi perseverancia contra la suerte? ¡Dios me desamparaba y el amor huía!...

¡En medio de las llamas empecé a reír como Satanás![185].

---

[185] *empecé a reír como Satanás:* Esta risa carnavalesca y diabólica, teatral y consciente, se ha citado en innumerables ocasiones para interpretar a Cova como loco, como poseso, o como víctima de un proceso de satanización.

Segunda parte

¡Oh selva, esposa del silencio, madre de la soledad y de la neblina! ¿Qué hado maligno me dejó prisionero en tu cárcel verde? Los pabellones de tus ramajes, como inmensa bóveda, siempre están sobre mi cabeza, entre mi aspiración y el cielo claro, que sólo entreveo cuando tus copas estremecidas mueven su oleaje, a la hora de tus crepúsculos angustiosos. ¿Dónde estará la estrella querida que de tarde pasea las lomas? ¿Aquellos celajes de oro y múrice[1] con que se viste el ángel de los ponientes, por qué no tiemblan en tu dombo?[2]. ¡Cuántas veces suspiró mi alma adivinando al través de tus laberintos el reflejo del astro que empurpuraba las lejanías, hacia el lado de mi país, donde hay llanuras inolvidables y cumbres de corona blanca, desde cuyos picachos me vi a la altura de las cordilleras! ¿Sobre qué sitio erguirá la luna su apacible faro de plata? ¡Tú me robaste el ensueño del horizonte y sólo tienes para mis ojos la monotonía de tu cenit, por donde pasa el plácido albor, que jamás alumbra las hojarascas de tus senos húmedos!

Tú eres la catedral de la pesadumbre, donde dioses desconocidos hablan a media voz, en el idioma de los murmullos, prometiendo longevidad a los árboles imponentes,

---

[1] *múrice:* Color púrpura. Proviene del nombre dado a varias especies de moluscos gasterópodos, de la familia de la púrpura, que segregan, como ésta, una sustancia que los antiguos usaban para teñir (MM).

[2] *dombo:* Bóveda en forma de media esfera (DRAE).

contemporáneos del paraíso, que eran ya decanos cuando las primeras tribus aparecieron y esperan impasibles el hundimiento de los siglos venturos. Tus vegetales forman sobre la tierra la poderosa familia que no se traiciona nunca. El abrazo que no pueden darse tus ramazones lo llevan las enredaderas y los bejucos, y eres solidaria hasta en el dolor de la hoja que cae. Tus multísonas voces forman un solo eco al llorar por los troncos que se desploman, y en cada brecha los nuevos gérmenes apresuran sus gestaciones. Tú tienes la adustez de la fuerza cósmica y encarnas un misterio de la creación. No obstante, mi espíritu sólo se aviene con lo inestable, desde que soporta el peso de tu perpetuidad, y, más que a la encina de fornido gajo, aprendió a amar a la orquídea lánguida, porque es efímera como el hombre y marchitable como su ilusión.

Déjame huir, oh selva, de tus enfermizas penumbras, formadas con el hálito de los seres que agonizaron en el abandono de tu majestad. ¡Tú misma pareces un cementerio enorme donde te pudres y resucitas! ¡Quiero volver a las regiones donde el secreto no aterra a nadie, donde es imposible la esclavitud, donde la vida no tiene obstáculos y se encumbra el espíritu en la luz libre! ¡Quiero el calor de los arenales, el espejeo de las canículas, la vibración de las pampas abiertas! ¡Déjame tornar a la tierra de donde vine, para desandar esa ruta de lágrimas y sangre que recorrí en nefando día, cuando tras la huella de una mujer me arrastré por montes y desiertos, en busca de la Venganza, diosa implacable que sólo sonríe sobre las tumbas! [3].

* * *

---

[3] Se ha señalado el tono lírico de este fragmento, así como del primero de la tercera parte. Este capítulo se ha llamado la oda o plegaria a la selva, por su estructura de oración: comienza con un apóstrofe, sigue con interpelaciones, quejas y descripciones hiperbólicas, para terminar en súplicas. Aparece fuera de la cronología narrativa y cumple, entre muchas otras, las funciones de crear nuevas expectativas, anticipar un cambio de paisaje e interpretar la selva antes de que el lector llegue, con los viajeros, a ella. La voz parece ser la del poeta Arturo Cova, con su «espíritu inestable» y sus metáforas, aunque también tiene rasgos de la de Clemente Silva. A pesar de que este personaje y

La selva virgen

Olvidada sea la época miserable en que vagamos por el desierto en cuadrilla prófuga, como salteadores. Sindicados de un crimen ajeno, desafiamos a la injusticia y erguimos la enseña de la rebelión. ¿Quién osó desafiar el rencor bárbaro de mi pecho? ¿Quién habría podido amansarnos? Las sendas múltiples de la pampa quedaron chafadas en aquellos días al galope de nuestros potros, y no hubo noche que no prendiéramos en distinto paraje la fugitiva llamarada del vivac[4].

Después, bajo moriches inextricables, improvisamos un refugio. Allí amontonábanse los enseres que Mauco y Tiana salvaron de la ignición, y que pusieron en nuestras manos antes de irse a Orocué, en misión de espionaje. Mas no sabíamos qué suerte hubieran corrido. Fidel y el mulato, el Pipa y yo nos turnábamos cada día en atalayar sobre una palmera la presencia de alguna gente en el horizonte o el triángulo de humo, convenido como señal.

¡Nadie nos buscaba ni perseguía! ¡Nos habían olvidado todos!

Yo no era más que un residuo humano de fiebres y pesares. De noche, el hambre nos desvelaba como un vampiro, y porque ya venían las lluvias, concertamos la dispersión para asilarnos luego en Venezuela. Pensé entonces que don Rafo vendría de regreso a La Maporita, y que con él podríamos volver a Bogotá. Muchos días lo esperamos en

---

narrador aún no ha aparecido, hablará más tarde de la selva en términos similares. En primer lugar, en este fragmento se establece la identificación entre la selva, lo telúrico y lo femenino («esposa», «madre», «senos húmedos», «gestaciones», «fuerza cósmica», «misterio de la creación»). Aparece una de las dos metáforas que definen la selva de *La vorágine,* la cárcel verde (la otra será el infierno). Como en otros momentos de la novela, con la naturaleza, personificada aquí repetidamente, se mezclan referencias cultas («pabellones», «bóveda», «dombo», «celajes de oro y múrice», «corona blanca», «faro de plata»), religiosas («ángel», «catedral», «dioses», «paraíso») y afectivas. Para un análisis de *La vorágine* como cristalización de la novela de la selva, véase Lydia de León Hazera, *La novela de la selva hispanoamericana* (Bogotá: Instituto Caro y Cuervo, 1971). Para un análisis de la naturaleza y la mujer, y de lo femenino como proyección del mundo interior del narrador de la novela, véase el estudio de Sharon Magnarelli, «La mujer y la naturaleza en *La vorágine:* A imagen y semejanza del hombre» (TC, págs. 335-352).

[4] *vivac:* Vivaque. Campamento (MM).

las llanuras aledañas a Tame. Mas apenas declaró Franco que continuaría su vida nómada, no por recelo de la justicia ordinaria, sino por el peligro de que algún Consejo de Guerra lo castigara como a desertor, desistí de la idea del viaje, para mancomunarnos en el destierro y afrontar vicisitudes iguales, ya que una misma desventura nos había unido y no teníamos otro futuro que el fracaso en cualquier país.

Y nos decidimos por el Vichada[5].

* * *

El Pipa nos condujo a los platanares silvestres de Macucuana, sobre la margen del túrbido Meta, después de la desembocadura del Guanapalo. Moraba en esos montes una tribu guahiba, semidomada, que convino en acogernos, a condición de que admitiéramos el guáyuco*, respetáramos a las pollonas* y les ordenáramos a los wínchesters «no echar truenos»[6].

Aparecióse una tarde el Pipa con cinco indígenas, que se resistían a acercarse mientras no amarráramos los dogos. Acurrucados en la maleza, erguíanse para observarnos, listos a fugarse al menor desliz, por lo cual el ladino intérprete fue conduciéndolos de la mano hasta nuestro grupo, donde recibían el advertido abrazo de paz con esta frase protocolaria: «Cuñao, yo queriéndote mucho, perro no haciendo nada, corazón contento.»

Todos eran fornidos y jóvenes, de achocolatada cutis y hercúleas espaldas, cuya membratura se estremecía temerosa de los fusiles. Arcos y aljabas habíanlos dejado entre la canoa, que iba a mecernos sobre las aguas desconocidas de un río salvaje, hacia refugios recónditos y temibles, adon-

---

[5] Aquí se decide una de las metas parciales del viaje. De Tame (Arauca) y La Maporita (Casanare) siguen hacia el Guanapalo y el Meta, rumbo al río Vichada, hacia el sudeste.

[6] Si una tribu que admite a los extraños e impone unas mínimas condiciones de respeto y convivencia es una tribu «semidomada», habría que preguntarse qué significa para Arturo Cova una tribu completamente domada: ¿la que no impone condiciones a la conducta del invasor?

de un fátum implacable nos expatriaba, sin otro delito que el de ser rebeldes, sin otra mengua que la de ser infortunados.

Había llegado el momento de licenciar nuestros caballos, que nos dieron apoyo en la adversidad. Ellos recobraban la pampa virgen y nosotros perdíamos lo que gozosos recuperaban, la zona donde sufrimos y batallamos inútilmente, comprometiendo la esperanza y la juventud. Cuando mi alazán sudoroso se sacudió, libre de la montura, y galopó con relinchos trémulos en busca del bebedero lejano, me sentí indefenso y solo, copié en mis ojos tristes el confín, con la amargura del condenado a muerte que se resigna al sacrificio y ve sobre los paisajes de su niñez arrebolarse el último sol.

Al descender el barranco que nos separaba de la curiara[7], torné la cabeza hacia el límite de los llanos, perdidos en una nébula dulce, donde las palmeras me despedían. Aquellas inmensidades me hirieron, y, no obstante, quería abrazarlas. Ellas fueron decisivas en mi existencia y se injertaron en mi ser. Comprendo que en el instante de mi agonía se borrarán de mis pupilas vidriosas las imágenes más leales; pero en la atmósfera sempiterna por donde ascienda mi espíritu aleteando, estarán presentes las medias tintas de esos crepúsculos cariñosos, que, con sus pinceladas de ópalo y rosa, me indicaron ya sobre el cielo amigo la senda que sigue el alma hacia la suprema constelación.

* * *

La curiara, como un ataúd flotante, siguió agua abajo, a la hora en que la tarde alarga las sombras. Desde el dorso

---

[7] *curiara:* En este momento del viaje, la curiara reemplaza al caballo y el paisaje cambia de la llanura abierta a la selva cerrada.

En el siguiente fragmento, se compara la curiara a un ataúd flotante, una de las más citadas metáforas de la novela, predicción de muerte e imagen del viaje mítico al infierno. Entre otros críticos, Leónidas Morales (*«La vorágine:* Un viaje al país de los muertos»*, TC, págs. 149-167) y Seymour Menton (*«La vorágine:* El triángulo y el círculo»*, TC, págs. 199-228) comparan *La vorágine* con el viaje al infierno de *La divina comedia* de Dante.

de la corriente columbrábanse las márgenes paralelas, de sombría vegetación y de plagas hostiles. Aquel río, sin ondulaciones, sin espumas, era mudo, tétricamente mudo como el presagio, y daba la impresión de un camino oscuro que se moviera hacia el vórtice de la nada[8].

Mientras proseguíamos silenciosos principió a lamentarse la tierra por el hundimiento del sol, cuya vislumbre palidecía sobre las playas. Los más ligeros ruidos repercutieron en mi ser, consustanciado a tal punto con el ambiente, que era mi propia alma la que gemía, y mi tristeza la que, a semejanza de un lente opaco, apenumbraba todas las cosas. Sobre el panorama crepuscular fuese ampliando mi desconsuelo, como la noche, y lentamente una misma sombra borró los perfiles del bosque estático, la línea del agua inmóvil, las siluetas de los remeros...

Desembarcamos al comienzo de una barranca, suavizada por escalones que descendían al puerto, en cuyo remanso se agrupaban unas canoas. Por un sendero lleno de barro que se perdía entre el gramalote, salimos a una plazuela de árboles derribados, donde nos aguardaba el rancho pajizo, tan solitario en aquel momento, que vacilábamos en ocuparlo, sospechosos de alguna emboscada. El Pipa alegaba con los nativos que a semejante vivienda nos condujeron, y nos transmitía la traducción de la jerigonza, según la cual los de la ramada se dispersaron al ver los mastines. Los bogas me pedían permiso para dormir entre las curiaras.

Y cuando se fueron, Fidel le ordenó a Correa que se acostara con el Pipa en la barbacoa, por si intentaba traicionarnos esa noche; les quitó los collares a los perros, y, a oscuras, les mudó el sitio a nuestras hamacas.

Ofreciéndole mi costado a la carabina, me entregué al sueño.

* * *

---

8 *vórtice:* Torbellino, remolino. Es uno de los sinónimos de «vorágine». Para un estudio de la palabra «vorágine» como imagen y recurso estilístico, véase el trabajo de Melvin A. Arrington, «The Lyrical and Narrative Art of José Eustasio Rivera: A Comparative Study of *Tierra de promisión* and *La vorágine*» (tesis doctoral, University of Kentucky, 1979).

El Pipa solía hacerme protestas de adhesión incondicional, y acabó por relatarme la pavorosa serie de sus andanzas. Su mano sabía disparar la barbada flecha, en cuya punta iba ardiendo la pelota de peramán*[9], que cruzaba el aire como un cometa, con el aullido de la consternación y del incendio.

Muchas veces, para librarse del enemigo, se aplanó en el fondo de las lagunas como un caimán, y emergía sigiloso entre los juncales por renovar la respiración; y si los perros le nadaban sobre la cabeza, buscándolo, los destripaba y consumía, sin que los vaqueros pudieran ver otra cosa que el chapoteo de algunos juncos en el apartado centro de los charcones.

Adolescente apenas, vino a los Llanos cuando estaba en su auge el hato de San Emigdio y allí sirvió de coquis* varios meses. Trabajaba todo el día con los llaneros, y por la noche agregábase a sus fatigas la de acopiar la leña y el agua, prender el fuego y asar carne. De madrugada lo despertaban los caporales a puntapiés para que recociera el café cerrero; y tras de tomarlo, se iban sin ayudarle a ensillar la mañosa bestia ni decirle hacia qué banco se dirigían. Y él, llevando de cabestro la mula de los calderos y los víveres, trotaba por las estepas oscurecidas, poniendo oído a las voces de los jinetes, hasta orientarse y seguir con ellos.

Para colmo, la cocina de la ramada le exigía cooperar en sus menesteres, y él, tiznado y humilde como un guiñapo, se resignaba a su situación. Mas una vez, al vaciar el cocido en la barbacoa, sobre las hojas frescas que servían de manteles, atropáronse los peones con la presteza de buitres hambrientos, y él tendió, como todos, la deseadas manos a la carne para trinchar algún trozo con su belduque*. El

---

9 *peramán* (*Symphonia globulifera*): especie de gutífera.

Este fragmento está dedicado a la historia del Pipa, a sus habilidades y a su experiencia en el llano y en la selva. Cova transmite el relato en discurso indirecto libre, con desconfianza y sin mucha admiración. El Pipa, el segundo de los tres guías del viaje de Arturo Cova, entre don Rafo y Clemente Silva, está muy cerca del mundo indígena y selvático, un mundo que en la obra se identifica con lo desconocido y con la traición.

196

arrimado de la maritornes, un abuelote de empaque torvo, que lo celaba estúpidamente y que ya lo había vapuleado con el cinturón, comenzó a vociferar, masticando, porque no se repetía presto la calderada. Como el coquis no se afanó por obedecerle, lo agarró de una oreja y le bañó la cara en caldo caliente. El muchacho, enfurecido, le rasgó el buche de un solo tajo, y la asadura del comilón se regó humeando en la barbacoa, por entre las viandas.

El dueño del hato apresó al chicuelo, liándole garganta y brazos con un mecate*, y mandó dos hombres a que lo mataran ese mismo día, abajo de las resacas del Yaguarapo. Por fortuna, pescaban allí unos indios, que destrizaron a los verdugos y le dieron al sentenciado la libertad, pero llevándoselo consigo.

Errante y desnudo vivió en las selvas más de veinte años, como instructor militar de las grandes tribus, en el Capanaparo[10] y en el Vichada; y como cauchero, en el Inírida y en el Vaupés, en el Orinoco y en el Guaviare, con los piapocos[11] y los guahibos, con los banivas y los barés,

---

[10] *Capanaparo:* Afluente del Orinoco, al norte del río Meta, en territorio venezolano. Los ríos mencionados a continuación son afluentes del Orinoco (de norte a sur, Meta, Vichada, Guaviare, Inírida), con excepción del Vaupés, que pertenece a la cuenca del Amazonas.

[11] *piapoco:* Véase la nota 62 de la primera parte. Indígenas de la familia Arawak que viven en Vichada y Meta. Conservan, como la mayoría de los pueblos de esa región, su lengua y sus instituciones, pero su extinción cultural es inminente, así como la de otros grupos indígenas mencionados a continuación (Baniva, Baré, Kuiva, Carijona, Maipure). En general son grupos pequeños, aislados y dispersos, constituidos por unos pocos cientos de indígenas. Muchos de ellos aún sufren las consecuencias de las persecuciones y masacres de la época de las caucherías. Por su relación con una época anterior a *La vorágine,* es interesante tener en cuenta el testimonio de Fr. José de Calazans Vela, misionero dominico, colombiano, que visitó esos lugares en el siglo pasado, y que en 1889 escribió una relación de su viaje por el Guaviare, el Orinoco y el Vichada. La preocupación evidente en el relato de viaje del Padre Vela es motivar al gobierno para «la rápida colonización, material, intelectual y moral de nuestras llanuras orientales» (pág. 180). Como en el caso de conquistadores, colonizadores y misioneros (y, de alguna manera, como José Eustasio Rivera y su personaje Arturo Cova), el Padre Vela oscila entre la admiración y el desprecio, entre el deseo de redención y el de posesión. Respecto a los indígenas de la región, le llamó la atención su forma de cultivar la tierra, de extraer aceite de plantas y animales y, sobre todo, su ha-

con los cuivas, los carijonas y los huitotos[12]. Pero su mayor influencia la ejercía sobre los guahibos, a quienes había perfeccionado en el arte de las guerrillas. Con ellos_asaltó siempre las rancherías de los sálivas[13] y las fundaciones que baña el Pauto. Cayó prisionero en distintas épocas, cuando una raya*[14] le lanceó el pie, o cuando las fiebres le consumían; pero, con riesgosa suerte, se hizo pasar por vaquero cautivo de los hatos de Venezuela, y conoció diferentes cárceles, donde observaba intachable conducta, para volver pronto a la inclemencia de los desiertos y al usufructo de las revoltosas capitanías.

---

bilidad para construir embarcaciones y navegar por los ríos. (Fr. José de Calazans Vela O.P. y Alfredo Molano, *Dos viajes por la Orinoquia colombiana: 1889-1988*. Bogotá: Fondo Cultural Cafetero, 1988) Los ríos siguen constituyendo el modo de transporte más común, tanto de los indígenas como de los colonos.

[12] *baniva:* Indígenas que pertenecen al grupo Baré y viven en el Vaupés. Según el Padre Vela, «en lo que más sobresalen estos indios es en el manejo de embarcaciones; y las mujeres en la fabricación de hamacas de curagua, cumare o moriche» (pág. 175).

baré: Indígenas que pertenecen a los grupos Tucano oriental y Arawak. Viven en el Vaupés y el Guainía.

cuiva o *kuiba:* Indígenas del grupo Guahibo que viven en Arauca, Casanare y Vichada.

carijona: Tribu de la familia Caribe que vive actualmente en Caquetá, Vaupés y Amazonas.

huitoto: Grupo indígena de la familia Witoto. Viven en Amazonas, Putumayo y Caquetá.

[13] *sáliva:* Son llamados también Sáliba-Piaroa. Viven en Casanare, Meta, Vichada y Vaupés (PIC, CAI).

[14] *raya (Potamortrygon spp.):* Pez muy primitivo de forma discoidal y cuerpo muy aplanado. Posee una cola provista de un estilete aserrado de forma tal que, cuando penetra en la carne, solo es posible sacarlo desgarrando la herida. Además, este aguijón está recubierto de una especie de lama que infecta la herida haciendo muy difícil su cicatrización. El remedio que se utiliza popularmente consiste en lavar la herida con orín caliente. La raya se encuentra en casi todos los ríos de la Amazonia y de la Orinoquia, en los fondos barrientos de lagunas, caños y ríos. Algunas especies, como la *raya tigre,* pueden alcanzar más de un metro de diámetro (AC). El Padre Gumilla describe la manera de evitar las rayas, tal como se sigue practicando en la actualidad: «El que va caminando, picando el terreno por donde ha de pasar, va seguro, porque si hay rayas, al sentir el palo se apartan» («La maravillosa Orinoquia del siglo XVIII», MC, pág. 129).

—Yo —decía— seré su lucero en estos confines, si pone a mi cuidado la expedición: conozco trochas, vaguadas, caminos, y en algunos caños tengo amistades. Buscaremos a los caucheros por dondequiera, hasta el fin del mundo; pero no vuelva a permitir que el mulato Correa duerma conmigo, ni que me satirice con tanta roña. Eso no es corriente entre cristianos y desanima a cualquier hombre de sentimiento. ¡Algún día lo rasguño, y quedamos en paz!

* * *

Por ese tiempo me invadió la misantropía, ensombreciéndome las ideas y descoyuntándome la decisión. En el sonambulismo de la congoja devoraba mis propias hieles, inepto, adormilado, como la serpiente que muda escama.

Nadie había vuelto a nombrar a Alicia, por desterrarla de mi pensamiento; mas esa misma delicadeza sublevaba en mi corazón todos los odios reconcentrados, al comprender que me compadecían como a un vencido. Entonces las blasfemias sollamaban mis labios y un velo de sangre se reteñía sobre mis ojos.

¿Y a Fidel lo atormentaba el tenaz recuerdo? Sólo me parecía triste en sus confidencias, quizá por acoplarse en mi quebranto. Todo lo había perdido en hora impensada, y sin embargo daba a entender que desde ese instante se sintió más libre y poderoso, cual si el infortunio fuera simple sangría para su espíritu.

¿Y yo por qué me lamentaba como un eunuco? ¿Qué perdía en Alicia que no lo topara en otras hembras? Ella había sido un mero incidente en mi vida loca y tuvo el fin que debía tener. ¡Barrera merecía mi gratitud!

Además, la que fue mi querida tenía sus defectos: era ignorante, caprichosa y colérica. Su personalidad carecía de relieve: vista sin el lente de la pasión amorosa, aparecía la mujer común, la de encantos atribuidos por los admiradores que la persiguen. Sus cejas eran mezquinas, su cuello corto, la armonía de su perfil un poquillo convencional. Desconoció la conciencia del beso y sus manos fueron incapaces de inventar la menor caricia. Jamás escogió un perfume que la distinguiera; su juventud olía como la de todas.

¿Cuál era la razón de sufrir por ella? Había que olvidar, había que reír, había que empezar de nuevo. Mi destino así lo exigía, así lo deseaban, tácitos, mis camaradas. El Pipa, disfrazando la intención con el disimulo, cantó cierta vez un llorao* genial, a los compases de las maracas, para infundirme la ironía confortadora:

> El domingo la vi en misa,
> el lunes la enamoré,
> el martes ya le propuse,
> el miércoles me casé;
> el jueves me dejó solo,
> el viernes la suspiré;
> el sábado el desengaño...
> y el domingo a buscar otra
> porque solo no me amaño.

Mientras tanto, se iniciaba en mi voluntad una reacción casi dolorosa, en que colaboraron el rencor y el escepticismo, la impenitencia y los propósitos de venganza. Me burlé del amor y de la virtud, de las noches bellas y de los días hermosos. No obstante, alguna ráfaga del pasado volvía a refrescar mi ardido pecho, nostálgico de ilusiones, de ternura y serenidad.

* * *

Los aborígenes del bohío eran mansos, astutos, pusilánimes, y se parecían como las frutas de un mismo árbol. Llegaron desnudos, con sus dádivas de cambures* y mañoco*[15], acondicionadas en cestas de palmarito, y las descar-

---

15 *mañoco* o *fariña:* Harina tostada que se obtiene de la *yuca brava* o *mandioca* (*Manihot spp.*), de la familia de las euforbiáceas. Es la más difundida de las yucas en toda la gran selva sudamericana (Amazonia, Orinoquia, Guayanas) y constituye un elemento fundamental en la alimentación de los habitantes de estas regiones. Se conocen muchas variedades. Son raíces que se caracterizan

garon sobre el barbecho, en lugar visible. Dos de los indios que manejaron la canoa traían pescados cocidos al humo.

Cuidadosos de que los perros no gruñeran, fuimos al encuentro del arisco grupo, y después de una libre plática en gerundios y monosílabos castellanos, resolvieron los visitantes ocupar un extremo de la vivienda, el inmediato a los montes y a la barranca.

Con indiscreta curiosidad les pregunté dónde habían dejado a las mujeres, pues ninguna venía con ellos. Apresuróse a explicarme el Pipa que era imprudencia hacer tan desusadas indagaciones, so riesgo de que se alarmaran los celosos indios, a cuyas petrivas*[16] les fue negado, por tradicional experiencia, mostrar incautamente su desnudez a forasteros blancos, siempre lujuriosos y abusivos. Agregó que no tardarían en acercarse las indias viejas, para ir aquilatando nuestra buena conducta, hasta convencerse de que éramos varones morigerados y recomendables.

Dos días después apareciéronse las matronas, en traje de paraíso, seniles, repugnantes, batiendo al caminar los fláccidos senos, que les pendían como estropajos. Traían sobre la greña sendas taparas* de chicha mordicante[17], cu-

---

por contener un glucósido que en contacto con el agua se descompone en ácido cianhídrico. Al lavarlas, cocerlas y tostarlas desaparece este veneno. La yuca molida, seca, tamizada y tostada, con una consistencia suelta y granulada, constituye el *mañoco*. Asimismo, con la yuca brava se prepara también el *cazabe*, o torta de cazabe.

[16] *petriva:* En el vocabulario que Rivera anexa a la novela, mujer, en lengua guahiba.

Tres discursos se funden en este resumen de la conducta de los indios que esconden sus mujeres de los blancos: el discurso indígena, más rico en comportamiento, gestos, alusiones e implicaciones; el discurso del Pipa, intérprete y mediador entre el visitante y los indígenas; y el despectivo discurso de Cova, que filtra los otros dos y logra reducirles su fuerza y dignidad.

[17] *tapara:* En el vocabulario que Rivera anexa a la novela, calabaza. Vasija hecha del fruto del taparo, seco y ahuecado. Se usa para llevar líquidos. El taparo es un árbol parecido al totumo (véase la nota 32 de la primera parte), pero menos coposo, de ramas cortas y horizontales, hojas tiesas y dispersas, flores amarillentas, fruto ovoide (LC).

chicha: Bebida alcohólica que resulta de la fermentación del maíz en agua azucarada.

mordicante: Acre, corrosivo, que causa picazón.

yos rezumos pegajosos les goteaban por las arrugas de las mejillas, con apariencia de sudor ácido. Ofreciéronnos la bebida a pico de calabaza, imponiendo su hierático gesto, y luego rezongaron malhumoradas al ver que sólo el Pipa pudo saborear el cáustico brebaje.

Más tarde, cuando principió a resonar la lluvia, acurrucáronse junto al fogón, como gorilas momificadas, mientras los hombres enmudecían en los chinchorros con el letargo de la desidia. Nosotros callábamos también en el tramo opuesto, viendo caer el agua en la extensión de la umbrosa vega, que oprimía el espíritu con sus neblinas y cerrazones.

—Es imperioso —prorrumpió Franco— decidir esta situación poniendo en práctica algún propósito. En la semana entrante dejaremos esta guarida.

—Ya las indias vinieron a prepararnos el bastimento —repuso el Pipa—. Remontaremos el río, cruzándolo frente a Caviona, un poco más arriba de las lagunas[18]. Por allí va una senda terrestre para el Vichada y en recorrerla se gastan siete días. Hay que llevar a cuestas el equipo, mas ninguno de estos cuñaos quiere ir de carguero. Yo estoy trabajando para decidirlos. Pero es urgente la compra de algunos corotos* en Orocué.

—¿Y con qué dinero los adquirimos? —advertí alarmado.

—Eso corre de mi cuenta. Sólo pido que crean en mí y que sigan siendo afables con la tribu. Necesitamos sal, anzuelos, guarales*, tabacos, pólvora, fósforos, herramientas y mosquiteros. Todo para ustedes, porque a mí nada me es indispensable. Y como nadie sabe qué nos espera en esas lejanías...

—¿Será preciso vender las sillas y los aperos?

—¿Y quién los compra? ¿Y quién los vende sin que lo apañen? Ya podemos irlos botando. De aquí en adelante no tendremos otro caballo que la canoa.

—¿Y en qué lugar escondes el oro para tus planes?

---

[18] La ruta que propone el Pipa supone remontar el Meta hasta Orocué y Caviona y pasar por tierra a la cuenca del Vichada.

—En el garcero de Las Hermosas. ¡Cuatro libras de pluma fina, si mal nos va! Cada semana cambiaremos un manojito por mercancías. Cuando les provoque, yo soy baquiano, pero es muy lejos.

—¡Eso no importa! ¡Mañana mismo!

* * *

¡Bendita sea la difícil landa[19] que nos condujo a la región de los revuelos y la albura! El inundado bosque del garcero[20], millonario de garzas reales, parecía algodonal de nutridos copos; y en la turquesa del cielo ondeaba, perennemente, un desfile de remos cándidos, sobre los cimborios[21] de los moriches, donde bullía la empeluzada muchedumbre de polluelos. A nuestro paso se encumbraba en espiras la nívea flota, y, tras de girar con insólito vocerío, se desbandaba por unidades que descendían al estero, entrecerrando las alas lentas, como un velamen de seda albicante.

Pensativo, junto a las linfas[22], demoraba el garzón solda-

---

[19] *landa:* Grande extensión de tierra llana en que solo se crían plantas silvestres (DRAE).

[20] Algunas garzas de la región (garcita blanca, *Egretta thula;* garza azul, *Ardea cocoi;* garza blanca real, *Casmerodious albus*) llegaron casi a extinguirse a principios de siglo, debido a la bárbara cacería a la que estuvieron sometidas para coger sus plumas, que tenían un excelente mercado en Europa para adornar ropa y sombreros, según la moda de la época. Una de las más perseguidas fue la garza real, totalmente blanca excepto por su pico amarillo y sus patas negras. Mide más de un metro en su madurez, cuando adquiere su total esplendor.

La visita al garcero se ha leído tradicionalmente como una de las más hermosas descripciones de la naturaleza que aparecen en la novela. De nuevo aparecen las referencias modernistas y cultas. Las garzas se comparan con la nieve, las piedras preciosas, el mundo religioso y el mundo militar: «copos», «turquesa», «nívea», «seda», «corona eucarística», «hostias divinas», «coros angelicales», «cirios inmaculados», junto al garzón soldado (véase la nota 23), «de rojo quepis, heroica altura y marcial talante», de pico «como una espada». Las plumas servirán de mercancía de intercambio, están destinadas al mercado europeo y los indios que las recogen exponen su vida. Es decir, existe un claro paralelo entre las plumas y el caucho como materias primas de exportación.

[21] *cimborio:* En el arte románico y gótico, cúpula (MM).

[22] *linfa:* En lenguaje poético, agua (DRAE).

do, de rojo quepis[23], heroica altura y marcial talante, cuyo ancho pico es prolongado como una espada; y a su redor revoloteaba el mundo babélico de zancudas y palmípedas, desde la corocora lacre, que humillaría al ibis egipcio, hasta la azul cerceta[24] de dorado moño y el pato ilusionante de color de rosa, que en el rosicler del alba llanera tiñe sus plumas. Y por encima de ese alado tumulto volvía a girar la corona eucarística de garzas, se despetalaba sobre la ciénaga, y mi espíritu sentíase deslumbrado, como en los días de su candor, al evocar las hostias divinas, los coros angelicales, los cirios inmaculados.

Parecía imposible que pudiéramos arrimar al sitio de los nidos y las plumas. El transparente charco nos dejó ver un sumergido ejército de caimanes, en contorno de las palmeras, ocupado en recoger pichones y huevos, que caían cuando las garzas, entre algarabías y picotazos, desnivelaban con su peso las ramazones. Nadaba por dondequiera la innúmera banda de caribes de vientre rojizo y escamas plúmbeas, que se devoran unos a otros y descarnan en un segundo a todo ser que cruce las ondas de su dominio, por lo cual hombres y cuadrúpedos se resisten a echarse a nado, y mucho más al sentirse heridos, que la sangre excita instantáneamente la voracidad del terrible pez. Veíase la traidora raya, de aletas gelatinosas y arpón venino, que descansa en el fango como un escudo; la anguila eléctrica,

---

[23] *garzón soldado (Jabiru mycteria):* Ave migratoria, inmensa cigüeña de la familia de las ciconídeas, que puede tener cerca de un metro y medio de altura, de color blanco. El cuello y la cabeza están desnudos de plumas y son de color negro con la base roja. A diferencia de las garzas, vuelan con el cuello extendido (AC).

quepis: Aparece «kepis» en las ediciones primera y quinta.

[24] *corocora lacre (Eudocimus ruber):* Garza roja. Ave parecida a una garza que vive en zonas pantanosas. Es de la familia del ibis. El corocoro negro *(Phimosus infuscatus)* es el más común en la selva oriental, aunque se pueden encontrar el rojo y el blanco *(Eudocimus albus)* en época de migración. (AC).

ibis: Ave zancuda que los egipcios consideraban como sagrada. Tiene el plumaje blanco, salvo en la cabeza, las puntas de las alas y la cola, que son negras (MM).

cerceta (Amazonetta brasiliensis): Pato pequeño que migra en enormes bandadas. De color marrón y gris, con alas de un bello color negro con manchas verdes, azul metálico y blancas (AC).

que inmoviliza con sus descargas a quien la toca; la palometa de nácar y oro, semejante al disco lunar, que desciende al fondo y enturbia el agua para escaparse a las dentelladas de la tonina[25]. Y todo el inmenso acuario se extendía hacia el horizonte, como un lago de peltre donde flotan las plumas ambicionadas.

Bogando en balsitas inverosímiles, nos distribuimos aquí y allí para recoger el caro tesoro. Los indios invadían a trechos las espesuras, hurgando en las tinieblas con las palancas, por miedo a güíos y caimanes, hasta completar su manojo blanco, que a veces cuesta la vida de muchos hombres, antes de ser llevado a las lejanas ciudades a exaltar la belleza de mujeres desconocidas.

* * *

Aquella tarde rendí mi ánimo a la tristeza y una emoción romántica me sorprendió con vagas caricias. ¿Por qué viviría siempre solo en el arte y en el amor? Y pensaba con dolorida inconformidad: ¡Si tuviera ahora a quién ofrecerle este armiñado ramillete de plumajes, que parecen espigas blancas! ¡Si alguien quisiera abanicarse con este alón de codúa[26] marina, donde va prisionero el iris! ¡Si hubiera hallado con quién contemplar el garcero nítido, primavera de aves y colores!

Con humillada pena advertí luego que en el velo de mi ilusión se embozaba Alicia, y procuré manchar con realismo crudo el pensamiento donde la intrusa resurgía.

---

[25] *tonina* (Guaviare, Venezuela), *bufeo* (Caquetá, Putumayo) o *delfín*: Mamífero acuático del orden de los cetáceos. Se encuentra el bufeo gris (*Sotalia fluviatilis*), más adaptado a los ríos de aguas negras y poco profundas, y el bufeo rosado (*Inia geoffrensis*), que prefiere las aguas blancas. Es un delfín adaptado al agua dulce que sube por los grandes ríos de la Amazonia y la Orinoquia. Puede sobrepasar los 4 m de largo (AC). Sobre el bufeo existen numerosas leyendas indígenas y mestizas en toda la cuenca amazónica.

[26] *codúa*: Aparece «codúa» en todas las ediciones consultadas, pero seguramente es *cotúa* o *pato agujo* (*Anhinga anhinga*), palmípeda con una ligera apariencia de pato negro, pero de cuerpo alargado y de cuello y pico parecidos a los de una garza (AC).

Afortunadamente, tras penoso viaje por cenagosas llanuras y hondos caños, dimos con el lugar donde habían quedado las canoas, y a palanca comenzamos a remontar los sinuosos ríos, hasta que entramos, a boca de noche, en el atracadero de la ramada.

Desde lejos nos llevó la brisa el llanto de un niño, y, cuando llegamos a la huta[27], salieron corriendo unas indias jóvenes, sin atender al Pipa, que en idioma terrígeno alcanzó a gritarles que éramos gente amiga. En soleras y horcones había chinchorros numerosísimos, y en el fogón, a medio rescoldo, gorgoreaba la olla de las infusiones.

Lentamente, apenas la candela irguió su lumbre, se nos fueron presentando los indios nuevos, acompañados de sus mujeres, que les ponían la mano derecha en el hombro izquierdo para advertirnos que eran casadas. Una que llegó sola, nos señalaba el chinchorro de su marido y se exprimía el lechoso seno, dando a entender que había dado a luz ese día. El Pipa, ante ella, comenzó a instruirnos en las costumbres que rigen la maternidad en dicha tribu: al presentir el alumbramiento, la parturienta toma el monte y vuelve, ya lavada, a buscar a su hombre para entregarle la criatura. El padre, al punto, se encama a guardar dieta, mientras la mujer le prepara cocimientos contra las náuseas y los cefálicos.

Como si entendiera estas explicaciones, hacía la moza signos de aprobación a cuanto el Pipa refería; y el cónyuge follón, de cabeza vendada con hojas, se quejaba desde el chinchorro y pedía cocos de chicha para aliviar sus padecimientos.

Las indias que habían huido eran las pollonas, y cada uno de nosotros podía coger la que le placiera, cuando el jefe, un cacique matusalénico, recompensara de esa suerte nuestra adhesión. Mas sería candidez pensar que con requiebros y sonrisitas aceptarían nuestro agasajo. Era preciso atisbarlas como a gacelas y correr en los bosques hasta

---

[27] *huta:* Choza.

rendirlas, pues la superioridad del macho debe imponérseles por la fuerza, en cambio de sumisión y de ternura.

Yo me sentía incapaz de toda ilusión.

* * *

El jefe de la familia me manifestaba cierta frialdad, que se traducía en un silencio despectivo. Procuraba yo halagarlo en distintas formas, por el deseo de que me instruyera en sus tradiciones, en sus cantos guerreros, en sus leyendas; inútiles fueron mis cortesías, porque aquellas tribus rudimentarias y nómades no tienen dioses, ni héroes, ni patria, ni pretérito, ni futuro.

Aconteció que traje del garcero dos patos grises, pequeños como palomas, ocultos en una mochila. Hallé uno muerto al día siguiente, y lo desplumé junto al fogón para que mis perros se lo comieran. Mas, al verme, el cacique tomó sus flechas y me amenazó con la macana, dando alaridos y trenos[28], hasta que las mujeres, pavoridas, recogieron las plumas y las soplaron en el aire de la mañana.

Rodeáronme mis compañeros y me arrebataron la carabina porque no amenazara al abuelo audaz. Éste arrojóse al suelo, cubriéndose la cara con las manos, se retorcía en epilépticas convulsiones, empezó a dar sollozos de despedida, besaba la tierra y la manchaba con espumarajos. Luego quedóse rígido, entre el espanto del desnudo harén, pero el Pipa le echó rescoldo en las orejas para que la muerte no le comunicara su fatal secreto.

Entonces me advirtió nuestro intérprete que las almas de aquellos bárbaros residen en distintos animales, y que la del cacique se asemejaba a un pato gris. Probablemente moriría de sugestión por haber contemplado el ave sin vida, y la tribu se vengaría de mi «homicidio». Apresúreme a sacar el otro pato y lo dejé revolotear entre la ramada; al verlo, el indio quedóse en éxtasis ante el milagro y siguió los zig-zags del vuelo sobre la plenitud del inmediato río.

---

[28] *treno:* Canto fúnebre por alguna calamidad o desgracia (DRAE).

estranjero ; le explica

El pueril incidente bastó para acreditarme como ser sobrenatural, dueño de almas y destinos. Ningún aborigen se atrevía a mirarme, pero yo estaba presente en sus pensamientos, ejerciendo influencias desconocidas sobre sus esperanzas y sus pesadumbres. A mis pies cayeron dos muchachones, y se brindaron a completar nuestra expedición, sin que sus mujeres se resintieran. Nunca he podido recordar sus nombres vernáculos, y apenas sé que traducidos a buen romance querían decir, casi literalmente, «Pajarito del Monte» y «Cerrito de la Sabana». Abracélos en señal de que aceptaba su ofrecimiento, por lo cual descolgaron del techo las palancas y les remudaron el fique de las horquetas, para que soportaran el impulso de la canoa al hincarse en los carameros*[29] de los charcos, o en los arrecifes costaneros.

A su vez, las indias viejas rallaban yuca para la preparación del cazabe*[30] que debía alimentarnos en el desierto. Echaban la mezcla acuosa en el sebucán, ancho cilindro de hojas de palma retejidas, cuyo extremo inferior se retuerce con un tramojo para exprimir el almidonoso jugo de la rallada. Otras, desnudas en contorno de la candela, recalentaban el budare, tiesto redondo y plano, sobre cuya superficie iban extendiendo la masa inmunda y la alisaban con los dedos ensalivados hasta que la torta endureciera. Quiénes torcían sobre los muslos las fibras sacadas del cogollo de los moriches, para tejer un chichorro nuevo, digno de mi estatura y mi persona, mientras el cacique, gesticulando, me hacía entender que celebraría con baile pomposo el vasallaje debido a mi fortaleza y a mi autoridad.

---

[29] *caramero:* Defensa hecha de estacas y terraplenes para impedir la salida de los ríos o dirigir su corriente (DRAE).

[30] *cazabe:* Torta de harina de yuca brava o mandioca. Se obtiene moliendo la yuca como en la preparación del *mañoco*, pero pasando la masa por tamices más finos, de manera que desaparece la fibra propia de la yuca. Ya al fuego la masa, se hace con ella una capa delgada y uniforme, de hasta unos 50 cm de diámetro, y se seca uniformemente. Por último, la torta se extiende al calor del sol, con lo cual adquiere consistencia. La descripción del narrador en el texto incluye las referencias al *sebucán,* con el que se exprime la yuca rallada, y al *budare,* el tiesto sobre el que se extiende la torta. Para Arturo Cova, esto es una «masa inmunda».

Mi espíritu pregustaba el acre sabor de las próximas aventuras.

* * *

Los indios encargados de procurarnos la mercancía fueron estafados por los tenderos de Orocué. En cambio de los artículos que llevaron: seje*, chinchorros, pendare[31] y plumas, recibieron baratijas que valían mil veces menos. Aunque el Pipa les enseñó cuidadosamente los precios razonables, sucumbieron a su ignorancia y la avilantez de los explotadores volvió a enriquecerse con el engaño. Unos paquetes de sal porosa, unos pañuelos azules y rojos y algunos cuchillos, fueron írrito pago de la remesa, y los emisarios tornaban felices de que, como otras veces, no los hubieran obligado a barrer las tiendas, cargar agua, desyerbar la calle, empacar cueros.

Fallida la esperanza de acrecentar los equipajes, nos consolamos con la certeza de que el viaje sería menos complicado. Y, por fin, una noche de plenilunio, quedó lista la gran curia, que, con blando meneo, ofrecía conducirnos a Caviona.

Afluyeron al baile más de cincuenta indios, de todo sexo y edad, pintarrajeados y licenciosos, y fueron amojonándose en la abierta playa, con las calabazas de hervidora chicha. Desde por la tarde habían hecho acopio de mojojo-

---

[31] *seje (Jessenia polycarpa):* Palma conocida también con los nombres de *uname* (Medio Guaviare), *coroba* (Orinoco), *pataba* (Brasil), *milpesos* (Caquetá, Putumayo), *seje* (Llanos). Se da en toda la selva oriental y parte de los Llanos y alcanza alturas de 20 y 25 m. De esta palma se extrae un aceite muy alimenticio, cocinando sus frutos. El residuo, de color lechoso, luego de ser extraído el aceite del fruto, se denomina *yucuta* y es utilizado en la alimentación (AC).

pendare (Couma spp.): También llamado *juansoco, surva* o *cumán.* Árbol de la familia de las apocináceas, de más de 15 m de altura en promedio. El fruto, al madurar, es una fruta excelente. El látex, que se extrae al herir el tronco, es dulce y se utiliza pasa sacar chicle, que se fabrica hirviendo lentamente el látex y luego dejándolo enfriar para formar «maquetas» o bloques. Así endurecido se transporta para acabar de procesarlo (AC).

yes[32], gruesos gusanos de anillos peludos, que viven enroscados en los troncos podridos. Descabezábanlos con los dientes, como el fumador que despunta el cigarro, y sorbían el contenido mantequilloso, refregándose luego la vacía funda del animal en las cabelleras, para lustrarlas. Las de las pollonas, de altivos senos, resplandecían como el charol, bajo el nimbo de plumas de guacamayo y sobre los collares de corozos y cornalinas[33].

El cacique se había embijado el rostro con achiote[34] y miel, y aspiraba el polvo del yopo, introduciéndose en las narices sendos canutillos. Cual si lo hubiera atacado el *delirium tremens*, bamboleábase embrutecido entre las muchachas, y las apretaba y perseguía, semejante a un cabrío rijoso, pero impotente. A veces, a media lengua, venía a felicitarme porque, según el Pipa, era yo, como él, enemigo de los vaqueros y les había quemado las fundaciones, cosas que me hacían digno de una macana fina y de un arco nuevo.

En medio de la orgiástica baraúnda prodigábase la chicha de fermento atroz, y las mujeres y los chicuelos irritaban con su vocerío la bacanal. Luego empezaron a girar sobre las arenas en moroso círculo, al compás de los fotutos[35] y las cañas, sacudiendo el pie izquierdo a cada tres pa-

---

[32] *mojojoy* (*Rhina palmarum; Calandra palmarum*): De la familia de los coleópteros. Larvas de varios géneros de escarabajos o cucarrones que crecen sobre los troncos de diversas plantas en proceso de putrefacción, como el seje y el moriche. Esta larva es consumida, cruda o frita, por casi todos los grupos indígenas de la región y por muchísimos colonos. Es un alimento rico en protenínas y grasas (AC).

[33] *corozo* (*Aiphanes caryotaefolia*): Palma espinosa y de folíolos angostos, del Alto Orinoco y el río Negro. Produce un pequeño fruto esférico de color rojizo, en racimos, fruto que en su interior tiene una nuez de agradable sabor (AC). Se llama corozo a esa nuez, así como también, genéricamente, a las almendras de frutos que no provienen de esta palma.

cornalina: Ágata rojiza, variedad de calcedonia.

[34] *embijar:* Pintar de rojo con semillas de bija o achiote.

achiote (*Bixa orellana*): Arbusto que produce un fruto que aloja numerosas semillas. Al ser trituradas sueltan una sustancia roja, utilizada como pintura, colorante y medicina por todas las comunidades indígenas del Amazonas. Los colonos las utilizan como colorantes en las comidas (AC).

[35] *fotuto:* Instrumento indígena de viento, que produce un ruido prolongado y fuerte como el de una trompa o caracola.

sos, como lo manda el rigor del baile nativo. Parecía más bien la danza un tardo desfile de prisioneros, alrededor de inmensa argolla, obligados a repisar una sola huella, con la vista al suelo, gobernados por el quejido de la chirimía[36] y el grave paloteo de los tamboriles. Ya no se oía más que el son de la música y el cálido resollar de los danzantes, tristes como la luna, mudos como el río que los consentía sobre sus playas. De pronto, las mujeres, que permanecían silenciosas dentro del círculo, abrazaron las cinturas de sus amantes y trenzaban el mismo paso, inclinadas y entorpecidas, hasta que con súbito desahogo corearon todos los pechos ascendente alarido, que estremecía selvas y espacios como una campanada lúgubre: ¡Aaaaay... Ohé!...

Tendido de codos sobre el arenal, aurirrojizo por las luminarias, miraba yo la singular fiesta, complacido de que mis compañeros giraran ebrios en la danza. Así olvidarían sus pesadumbres y le sonreirían a la vida otra vez siquiera. Mas, a poco, advertí que gritaban como la tribu, y que su lamento acusaba la misma pena recóndita, cual si a todos les devorara el alma un solo dolor. Su queja tenía la desesperación de las razas vencidas, y era semejante a mi sollozo, ese sollozo de mis aflicciones que suele repercutir en mi corazón aunque lo disimulen los labios: ¡Aaaaay... Ohé!...

* * *

Cuando me retiré a mi chinchorro, en la más completa desolación, siguieron mis pasos unas indias y se acurrucaron cerca de mí. Al principio conversaban a medio tono, pero más tarde atrevióse una a levantar la punta de mi mosquitero. Las otras, por sobre el hombro de su compañera, me atisbaban y sonreían. Cerrando los ojos, rechacé la provocación amorosa, con profundo deseo de liberarme de la lascivia y pedirle a la castidad su refugio tranquilo y vigorizante.

Al amanecer regresaron a la ramada los juerguistas.

---

[36] *chirimía:* Instrumento de viento, especie de flauta de caña.

Tendidos en el piso, como cadáveres, disolvían en el sueño la pesadilla de la embriaguez. Ninguno de mis camaradas había vuelto, y sonreí al notar que faltaban algunas pollonas. Mas cuando bajé al río para observar el estado de la curiara, vi al Pipa, boca abajo en la arena, exánime y desnudo al rayo del sol.

Cogiéndolo por los brazos lo arrastré hacia la sombra, disgustado por su prurito de desnudarse. Aquel hombre, vanidoso de sus tatuajes y cicatrices, prefería el guayuco a la vestimenta, a pesar de mis represiones y amenazas. Dejélo que dormitara la borrachera, y allí permaneció hasta la noche. Rayó el día siguiente y ni despertaba ni se movía.

Entonces, descolgando la carabina, cogí al cacique por la melena y lo hinqué en la grava, mientras que Franco hacía ademán de soltar los perros. Abrazóme el anciano las pantorillas trabajando una explicación:

—¡Nada, nada! ¡Tomando yagé[37], tomando yagé...!

Ya conocía las virtudes de aquella planta, que un sabio de mi país llamó telepatina. Su jugo hace ver en sueños lo que está pasando en otros lugares. Recordé que el Pipa me habló de ella, agradecido de que sirviera para saber con seguridad a qué sabanas van los vaqueros y en cuáles sitios abunda la caza. Habíale ofrecido a Franco ingerirla para adivinar el punto preciso donde estuviera el raptor de nuestras mujeres.

El visionario fue conducido en peso y recostado contra un estantillo. Su cara singular y barbilampiña había toma-

---

[37] *yagé (Banisteriopsis spp.):* Llamado *yajé* (Caquetá, Putumayo), *capí* (Guaviare, Venezuela), *caapí* (Vaupés) o *ayahuasca* (Perú). Bejuco de la familia de las malpiguiáceas, de cuya corteza se extrae una bebida de poderes fuertemente alucinógenos. Las dos especies principales contienen alcaloides de tipo harmala, harmina, harmalina y tetrahidroharmina. La corteza se macera en frío dentro de un poco de agua y se bebe así, generalmente mezclada con otras especies de yajé, con diversos efectos complementarios. Esta bebida solo se prepara y consume en las fiestas ceremoniales y nunca fuera de ellas, excepto durante ciertas curas realizadas por los *payés,* o brujos (AC).

Esta visión del Pipa, en la que supuestamente Cova no cree, es sin embargo la que domina la obra: una selva personificada y mitificada, de gigantes, voces, lamentos y poderes destructores.

do un color violáceo. A veces babeaba su propio vientre, y, sin abrir los ojos, se quería coger los pies. Entre el lelo corro de espectadores le sostuve la frente con mis manos.

—Pipa, Pipa, ¿qué ves? ¿Qué ves?

Con angustioso pujo principió a quejarse y saboreaba su lengua como un confite. Los indios afirmaron que sólo hablaría cuando despertara.

Con descreída curiosidad nuevamente dije:

—¿Qué ves? ¿Qué ves?

—Un... rí... o. Hom... bres... dos... hombres...

—¿Qué más? ¿Qué más?

—Un... n... a.... ca... no... a...

—¿Gente desconocida?

—Uuuh... Uuuuuuh... Uuuuuuh...

—¿Pipa, te sientes mal? ¿Qué quieres? ¿Qué quieres?

—Dor... mir... dor... mir... dor... mir... dor...

Las visiones del soñador fueron estrafalarias: procesiones de caimanes y de tortugas, pantanos llenos de gente, flores que daban gritos. Dijo que los árboles de la selva eran gigantes paralizados y que de noche platicaban y se hacían señas. Tenían deseos de escaparse con las nubes, pero la tierra los agarraba por los tobillos y les infundía la perpetua inmovilidad. Quejábanse de la mano que los hería, del hacha que los derribaba, siempre condenados a retoñar, a florecer, a gemir, a perpetuar, sin fecundarse, su especie formidable, incomprendida. El Pipa les entendió sus airadas voces, según las cuales debían ocupar barbechos, llanuras y ciudades, hasta borrar de la tierra el rastro del hombre y mecer un solo ramaje en urdimbre cerrada, cual en los milenios del Génesis, cuando Dios flotaba todavía sobre el espacio como una nebulosa de lágrimas.

¡Selva profética, selva enemiga! ¿Cuándo habrá de cumplirse tu predicción?

* * *

Llegamos a las márgenes del río Vichada derrotados por los zancudos[38]. Durante la travesía los azuzó la muerte tras de nosotros y nos persiguieron día y noche, flotando en halo fatídico y quejumbroso, trémulos como una cuerda a medio vibrar. Éranos imposible mezquinar nuestra sangre asténica, porque nos succionaban al través de sombrero y de ropa, inoculándonos el virus de la fiebre y la pesadilla.

Las que enantes fueron sabanas úberes[39], se habían convertido en desoladas ciénagas; y con el agua a la cintura seguíamos el derrotero de los baquianos, bañada en sudor la frente y húmedas las maletas que portábamos a la espalda, famélicos, macilentos, pernoctando en altiplanos de breña inhóspita, sin hoguera, sin lecho, sin protección.

Aquellas latitudes son inmisericordes en la sequía y en el invierno. Cierta vez en La Maporita, cuando Alicia me amaba aún, salí al desierto a coger para ella un venadillo recental. Calcinaba el verano la estepa tórrida, y las reses, en el fogaje del calor, trotaban por todas partes buscando agua. En los meandros de árido cauce escarbaban la tierra del bebedero unas vaquillonas, al lado de un caballejo que agonizaba con el hocico puesto sobre el barrizal. Una bandada de caricaris* cogía culebras, ranas, lagartijas, que palpitaban locas de sed entre carroñas de cachicamos* y chigüires[40]. El toro que presidía la grey repartía topes con protectora solicitud, por obligar a sus hembras a acompa-

<hr>

[38] *zancudo* (*Culex spp; Anopheles spp; Stegomia spp.*): De la familia de los dípteros, tiene trompa adaptada para succionar sangre y patas muy largas. El más común de todos y la plaga nocturna por excelencia es el *Culex*. Menos común pero más peligroso es el *Anopheles*, único vector del paludismo en las zonas donde existe dicha enfermedad. El *Stegomia fasciata* es el transmisor de la fiebre amarilla, enfermedad recurrente en la región del Alto Guaviare y el Ariari (AC).

[39] *úber:* Ubérrimo, muy abundante y fértil.

[40] *cachicamo* (*Dasypus novemcinctus*): Armadillo de tamaño mediano. Su carne es agradable y alimenticia (AC).

chigüire, chigüiro o capiguara (*Hydrochoerus hydrochaeris*): El más grande de los roedores del mundo, de costumbres semiacuáticas. Vive en manadas. Está en vías de extinción debido a la caza inmisericorde a que está sometido en busca de su carne y de su cuero (AC).

ñarlo hacia otros parajes en busca de alguna charca, y mugía arreando a sus compañeras en medio del banco centelleante y pajonaloso.

Empero, una novilla recién parida, que se destapó las pezuñas cavando el secadal, regresó a buscar a su ternerillo por ofrecerle la ubre cuarteada. Echóse para lamerlo, y allí murió. Levanté la cría y expiró en mis brazos.

Mas luego, al caer de unas cuantas lluvias, invertía el territorio su hostilidad: por doquiera, encaramados sobre troncos, veíanse lapas[41], zorros y conejos, sobreaguando en la inundación; y aunque las vacas pastaban en los esteros, con el agua sobre los lomos, perdían sus tetas en los dientes de los caribes.

Por aquellas intemperies atravesamos a pie desnudo, cual lo hicieron los legendarios hombres de la conquista. Cuando al octavo día me señalaron el monte del Vichada, sobrecogióme intenso temblor y me adelanté con el arma al brazo, esperando encontrar a Alicia y a Barrera en sensual coloquio, para caerles de sorpresa, como el halcón sobre la nidada. Y jadeante y entigrecido me agazapé sobre los barrancos de la orilla.

¡Nadie! ¡Nadie! El silencio, la inmensidad...

* * *

¿A quién podíamos preguntarle por los caucheros? ¿Para qué seguir caminando río arriba sobre la costa desapacible? Era mejor renunciar a todo, tendernos en cualquier sitio y pedirle a la fiebre que nos rematara.

El fantasma impávido del suicidio, que sigue esbozándose en mi voluntad, me tendió sus brazos esa noche; y permanecí entre el chinchorro, con la mandíbula puesta sobre el cañón de la carabina. ¿Cómo iría a quedar mi rostro? ¿Repetiría el espectáculo de Millán? Y este solo pensamiento me acobardaba.

Lenta y oscuramente insistía en adueñarse de mi con-

---

41 *lapa, paca* o *boruga (Cuniculus paca):* Roedor semiacuático que vive en cuevas a orillas de los ríos. Su carne es la más agradable que se puede conseguir en la selva (AC).

ciencia un demonio trágico. Pocas semanas antes, ya no era así. Pero pronto los conceptos de crimen y los de bondad se compensaban en mis ideas, y concebí el morboso intento de asesinar a mis compañeros, movido por la compasión. ¿Para qué la tortura inútil, cuando la muerte era inevitable y el hambre andaría más lenta que mi fusil? Quise libertarlos rápidamente y morir luego. Con la siniestra mano entre el bolsillo, principié a contar las cápsulas que tenía, escogiendo para mí la más puntiaguda. ¿Y a cuál debía matar primero? Franco estaba cerca de mí. En la noche lluviosa extendí el brazo y le tenté la cabeza febricitante.

—¿Qué quieres? —dijo—. ¿Por qué le movías el manubrio al wínchester? La fiebre me vuelve loco.

Y pulsándome la muñeca, repetía:

—¡Pobre!... La tuya tiene más de cuarenta grados. abrígate con mi ruana hasta que sudes.

—¡Esta noche será interminable!

—Pronto saldrá el lucero de la madrugada. ¿Sabes —agregó— que el mulatico puede rasgarse?*. ¿No has sentido cómo se queja? Ha delirado con Sebastiana y con los rodeos. Dice que tiene el hígado endurecido como piedra.

—Tuya es la culpa. No quisiste que se quedara. Ardías por verlo morir en el desamparo.

—Creí que su ansia de regreso obedecía a la aversión que siente por el Pipa.

—Yo los reconciliaré para siempre.

—Es que Correa le teme por la amenaza de que va a causarle maleficio. Ha dado en entristecerse cuando escucha cantar cierto pájaro.

Recordando los filtros de Sebastiana, repuse dudoso:

—¡Ignorancia, superstición!

—Ayer sacó el tiple para reponerle la clavija rota. Pero al tocarlo se puso a yorar.

—Dime, ¿no habrá moronas de cazabe en tu maletera? Párate, acércate.

—¿Para qué? ¡Todo se acabó! ¡Cómo me duele que tengas hambre!

—¿Las pepas de este árbol serán venenosas?

—Probablemente. Pero los indios están pescando. Aguardemos hasta mañana.

Y con los ojos llenos de lágrimas, balcucí, desviando el calibre:

—¡Bueno, bueno! Hasta mañana...

* * *

Los perros comenzaron a manotear en mi mosquitero para que abandonáramos el playón. Evidentemente, seguía creciendo el río.

Cuando nos guarecimos en una laja del promontorio, había estrellas sobre los montes. Los perros ladraban desde los barrancos.

—Pipa, llama a esos cachorros, que aúllan como viendo al diablo.

Y los silbé lúgubremente.

Franco me aclaró que el Pipa andaba con los indígenas.

Entonces advertimos un reflejo como de linterna, que, muy abajo, parecía surcar el agua. Con intermitencia alumbraba y se perdía, y al amanecer no lo vimos más.

Pajarito del Monte y Cerrito de la Sabana llegaron fatigosos con esta noticia:

—Falca* subiendo río. Compañero siguiéndola por la orilla. Falca picureándose.

El Pipa nos trajo informes: era una canoa ligera, con techo de palma entretejida. Al notar que en la sombra andaban indios, apagó el candil y sesgó rumbo. Debíamos acecharla, hacerle fuego.

Como a las once del día, remontó a palanca, sigilosamente, escondiéndose en los rebalses, bajo los densos guamos[42]. Se empeñaba en forzar un chorro, y por escaparse al

---

[42] *guamo (Inga spp.):* Árbol frutal, de la familia de las mimosáceas, cultivado y silvestre, del cual existe una gran variedad de especies. El fruto puede variar desde una pequeña legumbre de pocos centímetros hasta formas cilíndricas con más de un metro de longitud.

remolino, tocó la costa para que un hombre la remolcara al extremo de la cadena. Enderezamos hacia el boga la puntería, mientras que Franco le salió al encuentro con el machete en alto. Al instante, el que timoneaba la embarcación exclamó de pie:

—¡Teniente!, ¡mi teniente!, ¡yo soy Helí Mesa!

Y saltando a la orilla, se apretaron enternecidos.

Después, al ofrecernos la yucuta hecha de mañoco, el cual parecía salvado grueso, expuso Mesa, repitiéndonos la ración:

—¿Qué proyectos ocultan ustedes, que me preguntan por los caucheros? El tal Barrera se robó esa gente y se la lleva para el Brasil, a venderla en el río Guainía. A mí también me enganchó hace ya dos meses, pero me le fugué a la entrada del Orinoco, después de matarle un capataz. Estos dos indios que me acompañan son de Maipures[43].

Miré estupefacto a mis camaradas, sintiendo un vértigo más horripilante que el de la fiebre. Callábamos cogitabundos, estremecidos. Mesa nos observaba con inquietud. Franco rompió el silencio.

—Dime, ¿con los caucheros va la Griselda?

—Sí, mi teniente,

—¿Y una muchacha llamada Alicia? —le pregunté con voz convulsa.

—¡También, también!...

* * *

Junto al fogón que fulgía en la arena nos envolvíamos en el humo, para esquivar la plaga. Ya sería la medianoche cuando Helí Mesa resumió su brutal relato, que escuchaba yo sentado en el suelo, hundida la cabeza entre las rodillas.

---

[43] *Maipures:* Población ubicada en el Orinoco, al norte de Vichada, junto al río Tuparro. Allí se encuentra también uno de los raudales más famosos y peligrosos del Orinoco, el raudal Maipures (Cfr. Barón Alejandro de Humboldt, «Cataratas del Orinoco», MC, pp. 141-153). Maipure es además el nombre de una tribu indígena del grupo Arawak del Orinoco. Viven en el Vichada y Venezuela y se llaman también Amorúa.

—Si ustedes hubieran visto el caño Muco el día del embarco, habrían pensado que aquella fiesta no tenía fin[44]. Barrera prodigaba abrazos, sonrisas, enhorabuenas, satisfecho de la mesnada que iba a seguirlo. Los tiples y las maracas no descansaron, y, a falta de cohetes, disparábamos los revólveres. Hubo cantos, botellas, almuerzo a rodo. Luego, al sacar nuevas damajuanas[45] de aguardiente, pronunció Barrera un falaz discurso, empalagoso de promesas y cariño, y nos suplicó que llevásemos nuestras armas a un solo bongo, no fuera que tanto júbilo provocara alguna desgracia. Todos le obedecimos sin protesta.

Aunque muy bebido, me siguió la corazonada de que por aquí no hay monte apropiado para organizar caucherías, y estuve a punto de volverme a buscar mi rancho, a rejuntarme con la indiecita que dejé. Pero como hasta la niña Griselda hacía la burla a mis recelos, resolví gritar como todos al embarcarme: «¡Viva el progresista señor Barrera! ¡Viva nuestro empresario! ¡Viva la expedición!»

Ya les referí lo que aconteció después de una marcha de horas, apenas caímos al Vichada. El Palomo y el Matacano estaban acampados con quince hombres en un playón, y cuando arribábamos, nos intimaron requisa a todos, diciendo que habíamos invadido territorios venezolanos. Barrera, director de la jugada, nos ordenó: «Compatriotas queridos, hijos amados, no os resistáis. Dejad que estos señores esculquen bongo por bongo, para que se convenzan de que somos gente de paz.»

Aquellos hombres entraron, pero no salieron: se quedaron en popa y en proa como centinelas. Seguros de que

---

[44] Por el río Muco, afluente del Vichada, se llega hasta el Orinoco.

El relato de Helí Mesa es el primer relato largo que se inserta en la narración de Cova y que, como el resto de narraciones enmarcadas, también puede considerarse que entra en diálogo con las otras voces. La estructura narrativa y las narraciones enmarcadas han sido estudiadas, especialmente, por Joan R. Green, «La estructura del narrador y el modo narrativo de *La vorágine*» (TC, págs. 269-276) y por Silva Benso, «*La vorágine*: una novela de relatos» (TC, págs. 289-316).

[45] *damajuana:* Vasija de vidrio de cuerpo voluminoso redondeado y cuello como el de una botella, a veces protegida por un revestimiento de mimbres o cañas (MM).

íbamos desarmados, nos mandaron permanecer en un solo sitio, o dispararían sobre nosotros. Y descalabraron a los cinco que se movieron.

Entonces clamó Barrera que él seguiría adelante, hacia San Fernando del Atabapo[46], a protestar contra el abuso y a reclamar del coronel Funes una crecida indemnización. Iba en el mejor bongo, con las mujeres aludidas y con las armas y las provisiones. Y se fue, sordo a los llantos y a los reproches.

Aprovechando la borrachera que nos vencía, nos filiaba el Palomo y nos amarraba de dos en dos. Desde ese día fuimos esclavos y en ninguna parte nos dejaban desembarcar. Tirábannos el mañoco en unas coyabras*, y, arrodillados, lo comíamos por parejas, como perros en yunta, metiendo la cara en las vasijas, porque nuestras manos iban atadas.

En el bongo de las mujeres van los chicuelos, a pleno sol, mojándose las cabecitas, para no morir carbonizados. Parten el alma con sus vagidos, tanto como las súplicas de las madres, que piden ramas para taparlos. El día que salimos al Orinoco, un niño de pechos lloraba de hambre. El Matacano, al verlo lleno de llagas por las picaduras de los zancudos, dijo que se trataba de la viruela, y, tomándolo de los pies, volteólo en el aire y lo echó a las ondas. Al punto, un caimán lo atravesó en la jeta, y, poniéndose a flote, buscó la ribera para tragárselo. La enloquecida madre se lanzó al agua y tuvo igual suerte que la criaturilla. Mientras los centinelas aplaudían la diversión, logré zafarme las ligaduras, y, rapándole el grazt al que estaba cerca, le hundí al Matacano la bayoneta entre los riñones, lo dejé clavado contra la borda, y, en presencia de todos, salté al río.

Los cocodrilos se entretuvieron con la mujer. Ningún disparo hizo blanco en mí. ¡Dios premió mi venganza y aquí estoy!

* * *

_____

[46] Las referencias a San Fernando de Atabapo y al coronel Funes son predicciones que sólo se resolverán en la tercera parte, en el relato de Ramiro Estévanez.

Las manos de Helí Mesa me reconfortaron. Estrechélas ansioso, y me transmitían en sus pulsaciones la contracción con que le hincaron al capataz el temerario acero en su carne odiosa. Aquellas manos, que sabían amansar la selva, también desbravaban los ríos con el canalete o con la palanca, y estaban cubiertas de dorado vello como las mejillas del indomable joven.

—¡No me felicite usted! —decía—: ¡yo debí matarlos a todos!

—¿Entonces para qué mi viaje? —le repliqué.

—Tiene usted razón. A mí no me han robado mujer ninguna, pero un simple sentimiento de humanidad me enfurece el brazo. Bien sabe mi teniente que seguiré siendo subalterno suyo, como en Arauca. Vamos, pues, a buscar a los forajidos, a libertar a los enganchados. Estarán en el río Guainía, en el siringal de Yaguanarí[47]. Dejando el Orinoco pasarían por el Casiquiare, y quién sabe qué dueño tenga ahora, porque allá diz que abundan los compradores de hombres y mujeres. El Palomo y el Matacano eran socios de Barrera en este comercio.

—¿Y tú crees que Alicia y Griselda vivan esclavas?

—Lo que sí garantizo es que valen algo, y que cualquier pudiente dará por una de ellas hasta diez quintales de goma. En eso las avaluaban los centinelas.

Me retiré por el arenal a mi chinchorro, sombrío de pesar y satisfacción. ¡Qué dicha que las fugitivas conocieran la esclavitud! ¡Qué vengador el latigazo que las hiriera! Andarían por los montes sórdidos, desgreñadas, enflaquecidas, portando en la cabeza los calderos llenos de goma, o el tercio de leña verde o los peroles de fumigar. La vene-

---

[47] La meta del viaje es el siringal de Yaguanarí. La ruta de Barrera y los enganchados es distinta de la de Cova y sus compañeros. Después de llegar a San Fernando de Atabapo, Barrera sube por el Orinoco y pasa al Guainía o río Negro por el Brazo Casiquiare, un río que conecta el Orinoco con la cuenca del Amazonas, en territorio venezolano. Humboldt dejó constancia de su admiración por el Casiquiare, «ejemplo único de una bifurcación que forma, en el centro mismo de un continente, una unión natural entre los cauces de dos grandes ríos» (MC, pág. 125).

nosa lengua del sobrestante[48] las aguijaría con indecencias y no les daría respiro ni para gemir. De noche dormirían en el tambo oscuro con los peones, en hedionda promiscuidad, defendiéndose de pellizcos y de manoseos, sin saber quiénes las forzaban y poseían, en tanto que la guardia pasaría número como indicando el turno a la hombrada lúbrica: ¡Uno!... ¡Dos!... ¡Tres!...

De repente, con el augurio de tales visiones, el corazón empezó a crecerme dentro del pecho hasta postrarme en sofocadora impotencia. ¿Alicia llevaría en sus entrañas martirizadas a mi hijo? ¿Qué tormento más inhumano que mi tormento podía inventarse contra varón alguno? Y caí en un colapso sibilador[49] y mi cabeza desangrábase bajo mis uñas.

Insensiblemente, reaccioné de modo perverso. Barrera la habría reservado para su lecho y para su negocio, porque aquel miserable era capaz de tener concubina y vivir de ella. ¡Qué salaces depravaciones, qué voluptuosos refinamientos le habría enseñado! ¡Y de haberla vendido, bien, muy bien! ¡Diez quintales de caucho la repagaban! ¡Ella se entregaría por una sola libra!

Quizá no estaba de peona en los siringales, sino de reina en la entablada casa de algún empresario, vistiendo sedas costosas y finos encajes, humillando a sus siervas como Cleopatra, riéndose de la pobreza en que la tuve, sin poder procurarle otro goce que el de su cuerpo. Desde su mecedora de mimbres, en el corredor de olorosa sombra, suelta la cabellera, amplio el corpiño, vería desfilar a los cargadores con los bultos de caucho hacia las balandras, sudorosos y desgarrados, mientras que ella, ociosa y rica, entre los abanicos de las iracas*, apagaría sus ojos en el bochorno, al son de una victrola de sedantes voces, satisfecha de ser hermosa, de ser deseada, de ser impura.

¡Pero yo era la muerte y estaba en marcha!...

* * *

---

[48] *sobrestante:* Capataz, persona que dirige a cierto número de obreros.

[49] *colapso sibilador:* Equivale a sueño sibilador, sueño profético. De sibila, profetisa.

En la ranchería autóctona de Ucuné[50] nos regaló un cacique tortas de cazabe y discutió con el Pipa el derrotero que debíamos seguir: cruzar la estepa que va del Vichada al caño del Vúa, descender a las vegas del Guaviare, subir por el Inírida hasta el Papunagua, atravesar un istmo selvoso en busca del Isana bramador, y pedirles a sus corrientes que nos arrojaran al Guainía, de negras ondas.

Este trayecto, que implica una marcha de meses, resulta más corto que la ruta de los caucheros por el Orinoco y el Casiquiare. Carenamos[51] la embarcación con peramán, y nos dimos a navegar sobre las enlagunadas sabanetas, arrodillados en la canoa, en martirizadora incomodidad, con perros y víveres, sacando, por turnos, en una concha, el agua impertinente de las lluvias.

El mulato Correa seguía con fiebres, ovillado entre la curiara, bajo el bayetón llanero que otros días le sirvió para defenderse de los toros perseguidores. Cuando le oí decir que inclinaba la cabeza sobre el pecho para escuchar un tenaz gorgojo que le iba carcomiendo el corazón, lo abracé con lástima:

—¡Ánimo, ánimo! ¡No pareces el hombre que conocí!

—Blanco, ésa es la verdá. El que yo era quedó en los yanos.

Quejóseme de que el Pipa le quería «apretar la maturranga»[52], porque se resistió a prestarle el tiple. Llamé al marrullero y lo sacudí.

---

[50] *Ucuné:* En la actualidad San José de Ocuné, población sobre el río Vichada. Como se acostumbra en la Orinoquia y en la Amazonia, y como sucede varias veces en la novela, se buscan las rutas de los grandes ríos pasando del caño de una cuenca al caño de la otra, y tratando de que la distancia terrestre sea la más corta posible. Aquí, un cacique indígena recomienda la mejor ruta para pasar del Vichada al Guaviare, y de éste al Inírida y por fin al Isana y al Guainía (grandes ríos), navegando ríos menores o caños como el Uvá (en el texto Vúa) y el Papunáua (en el texto Papunagua). Es decir, aquí se define una ruta más corta, pero más peligrosa que la de Barrera, que sigue siempre por los grandes ríos, trazando una gran curva hacia el norte.

[51] *carenar:* Reparar el casco de la embarcación, en este caso con peramán.

[52] *maturranga:* Argucia, artimaña, malas artes.

—Si vuelves a asustar a este pobre muchacho con tantas mentiras, te amarraré desnudo en un hormiguero.

—No me crea usted de tan pésima índole. Cierto que les apreté la maturranga a los fugitivos, pero a este socio se le ha encajao que el maleficio es para él. Convénzase de lo que oye —sacó de su mochila un manojo de paja, liada con alambre por la mitad, como si fuera escoba inútil, y la desenrolló exponiendo—: todas las noches la retorcía, pensando en el Barrera, para que sienta el estrangulamiento en la cintura y vaya trozándose hasta dividirse. ¡Ah, si yo le pudiera clavar las uñas! Conste, pues, que se salva por los miedos de este mulatico ignorante. —Y en diciendo esto, arrojó lejos la hechicería.

A veces llevábamos en guando* [53] la canoa, por las costas de los raudales o la cargábamos en hombros, como si fuera la caja vacía de algún muerto incógnito a quien íbamos a buscar en remotas tierras.

—Esta curiara parece un féretro —dijo Fidel. Y el mulato sibilino respondió:

—Bien puée ser pa nosotros mesmos.

Aunque ignorados ríos nos ofrecían pródiga pesca, la falta de sal nos mermó el aliento y a los zancudos se sumaron los vampiros. Todas las noches agobiaban los mosquiteros, rechinando, y era indispensable tapar los perros. Alrededor de la hoguera el tigre rugía, y hubo momentos en que los tiros de nuestros fusiles alarmaron las selvas, siempre interminables y agresivas.

Una tarde, casi al oscurecer, en las playas del río Guaviare advertí una huella humana. Alguien había estampado sobre la greda el contorno de un pie, enérgico y diminuto, sin que su vestigio reapareciera por ninguna parte. El Pipa, que cazaba peces con las flechas, acudió a mi llamamiento, y en breve todos mis camaradas le hicieron círculo a la señal, procurando indagar el rumbo que hubiera seguido. Pero Helí Mesa interrumpió la cavilación con esta noticia:

---

[53] *en guando:* En andas (MM). Los mismos personajes se apropian de la imagen de la curiara como ataúd y aquí la comparan a un féretro.

—¡He aquí el rastro de la indiecita Mapiripana![54].

Y esa noche, mientras volteaba una tortuga en el asador, remató sus polémicas con el Pipa:

—No sigas argumentándome que ha sido el Poira el que anduvo anoche por estas playas. El Poira tiene pies torcidos, y como carga en la cabeza un brasero ardiente que no se le apaga ni al sumergirse en los remansos, se ve dondequiera el hilo de ceniza indicadora. Tracemos en este arenal una mariposa, con el dedo del corazón, como ex voto propicio a la muerte y a los genios del bosque, pues voy a contar la historia de la indiecita Mapiripana.

A excepción de los maipureños, todos obedecimos.

* * *

«La indiecita Mapiripana es la sacerdotisa de los silencios, la celadora de manantiales y lagunas. Vive en el riñón de las selvas, exprimiendo las nubecillas, encauzando

---

[54] El nombre de la indiecita es el de un raudal, cercano a una serranía y a la confluencia del Guaviare y el río Siare, antiguamente llamado Mapiripán. La leyenda de la indiecita Mapiripana articula la selva con el mundo indígena y con el mundo femenino. Ella explica tanto la creación de las aguas fértiles como la de las aguas destructoras. La leyenda es un importante núcleo en la novela: en ella confluyen el imaginario popular, el relato inserto y distanciado de Helí Mesa, las versiones sobre la mujer y sus poderes, sobre los conflictos de culturas, sobre la religión, la magia, la creación, la fertilidad, la selva y las aguas devoradoras. La leyenda podría pertenecer a la simbología mítico-religiosa de la mujer en la tradición popular colombiana, en donde se encuentran figuras míticas similares (Cfr. Milagros Palma, *La mujer es un cuento*. Bogotá: Ediciones Tercer Mundo, 1986). Por otra parte, sobre esa región se encuentran diversos mitos de origen, desde la época de los cronistas, (DVO, pág. 214) y varios lugares llevan el nombre de Mapiripán o Mapiripana. Sin embargo, en un viaje reciente, el investigador Alfredo Molano no encuentra rastros de la leyenda en la memoria de la región (DVO, pág. 215). Al mito y a la tradición popular se unen otros elementos del mundo literario de Rivera, como las referencias modernistas y finiseculares al azul o al vampirismo. La imagen del vampiro evoca la muerte, la metamorfosis, lo satánico, las secreciones de fluidos vitales como sangre, leche y semen, directamente relacionadas en la novela con el árbol del caucho, su coagulación (en oro negro) y su explotación. La indiecita Mapiripana evoca también la figura mítica del súcubo, el demonio femenino que chupa la fuerza de los hombres, descendiente de Lilith, reina de la noche y primera esposa de Adán, engendradora de espíritus malignos y repulsivos.

las filtraciones, buscando perlas de agua en la felpa de los barrancos, para formar nuevas vertientes que den su tesoro claro a los grandes ríos. Gracias a ella, tienen tributarios el Orinoco y el Amazonas.

Los indios de estas comarcas le temen, y ella les tolera la cacería, a condición de no hacer ruido. Los que la contrarían no cazan nada; y basta fijarse en la arcilla húmeda para comprender que pasó asustando los animales y marcando la huella de un solo pie, con el talón hacia adelante, como si caminara retrocediendo. Siempre lleva en las manos una parásita y fue quien usó primero los abanicos de palmera. De noche se la siente gritar en las espesuras, y en los plenilunios costea las playas, navegando sobre una concha de tortuga, tirada por bufeos*, que mueven las aletas mientras ella canta.

En otros tiempos vino a estas latitudes un misionero, que se emborrachaba con jugo de palmas y dormía en el arenal con indias impúberes. Como era enviado del cielo a derrotar la superstición, esperó a que la indiecita bajara cierta noche de los remansos del Chupave, para enlazarla con el cordón del hábito y quemarla viva, como a las brujas. En un recodo de estos playones, tal vez en esa arena donde ustedes están sentados, veíala robarse los huevos del terecay*, y advirtió al fulgor de la luna llena que tenía un vestido de telarañas y apariencias de viudita joven. Con lujurioso afán empezó a seguirla, mas se le escapaba en las tinieblas; llamábala con premura, y el eco engañoso respondía. Así lo fue internando en las soledades hasta dar con una caverna donde lo tuvo preso muchos años.

Para castigarle el pecado de la lujuria, chupábale los labios hasta rendirlo, y el infeliz, perdiendo su sangre, cerraba los ojos para no verle el rostro, peludo como el de un mono orangután. Ella, a los pocos meses, quedó encinta y tuvo dos mellizos aborrecibles: un vampiro y una lechuza. Desesperado el misionero porque engendraba tales seres, se fugó de la cueva, pero sus propios hijos lo persiguieron, y de noche, cuando se escondía, lo sangraba el vampiro, y la lucífuga lo reflejaba, encendiendo sus ojos parpadeantes, como lamparillas de vidrio verde.

Al amanecer proseguía la marcha, dando al fláccido estómago alguna ración de frutas y palmito. Y desde la que hoy se conoce con el nombre de Laguna Mapiripana, anduvo por tierra, salió al Guaviare, por aquí arriba, y desorientado, remontó en una canoa que halló clavada en un varadero; pero le fue imposible vencer el chorrerón de Mapiripán, donde la indiecita había enfurecido el agua, metiendo en la corriente enormes piedras. Descendió luego a la hoya del Orinoco y fue atajado por los raudales de Maipures, obra endemoniada de su enemiga, que hizo también los saltos del Isana, del Inírida y del Vaupés. Viendo perdida toda esperanza de salvación, regresó a la cueva, guiado por los foquillos de la lechuza, y al llegar vio que la indiecita le sonreía en su columpio de enredaderas florecidas. Postróse para pedirle que lo defendiera de su progenie, y cayó sin sentido al escuchar esta cruel amonestación: "¿Quién puede librar al hombre de sus propios remordimientos?"

Desde entonces se entregó a la oración y a la penitencia y murió envejecido y demacrado. Antes de la agonía, en su lecho mísero de hojas y líquenes, lo halló la indiecita tendido de espaldas, agitando las manos en el delirio, como para coger en el aire a su propia alma; y al fenecer, quedó revolando entre la caverna una mariposa de alas azules[55], inmensa y luminosa como un arcángel, que es la visión final de los que mueren de fiebres en estas zonas.»

* * *

Nunca he conocido pavura igual a la del día que sor-

---

[55] *mariposa de alas azules:* Mariposa azul *(Morpho spp.)*. De la familia de los lepidópteros. Es una gran mariposa diurna de un color azul metálico bellísimo. Su vuelo lento y pausado en medio de la selva y a lo largo de los ríos es un espectáculo inolvidable. Se encuentra en abundancia en toda la Amazonia y la Orinoquia (AC). La mariposa azul, además de ser una imagen de gran tradición culta y poética, es un habitante común de la selva. Varias veces aparece en la obra el color azul o la mariposa azul, relacionados con el mundo femenino y con la muerte.

prendí a la alucinación entre mi cerebro. Por más de una semana viví orgulloso de la lucidez de mi comprensión, de la sutileza de mis sentidos, de la finura de mis ideas; me sentía tan dueño de la vida y del destino, hallaba tan fáciles soluciones a sus problemas, que me creí predestinado a lo extraordinario[56]. La noción del misterio surgió en mi ser. Gozábame en adiestrar la fantasía y me desvelaba noches enteras, queriendo saber qué cosa es el sueño y si está en la atmósfera o en las retinas.

Por primera vez mi desvío mental se hizo patente en el fosco Inírida, cuando oí a las arenas suplicarme: «No pises tan recio, que nos lastimas. Apiádate de nosotras y lánzanos a los vientos, que estamos cansadas de ser inmóviles.»

Las agité con braceo febril, hasta provocar una tolvanera, y Franco tuvo que sujetarme por el vestido porque que no me arrojara al agua al escuchar las voces de las corrientes: «¿Y para nosotras no hay compasión? Cógenos en tus manos, para olvidar este movimiento, ya que la arena impía no nos detiene y le tenemos horror al mar.»

Apenas toqué las ondas se fugó la demencia, y comencé a sufrir la tortura de que mi propio ser me causara recelo.

A veces, por distraer la preocupación, empuñaba el remo hasta quedar exhausto, procurando indagar en las miradas de mis amigos el estado de mi salud. Con frecuencia los sorprendía haciéndose guiños de desconsuelo, pero me estimulaban así: «No te fatigues mucho: hay que saber lo que son las fiebres.»

Sin embargo, yo comprendía que se trataba de algo más grave y hacía esfuerzos poderosos de sugestión para convencerme de mi normalidad. Enriquecía mis discursos con amenos temas, resucitaba en la memoria antiguos versos, complacido de la viveza de mi razón, y me hundía luego en lasitudes letárgicas, que teminaban de esta manera: «Franco, dime, por Dios, si me has oído algún disparate.»

---

56 Importante fragmento en la evolución de Arturo Cova como personaje, en donde aparecen alucinaciones, personificación de la naturaleza y catalepsia.

Poco a poco mis nervios se restauraron. Una mañana desperté alegre y me di a silbar un aire de amor. Más tarde me tendí sobre las raíces de una caoba, y, de cara a los grumos, me burlé de la enfermedad, achacando a la neurastenia mis aprensiones pretéritas. Mas de pronto empecé a sentir que estaba muriéndome de catalepsia. En el vahído de la agonia me convencí de que no soñaba. ¡Era lo fatal, lo irremediable! Quería quejarme, quería moverme, quería gritar, pero la rigidez me tenía cogido y sólo mis cabellos se alborotaban, con la premura de las banderas durante el naufragio. El hielo me penetró por las uñas de los pies, y ascendía progresivamente, como el agua que invade un terrón de azúcar; mis nervios se iban cristalizando, retumbaba mi corazón en su caja vítrea y el globo de mi pupila relampagueó al endurecerse.

Aterrado, aturdido, comprendí que mis clamores no herían el aire; eran ecos mentales que se apagaban entre mi cerebro, sin emitirse, como si estuviera reflexionando. Mientras tanto, proseguía la lucha tremenda de mi voluntad con el cuerpo inmoble. A mi lado empuñaba una sombra la guadaña y principió a esgrimirla en el viento, sobre mi cabeza. Despavorido esperaba el golpe, mas la muerte se mantenía irresoluta, hasta que, levantando un poco el astil, lo descargó a plomo en mi cráneo. La bóveda parietal, a semejanza de un vidrio ligero, tintineó al resquebrajarse y sus fragmentos resonaron en lo interior, como las monedas entre la alcancía.

Entonces la caoba meció sus ramas y escuché en sus rumores estos anatemas:

«Picadlo, picadlo con vuestro hierro, para que experimente lo que es el hacha en la carne viva. ¡Picadlo aunque esté indefenso, pues él también destruyó los árboles y es justo que conozca nuestro martirio!»

Por si el bosque entendía mis pensamientos, le dirigí esta meditación: «¡Mátame, si quieres, que estoy vivo aún!»

Y una charca podrida me replicó: «¿Y mis vapores? ¿Acaso están ociosos?»

Pasos indiferentes avanzaron en la hojarasca. Franco

acercóse sonriendo y con la yema de su dedo índice me tentó la pupila extática. «¡Estoy vivo, estoy vivo! —le gritaba dentro de mí—. Pon el oído sobre mi pecho y escucharás las pulsaciones.»

Extraño a mis súplicas mudas, llamó a mis compañeros, para decirles, sin una lágrima: «Abrid la sepultura, que está muerto. Era lo mejor que podía sucederle.» Y sentí con angustia desesperada los golpes de la pica en el arenal.

Entonces, en un esfuerzo superhumano, pensé al morir:

«¡Maldita sea mi estrella aciaga, que ni en vida ni en muerte se dieron cuenta de que yo tenía corazón!»

Moví los ojos. Resucité. Franco me sacudía:

—No vuelvas a dormir sobre el lado izquierdo, que das alaridos pavorosos.

¡Pero yo no estaba dormido! ¡No estaba dormido!

* * *

Los maipureños que vinieron del Vichada con Helí Mesa parecían mudos. Adivinar su edad, era empresa tan aleatoria como calcularles los años a los careyes[57]. Ni el hambre, ni la fatiga, ni las contrariedades alteraron el pasivo ceño de su indolencia. A semejanza de los ánades pescadores, que exhiben en la playa su pareja gris, acordes en el vuelo y en el descanso, siempre juntos, señeros y tristes, convivían aquellos indígenas, entendiéndose a medias voces y apartándose de nosotros en las quedadas, para acomodarse en mellizo grupo a sorber el pocillo de yucuta, después de encender las fogatas, de recoger las puyas de pescar y de fornir anzuelos y guarales.

Nunca los vi mezclarse con los guahibos de Macucuana ni celebrarle al Pipa sus anécdotas y carantoñas. Ni pedían ni daban nada. El Catire*[58] Mesa era su intermediario y

---

[57] *carey* (*Eretmochelys imbricata*): Tortuga de mar, de concha muy apreciada.

[58] *catire*: Dícese del individuo rubio, en especial del que tiene el pelo rojizo y ojos verdosos o amarillentos, por lo común hijo de blanco y mulata, o viceversa (LC).

con él sostenían lacónicos diálogos, exigiendo la entrega de la curiara —que era su única hacienda— pues ansiaban tornar a su río.

—Ustedes deben acompañarnos hasta el Isana.

—No podemos.

Sepan entonces que no entregamos la canoa.

—No podemos.

Cuando entrábamos al Inírida, el mayor de ellos me encareció, en tono mixto de súplica y amenaza:

—Déjanos regresar al Orinoco. No remontes estas aguas, que son malditas. Arriba, caucherías y guarniciones. Trabajo duro, gente maluca, matan los indios.

Esto me confirmaba viejos informes que el Pipa nos dio para que desistiéramos de acercarnos a las barracas del Guaracú.

Por la tarde hice que Franco los interrogara más ampliamente, y, aunque remisos al cuestionario, dijeron que en el istmo del Papunagua vivía una tribu cosmopolita, formada por prófugos de siringales desconocidos, hasta del Putumayo y del Ajajú, del Apaporis y del Macava, del Vaupés y del Papurí, del Ti-Paraná (río de la sangre), del Tui-Paraná (río de la espuma), y tenían correderos entre la selva, para cuando fueran patrullas armadas a perseguirlos; que, desde años atrás, unos guayaneses de poca monta establecieron un fábrico cerca del Isana, para ir avasallando a los fugitivos, y lo administraba un corso llamado el Cayeno[59]; que debíamos torcer rumbo, porque si dábamos con los prófugos nos tratarían como a enemigos; y si con las barracas, nos pondrían a trabajar por el resto de nuestra vida.

Destiñóse en las aguas el postrer lampo[60]. Oscureció. Encontradas preocupaciones me combatían con el desvelo. Aquella noticia, verídica o falsa, me puso triste. En los

---

[59] Las súplicas y las recomendaciones de los maipureños muestran los peligros de la ruta, los riesgos de caer en la esclavitud y el conocimiento que los indígenas tienen de la región. Se menciona al Cayeno, uno de los personajes siniestros de la novela.

[60] *lampo:* Resplandor o brillo pronto y fugaz, como el del relámpago (DRAE).

montes se espesaba la oscuridad. ¿Qué acontecimientos se cumplirían con mi presencia más allá de esas sombras?

Hacia la medianoche, sentí ladridos y palabras de gresca. Frente a la canoa se destacaba el corrillo discutidor.

—¡Mátalo! ¡Mátalo! —decía Mesa. Franco me llamó a gritos. Acudí presuroso, revólver en mano.

—Estos bandidos iban a largarse con la canoa. ¡Querer botarnos en estas selvas, a morir de hambre! ¡Dicen que el Pipa los aconsejó!

—¿Quién me calumnia? ¡Eso no es posible! ¿Seré yo capaz de malos consejos?

Los maipureños le argumentaron tímidos:

—Nos rogaste embarcar tu cama y dos carabinas.

—¡Confusión lamentable! Yo les propuse que se fugaran, por conocer sus intenciones. Dijeron que no. Resulta que sí. ¡No haberlos denunciado de cualquier modo! ¡No poder clavarles las uñas!

Cortando la discusión, decidí flagelar al Pipa y encomendé tal faena a sus cómplices. Culebreábase más que los látigos, imploraba clemencia entre plañidos y hasta llegó a invocar el nombre de Alicia. Por eso, cuando le saltó la primera sangre, lo amenacé con tirárselo a los caribes. Entonces aparentó que se desmayaba, ante el pasmo angustioso de maipureños y guahibos, a quienes advertí, enfáticamente, que en lo sucesivo dispararía sobre cualquiera que se levantara del chinchorro sin dar el aviso reglamentario.

Las semanas siguientes las malgastamos en domeñar raudales tronitosos. Mas cuando creíamos escaladas todas las torrenteras, nos trajo el eco del monte el fragor de otro rápido turbulento, que batía a lo lejos su espuma brava como un gallardete sobre el peñascal. En zumbadora rapidez enarcábase el agua, provocando una ventolina que remecía las guedejas de los bambúes y hacía vacilar el iris ingrávido, con un bamboleo de arcada móvil entre la niebla de los hervideros.

A lo largo de ambas orillas erguía sus fragmentos el basalto roto por el río —tormentoso torrente en estrecha gorja— y a la derecha, como un brazo que el cerro les tendía a los vórtices, sobreaguaba la hilera de rocas máximas con su serie de cascadas fulgentes. Era preciso forzar el paso de la izquierda porque los cantiles no permitían sacar en vilo la curiara. Acostumbrados a vencer en estas maniobras, la sirgábamos[61] por la cornisa de un voladero, pero al dar con el triángulo de los arrecifes, resistióse a bandazos y cabezadas en el torbellino ensordecedor, falta de lastre y de timonel. Helí Mesa, que dirigía el trajín titánico, montó el revólver al ordenarles a los maipureños que descendieran por una laja y ganaran de un salto la embarcación para palanquearla de popa y de proa. Los briosos nativos obedecieron, y dentro del leño resbaladizo, que zigzagueaba sobre las espumas, forcejearon por impelerlo hacia la chorrera; mas de repente, al reventarse las amarras, la canoa retrocedió sobre el tumbo rugiente y, antes que pudiéramos lanzar un grito, el embudo trágico los sorbió a todos.

Los sombreros de los dos náufragos quedaron girando en el remolino, bajo el iris que abría sus pétalos como la mariposa de la indiecita Mapiripana.

* * *

La visión frenética del naufragio me sacudió con una ráfaga de belleza. El espectáculo fue magnífico. La muerte había escogido una forma nueva contra sus víctimas, y era de agradecerle que nos devorara sin verter sangre, sin dar a los cadáveres livores[62] respulsivos. ¡Bello morir el de aque-

---

[61] *sirgar:* Arrastrar la embarcación desde la orilla, remolcándola con sirgas o cuerdas.

En uno de los raudales del río Inírida se ahogan los maipureños que venían con Helí Mesa. Este momento, citado con frecuencia en los estudios críticos sobre la novela, termina con una imagen que identifica al iris con la mariposa azul de la indiecita Mapiripana. El iris, una flor de la familia del lirio o el gladiolo, deriva su nombre de la diosa griega del arco iris, la mensajera de los dioses que recoge las almas de las mujeres. El iris, el lirio azul y exuberante de los cuadros de fin de siglo de Van Gogh, es la versión europea de la sexual orquídea o parásita tropical.

[62] *livor:* Color cárdeno, morado.

Cova contempla la muerte como hecho estético y oculta la violencia y la arrogancia con que ha empujado a los indígenas a esta vorágine. A la vez que llos hombres, cuya existencia apagóse de pronto, como una brasa entre las espumas, al través de las cuales subió el espíritu haciéndolas hervir de júbilo!

Mientras corríamos por el peñasco a tirar el cable de salvamento, en el ímpetu de una ayuda tardía, pensaba yo que cualquier maniobra que acometiéramos aplebeyaría la imponente catástrofe; y, fijos los ojos en la escollera, sentía el dañino temor de que los náufragos sobreaguaran, hinchados, a mezclarse en la danza de los sombreros. Mas ya el borbotón espumante había borrado con oleadas definitivas las huellas últimas de la desgracia.

Impaciente por la insistencia de mis compañeros, que rondaban de piedra en piedra, grité:

—¡Franco, tú eres un necio! ¿Cómo pretendes salvar a quienes perecieron súbitamente? ¿Qué beneficio les brindarías si resucitaran? ¡Déjalos ahí, y envidiemos su muerte!

Franco, que recogía desde la margen tablones rotos de la embarcación, se armó de uno de ellos para golpearme.

—¿Nada te importan tus amigos? ¿Así nos pagas? ¡Jamás te creí tan inhumano, tan detestable!

Yo, en el estallido de su cólera, permanecía perplejo. Tuve vagas nociones del deber y busqué con la mirada mi carabina. Por sobre el eco de los torrentes me herían las palabras de la agresión, que Franco seguía emitiendo a gritos, a la par que manoteaba ante mi rostro. Jamás había conocido yo una iracundia tan elocuente y tumultuosa. Habló de su vida sacrificada por mi capricho, habló de mi ingratitud, de mi carácter voluntarioso, de mi rencor. Ni siquiera había sido leal con él cuando pretendí disfrazarle mi condición en La Maporita: decirle que era hombre rico, cuando la penuria me denunciaba como un herrete[63]; ¡decirle que era casado, cuando Alicia revelaba en sus actitudes la indecisión de la concubina! ¡Y celarla como a una

muestra la reacción deshumanizada de Cova, Rivera de nuevo se desdobla y lo enfrenta y critica por medio de otro personaje. La expresión «un desequilibrado tan impulsivo como teatral» parece definir a Arturo Cova a pesar suyo.

63 *herrete:* Marca, identificación.

virgen después de haberla encanallado y pervertido! ¡Y desgañitarme porque otro se la llevaba, cuando yo, al raptarla, la había iniciado en la perfidia! ¡Y seguirla buscando por el desierto, cuando en las ciudades vivían aburridas de su virtud solícitas mujeres de índole dócil y de hermosa estampa! ¡Y arrastrarlos a ellos en la aventura de un viaje mortífero, para alegrarme de que perecieran trágicamente! ¡Todo por ser yo un desequilibrado tan impulsivo como teatral!

Esta última frase me cayó como un martillazo. ¡Yo desequilibrado! ¿Por qué? ¿Por qué? Apresuréme a devolver el golpe y fue feliz mi acometida.

—¡So estúpido! ¿En dónde está mi desequilibrio? ¡Lo que voy haciendo por Alicia lo hiciste ya por la Griselda! ¿Crees que no lo sabía? ¡Por ella asesinaste a tu capitán!

Y para ofenderlo con mayor ahínco, agregué, parodiando un concepto célebre:

—¡No está lo malo en tener querida, sino en casarse con ella!

Mientras lo hería con risotadas de sarcasmo, apoyóse en la roca enhiesta. Hubo un instante en que creí que fuera a caer. Mi voz lo había traspasado como una lanza. Entonces escuché revelaciones abrumantes:

—Yo no le di muerte a mi capitán. Lo apuñaló la Griselda misma. Aquí está el Catire Mesa, que fue a darme el aviso. Es verdad que en la sala oscura hice tiros, sin saber cómo. La mujer me quitó el revólver y encendió luz, advirtiéndome con frase heroica: "Éste apagó la vela para venírseme por las malas, y aquí lo tienes." ¡Estaba revolcándose en su propia sangre!

La Griselda, por culpable que resultara, se había redimido con su bravura. Le quité el puñal y me di preso, declarando ser autor de todo. Pero el capitán evitó el escándalo. ¡No acusó a nadie!

Digan éstos que me oyen, cómo me expoliaba el juez de Orocué. Quiso sumariar mi amancebamiento, pero vaciló ante la idea de que pudiéramos ser casados. Por eso la Griselda, que es mujer vivaz, no perdía ocasión de predicar nuestro matrimonio. En esa mentira se apoyaba nuestra conveniencia. ¡Juro que he dicho la verdad!»

Tanta sorpresa me causaron aquellos hechos, que sentía un mareo de confusión e incertidumbre. Fidel seguía desnudando su corazón y descubriendo dramas íntimos, penas de hogar, hastíos de convivencia con la homicida, proyectos de anhelada separación. Todos los días cultivó el deseo de que la mujer lo abandonara, ahorrándole así la vergüenza de repudiarla sin motivo justificable. Mas ella, por desgracia, no le había sido infiel, y de tal manera se dio a considerarlo y atenderlo, que lo ligó indestructiblemente con una lástima cariñosa, superior al más grave desvío. Para ella había organizado, a fuerza de sudores, la fundación de La Maporita. Quería dejarle un pasar mediano, mientras prescribía la deserción, para después volverse a Antioquia. Mas cuando se dio cuenta de que Barrera la anhelaba, se encendió en celos. Tal vez sin mi ejemplo pernicioso, se hubiera resignado a dejarla libre; pero yo le contagié mi furor nefario[64] y ahora seguía mis pasos hacia el desastre. Y ya era imposible la reflexión. ¡No podía volver atrás! ¡Ni viva ni muerta admitiría a la desertora, pero tampoco iba a causarle daño! ¡En verdad, no sabía qué hacer!

No guardo otra memoria de su discurso: aunque lo oía, no lo escuchaba. El velo del pasado se descorrió a mis ojos. Olvidados detalles se esclarecieron y me di cuenta de inadvertidas circunstancias. ¡Con razón la niña Griselda quería emigrar! ¡Por algo elevó sus alaridos de consternada el día que empuñé mi cuchillo contra Millán para impedir que arrebatara la mercancía de don Rafael! El relampagueo del arma lúcida le representaría la escena terrible, cuando sobre la sangre del seductor encendió la vela, señalándolo: «Quiso venírseme por las malas, y aquí lo tienes.» Recordé asimismo sus sentencias contra los hombres y hasta el estribillo con que morigeraba mis atrevimientos: «¡Si no has de yevarme, no seas indino![65] ¿Qué tás pensando? ¡Con

---

[64] *nefario:* Perverso o abominable (MM).
[65] *indino:* Ingrato o solapado, modificación de indigno (LC).

vos he sido mujer chancera, pero con otros... me hice valé!» Y, estremecida, descargaba el puño sobre mi pecho como para clavarme el hierro vengador.

Y de esa mujer sonriente y salvaje había hecho Alicia su asesora, su confidente[66]. En su alma reconcentrada e inexperta iba desarrollándose un carácter nuevo, bajo la influencia peligrosa de la amiga. Pensando tal vez que yo la repudiaría en cualquier momento, puso su esperanza en el amparo de la patrona, a quien imitaba hasta en sus defectos, sin admitir mis reconvenciones, para darme a entender que no estaba sola y que podía yo abandonarla cuando quisiera.

Cierta vez la niña Griselda, ausente yo, le daba clases de tiro al blanco. Sorprendílas con el revólver humeante, y permanecieron impasibles, como si estuvieran con la costura.

—¿Qué es esto, Alicia? ¿A tal punto has perdido la timidez?

Sin responderme, encogióse de hombros, pero su compañera dictaminó sonriendo:

—¡Es que las mujeres debemos saber de tóo! Ya no hay garantía ni con los maríos.

Helí Mesa vino a interrumpir mi meditación con esta súplica:

—¡Una amistad como la de ustedes resiste choques! Este altercado no tiene importancia. Las manos del teniente no se han manchado. Puede estrecharlas.

Mientras oprimía las de Fidel, le ordené al Catire:

—¡Dame también las tuyas, que por justicieras se mancharon!

El Pipa y los guahibos se fugaron aquella noche.

* * *

«Amigos míos, faltaría a mi conciencia y a mi lealtad si no declarara en este momento, como anoche, que sois li-

---

66 La relación de solidaridad entre Alicia y Griselda, relatada con horror por Cova, comienza en La Maporita y termina en la selva.

bres de seguir vuestra propia estrella, sin que mi suerte os detenga el paso. Más que en mi vida pensad en la vuestra. Dejadme solo, que mi destino desarrollará su trayectoria. Aún es tiempo de regresar a donde queráis. El que siga mi ruta, va con la muerte.

Si insistís en acompañarme, que sea corriendo el mundo por cuenta propia. Seremos solidarios por la amistad y el provecho común; pero cada cual afrontará por separado su destino. De otra manera no aceptaré vuestra compañía.

Decís que desde la boca de esta corriente en el Guaviare sólo se gasta media jornada en bajar al pueblo de San Fernando. Si no teméis que el coronel Funes pueda prenderos como sospechosos, desandad las orillas de estos rápidos, haceos una balsa de platanillos y dejadla rodar hacia el Atabapo. Vuestra despensa está en los montes: leche de seje, tallos de manaca[67].

Por mi parte, sólo os demando que me ayudéis a ganar la opuesta margen. Aseveraban los maipureños que el Papunagua abre su delta a pocos kilómetros de este salto y que allí moran los indios puinaves[68]. Con ellos quiero atreverme hasta el Guainía. Y ya sabéis lo que pretendo, aunque parezcan cosas de loco.»

Así amonesté a mis compañeros la mañana que amanecimos en el Inírida abandonados sobre unas rocas.

El Catire Mesa respondió por todos:

—Los cuatro formaremos un solo hombre. No hemos nacido para reliquias. ¡A lo hecho, pecho!

---

[67] Sin embarcación y sin guía, Cova plantea la posibilidad de que sus compañeros salgan de la selva dejándose llevar en una balsa por la corriente del Inírida (el río que acaban de remontar), para salir al río Guaviare, y de ahí llegar a San Fernando de Atabapo en el Orinoco. Esta ruta significaría caer en manos de Funes y no continuar la búsqueda de Barrera y de su grupo. Por su parte, Cova elige seguir remontando a pie el Inírida, por la orilla, con el propósito de encontrar ayuda en un grupo Puinave, junto a la desembocadura del Papanagua en el Inírida. Por esta segunda ruta se deciden los cuatro que han quedado: Arturo Cova, Fidel Franco, el mulato Antonio Correa y el catire Helí Mesa.

[68] *puinave* o *Guaipunabi:* Grupo indígena que vive especialmente en los ríos Inírida y Guainía.

Bogas y champanes

Y me precedió por la orilla abrupta, buscando el punto mejor para aventurarnos en la travesía, sin llevar otro equipo que los chinchorros y las armas.

Claramente, desde aquel día tuve el presentimiento de lo fatal. Todas las desgracias que han sucedido se me anunciaron en ese momento. Sin embargo, avancé indomable por la playa arriba, mirando a veces, con íntimo afán, la contraria costa, seguro de que mis plantas no volverían a hollar nunca el suelo que invadían. Cuando mis ojos encontraban los de Fidel, sonreíamos silenciosos.

—Mejor que el Pipa se picuriara —exclamó Correa—. Ese bandío endemoniao y repelente era peligroso. ¡Cómo fregó con la cantaleta de que saliéramos al Guainía por el arrastraero del caño Nauquén! ¡Tóos estos montes le metían mieos! Pero más el coronel Funes.

—Dices bien —le repuse—. Siempre temía que en cualquier raudal saliera a atacarnos la indiada prófuga que se guarece en este desierto, donde son sus defensas chorros y espesuras.

—Y dale que dale con la fregancia* de que veía humos en los riscos. Y no admitía que eran vapores de otras cascáas.

—Pero es innegable que ha andado gente por aquí —observó Mesa—. Miren la poyata del remanso: espinas de pescado, fogones, cáscaras.

—Algo más raro aún —agregó Franco—. Latas de salmón, botellas vacías. No se trata de indios solamente. Éstos son gomeros recién entrados.

Al escuchar tales palabras pensé en Barrera, mas afirmó el Catire, cual si adivinara mis cavilaciones:

—Tengo plena evidencia de que nuestra gente está en el Guainía. Por lo demás, los rastros son pocos. No han pisoteado el arenal veinte personas y todas las huellas son de pies grandes. Éstos han sido venezolanos. Conviene tirarnos a la otra orilla para buscar más señas. En la línea oscura de aquellos montes se ve un claro. Tal vez el estuario del río Papunagua.

Y aquella tarde, tendidos de pecho en una balsa y braceando en la espuma por falta de remos, pasamos a la

opuesta riba, sobre la onda apacible que ensangrentaba
el sol.

* * *

Mi dureza contra el vigía fue bestial. Lo hubiera matado
al menor intento de resistencia. Cuando bajaba con trémulos pies los escalones del palo oblicuo que servía de escalera al zarzo, lo empujé para que cayera; y al mirarlo de bruces, inofensivo, atolondrado, lo agarré por el pelo para
verle la cara. Era un anciano de elevada estatura, que me
miraba con tímidos ojos y erguía los brazos sobre la cabeza
por impedir que lo macheteara. Sus labios se estremecían
con suplicantes balbuceos:

—¡Por Dios! ¡No me mate usted, no me mate usted!

Al escuchar tal imploración, percibiendo la semejanza
que la ancianidad venerable da a los hombres, me acordé
de mi anciano padre, y, con alma angustiada, abracé al
cautivo para levantarlo del suelo en que yacía. En mi propio sombrero le ofrecí agua.

—Perdóneme —le dije—; no me había dado cuenta de
su vejez.

Mientras tanto, mis compañeros, que sitiaban el barracón para garantizar mi acometida, saquearon el zarzo, antes que pudiera contenerlos. Persona alguna hallábase en
él. Bajaron con la carabina del prisionero.

—¿De quién es este máuser? —le gritó Franco.

—Mío, señor —dijo el aludido con voz agitada.

—¿Y qué hace usted aquí armado de máuser?

—Me dejaron enfermo hace días...

—¡Usted es centinela de los raudales! ¡Y si lo niega, lo
fusilamos!

El hombre, vuelto hacia Franco, quería postrarse:

—¡Por Dios, no me mate! ¡Piedad de mí!

—¿Dónde están —pregunté— las personas que lo dejaron?

—Se fueron antier para el alto Inírida.

—¿Qué cadáveres han guindado sobre los peñascos ci-
meros del río?

241

—¿Cadáveres?

—¡Sí, señor; sí, señor! Los encontramos esta mañana porque los zamuros los denunciaron. Cuelgan de unas palmeras, desnudos, amarrados con alambres por las mandíbulas.

—Es que el coronel Funes vive en guerra con el Cayeno. Hace una semana que los vigías vieron remontar una embarcación. Y como el Cayeno tiene correos, le llegó el aviso al día siguiente. Trajo desde el Isana veinticinco hombres y asaltó a los navegantes.

—Esa embarcación —repuso el Catire— fue la de las huellas en los playones. Esos eran los humos que observaba el Pipa.

—Díganos usted qué gente era ésa.

—Unos secuaces del coronel, que venían de San Fernando a robar caucho y cazar indios. Todos murieron. Y es costumbre colgarlos para escarmiento de los demás.

—¿Y el Cayeno dónde se halla?

—Hace lo que otros venían a hacer.

El viejo agregó después de una pausa:

—¿Y la tropa de ustedes dónde está? ¿Por dónde vino sin que la vieran?

—Una parte esculca los montes; otra, ya remonta el Papunagua. El Cayeno asesinó nuestra descubierta mientras forzábamos los raudales.

—Señor, dígale a su gente que si da con tambos* desiertos no utilice el mañoco que en ellos encuentre. Ese mañoco tiene veneno.

—¿También los mapires* que están aquí?

—También. El mañoco que sirve lo tenemos oculto.

—Tráigalo, y coma usted en nuestra presencia.

Cuando el anciano se movió para obedecerme, le miré las canillas llenas de úlceras. Diose cuenta de mis miradas y con acento humilde encareció.

—Abran ustedes mismos el mapire. Verdaderamente, provoco asco.

Y al recibir la afrechosa harina que le ofreció el mulato en una totuma, empezó a ingerirla, sin velar sus lágrimas.

Por reanimarlo, le dije solícito:

—No se aflija usted si la vida es dura. Déjenos saborear sus provisiones. ¡Usted es alguien! Ya seremos buenos amigos.

* * *

Aquella noche incendiaban la sombra los relámpagos y la selva crujía con rumores tétricos. Hasta cuando el viento lluvioso apagó la hoguera, estuve escuchando la conversación de mis camaradas con el inválido; pero me vencía pesado sueño y perdí la ilación de la conferencia. El viejo se llamaba Clemente Silva y decía ser pastuso[69]. Dieciséis años había vagado por los montes, trabajando como cauchero, y no tenía ni un solo centavo.

En un momento que desperté, exponía en el tono explícito de quien hace constar un favor:

—Yo vi las avanzadas de ustedes. Tres nadadores cruzaban el río. Temeroso de que el Cayeno regresara, callé. Y hoy, cuando había resuelto coger la trocha...

—Hola —interrumpí, enderezándome en el chinchorro . ¿Cuántas personas vio usted? ¿Y cuándo?

—Tengo seguridad de lo que digo: tres nadadores, hace dos días. Serían las siete de la mañana. Por más señas, traían sus ropas amarradas en la cabeza. Ha sido milagro que el Cayeno no los capturara. Pasan tantas cosas en este infierno...

—Buenas noches. Sé quiénes son. No conversemos más.

Así dije para evitar posibles indiscreciones de mis compañeros. Pero ya no pude dormir, pensando en el Pipa y

---

[69] *pastuso:* De Pasto, capital de Nariño, el departamento más meridional de Colombia, que limita con Ecuador. Es una población de clima frío localizada al pie del volcán Galeras en la cordillera de los Andes y, como Bogotá para Arturo Cova, representa un gran contraste con la selva. El encuentro con Clemente Silva significa una nueva dirección para el viaje y para el texto. Con Silva se articulan personajes, espacios históricos y espacios geográficos. Silva integra y mediatiza el mundo civilizado, el de la selva y el de las caucherías. En esta segunda parte, su voz dominará la novela.

los indígenas. Ante los peligros que nos rodeaban me sentía nervioso, alicaído: mas formé la resolución de acabar con aquella vida de sobresaltos, sucumbiendo de cualquier modo, con mis rencores y caprichos, antes que cejar en mis propósitos. ¿Por qué don Clemente Silva no me descerrajó un tiro, si con esa ilusión lo asalté? ¿Por qué se retardaba el Cayeno con las cadenas y los suplicios? ¡Ojalá me guindara de un árbol, donde el sol pudriera mis carnes y el viento me agitara como un péndulo!

—¿Dónde está don Clemente Silva? —le pregunté al Catire Mesa cuando amaneció.

—Lavándose la cara en la zanjita.

—¿Y por qué lo dejaron solo? Si se fugara...

—No hay ningún temor: Franco anda con él. Toda la madrugada estuvo quejándose de la pierna.

—¿Y tú qué opinas de ese pobre viejo?

—Es nuestro paisano y no lo sabe. Creo que se le debe confesar todo y pedirle ayuda.

Cuando bajé a la fuente, me enternecí al ver que Fidel le lavaba las llagas al afligido. Éste, al sentir mis pasos, avergonzóse de su miseria y alargó hasta el tobillo el pantalón. Con turbado acento me contestó los buenos días.

—¿Esas lacraduras de qué provienen?

—Ay, señor, parece increíble. Son picaduras de sanguijuelas. Por vivir en las ciénagas picando goma, esa maldita plaga nos atosiga, y mientras el cauchero sangra los árboles, las sanguijuelas lo sangran a él. La selva se defiende de sus verdugos, y al fin el hombre resulta vencido.

—A juzgar por usted, el duelo es a muerte.

—Eso sin contar los zancudos y las hormigas. Está la veinticuatro[70], está la tambocha, venenosas como escor-

---

[70] *veinticuatro (Paraponera spp.; Gradiponera spp.; Euponera spp.):* Hormiga de la familia de los himenópteros que se llama *veinticuatro* en el Guaviare y Venezuela, *yanabe* en el Vaupés y *conga* en el Alto Caquetá y Alto Putumayo. Es una hormiga negra y alargada que alcanza a medir hasta 3 cm de longitud. Su picadura es muy dolorosa, llegando a producir fiebres y vómitos. Afortunadamente son hormigas solitarias, pues la picadura de un grupo de ellas puede llegar a ser mortal (AC).

tambocha u *hormiga guerrera (Eciton spp.):* De la familia de los himenópteros, de aproximadamente medio cm de longitud y de picadura muy dolorosa.

piones. Algo peor todavía: la selva trastorna al hombre, desarrollándole los instintos más inhumanos: la crueldad invade las almas como intrincado espino y la codicia quema como fiebre. El ansia de riquezas convalece al cuerpo ya desfallecido, y el olor del caucho produce la locura de los millones. El peón sufre y trabaja con deseo de ser empresario que pueda salir un día a las capitales a derrochar la goma que lleva, a gozar de mujeres blancas y a emborracharse meses enteros, sostenido por la evidencia de que en los montes hay mil esclavos que dan sus vidas por procurarle esos placeres, como él lo hizo para su amo anteriormente. Sólo que la realidad anda más despacio que la ambición y el beriberi es mal amigo. En el desamparo de vegas y estradas muchos sucumben de calentura, abrazados al árbol que mana leche, pegando a la corteza sus ávidas bocas, para calmar, a falta de agua, la sed de la fiebre con caucho líquido; y allí se pudren como las hojas, roídos por ratas y hormigas, únicos millones que les llegaron, al morir.

El destino de otros es menos precario: a fuerza de ser crueles ascienden a capataces, y esperan cada noche, con libreta en mano, a que entreguen los trabajadores la goma extraída para sentar su precio en la cuenta. Nunca quedan contentos con el trabajo y el rebenque[71] mide su disgusto. Al que trajo diez litros le abonan sólo la mitad, y con el resto enriquecen ellos su contrabando, que venden en reserva al empresario de otra región, o que entierran para cambiarlo por licores y mercancías al primer chuchero* que visite los siringales. Por su parte, algunos peones hacen lo propio. La selva los arma para destruirlos y se roban y se asesinan, a favor del secreto y la impunidad, pues no hay

<hr />

Conforman inmensos hormigueros que pueden contar con varios millones de individuos. Cuando las inundaciones los destruyen se producen fabulosas migraciones cerradas, que pueden cubrir varias hectáreas de superficie, destruyendo todo ser viviente que encuentran (AC).

Aparece la primera versión de Clemente Silva sobre la selva, que se confundirá con las versiones de Cova. Es una selva personificada y consciente, a la que se culpa de la crueldad y la codicia de los hombres.

[71] *rebenque:* Látigo de cuero o cáñamo embreado.

noticia de que los árboles hablen de las tragedias que provocan.

—¿Y usted por qué soporta tantas desdichas? —repliqué indignado.

—Ay, señor, la desgracia lo anula a uno.

—¿Y por qué no se vuelve a su tierra? ¿Qué podemos hacer para libertarlo?

—Gracias, señor.

—Por ahora, es preciso curar sus llagas. Permítame que le haga remedios.

Y aunque el viejo, asombrado, se resistía, remanguéle hasta la corva el pantalón, y me arrodillé para examinarlo.

—Fidel, ¿estás ciego? ¡En estas úlceras hay gusanos!

—¡Gusanos! ¡Gusanos!

—Sí, hay que buscar otoba* para matárselos.

El viejo comentaba quejándose:

—¿Será posible? ¡Qué humillación! ¡Gusanos, gusanos! ¡Y fue que un día me quedé dormido y me sorprendieron los moscones!

Cuando lo condujimos a la barraca repetía:

—¡Engusanado, engusanado y estando vivo!

* * *

—Sepa usted —le dije esa tarde— que soy por idiosincrasia el amigo de los débiles y de los tristes[72]. Aunque supiera que usted iba a traicionarnos mañana mismo, sería respetada su invalidez de hoy. No sé si tengan crédito mis palabras, pero piense que podríamos ultimarlo, sólo por ser cómplice de un bandido como el Cayeno. Me ruega usted que le diga a dónde queremos conducirlo preso y si le permito lavar sus trapos para morir con ropa limpia; pues bien, ni lo mataremos ni lo apresamos. Antes, le pido que

---

[72] Como bien señala Alfonso González en su artículo «Elementos hispánicos y clásicos en la caracterización de *La vorágine*» (TC, págs. 191-198), este pasaje evoca la ayuda incondicional que Don Quijote ofrece repetidamente a los menesterosos que encuentra en su camino. Como un Don Quijote paródico, Arturo Cova olvida el objetivo primario de su viaje e imagina soluciones utópicas.

se encargue de nuestra suerte, porque somos paisanos suyos y venimos solos.

El anciano púsose en pie para convencerse de que no soñaba. Sus ojos incrédulos nos medían con insistencia y, tendiendo los brazos hacia nosotros, exclamó:

—¡Sois colombianos! ¡Sois colombianos!

—Como lo oye, y amigos suyos.

Paternalmente nos fue estrechando contra su pecho, sacudido por la emoción. Después quiso hacernos preguntas promiscuas, acerca de la patria, de nuestro viaje, de nuestros nombres. Mas yo le interrumpí de esta manera:

—Ante todo, jure usted que contaremos con su lealtad.

—¡Lo juro por Dios y por su justicia!

—Muy bien. ¿Pero qué piensa hacer con nosotros? ¿Cree usted que el Cayeno nos matará? ¿Será necesario matarlo a él?

Y agregué para ayudarlo en su desconcierto:

—O mejor: ¿el Cayeno puede volver aquí?

—No lo creo. Se fue para Caño Grande a robar caucho y cazar indios. No tiene interés ninguno en regresar pronto a sus barracones del Guaracú, donde está la madona, que ha venido a cobrarle [73].

—¿Quién es esa madona de que habla?

—Es la turca Zoraida Ayram, que anda por estos ríos negociando corotos con los siringueros y tiene en Manaos una pulpería [74] de renombre.

—Oiga usted. Es indispensable que nos conduzca al Guaracú, para hablar con la señora Zoraida Ayram antes que regrese el Cayeno.

—La conozco mucho y fui su sirviente. Ella me trajo al Río Negro [75] desde el Putumayo. Me trataban allí tan mal,

---

[73] Silva menciona a la madona, personaje central de la tercera parte.

[74] *pulpería:* Tienda donde se venden diferentes géneros para el abasto.

[75] *Río Negro:* Aparece así en la edición de la Biblioteca Ayacucho, y como «Rionegro» en las ediciones primera y quinta. El río Negro es el mismo Guainía, después del Brazo Casiquiare. Durante un largo trecho indica la frontera entre Colombia y Venezuela. Después de la Piedra del Cocuy es parte del territorio brasileño, recibe al Isana y al Vaupés, y se une con el Amazo-

que me eché a sus pies rogándole que me comprara. Mi deuda valía dos mil soles; la pagó con mercaderías, me llevó a Manaos y a Iquitos, sin reconocerme jornal ninguno, y luego me vendió por seis conٹos de reis[76] a su compatriota Miguel Pezil, para los gomales de Naranjal y Yaguanarí.

—Hola, ¿qué dice usted? ¿Conoce el siringal de Yaguanarí?

Franco, el Catire y el Mulato prorrumpieron:

—¡Yaguanarí...! ¡Yaguanarí! ¡Para allá vamos!

—Sí, señores. Y, según decía la madona, llegaron hace un mes a dicho lugar veinte colombianos y varias mujeres a picar goma.

—¡Veinte! ¡Tan sólo veinte! ¡Si eran setenta y dos!

Hubo un grave silencio de indecisión. Nos mirábamos

---

nas (Solimões) once kilómetros después de pasar por Manaos. Manaos (o Manaus), el más famoso puerto del Amazonas en el corazón de la selva, está en realidad situada en la orilla norte del río Negro. La ciudad se hizo próspera y casi mítica en la época de la explotación del caucho (1890-1920) y aún se cuentan historias y leyendas sobre la exuberancia de la jungla unida a los lujos llevados de Europa, a las construcciones de mármol y al Teatro de la Ópera en donde cantó Caruso en 1896. En *La vorágine,* Manaos es un lugar latente en la imaginación de todos, a donde conducen los ríos y de donde viene la madona Zoraida Ayram. Clemente Silva ha estado en Manaos y Arturo Cova mentirá más tarde diciendo que allá tiene sus negocios.

En este párrafo Clemente Silva alude a su ruta, que detallará más adelante y que es muy distinta de la de Cova y su grupo: de Pasto, en el sur de Colombia, pasa por las caucherías de los ríos Putumayo y Caquetá, por las de El Encanto y La Chorrera (hoy Comisaría del Amazonas), y conoce los grandes centros de exportación del caucho, Iquitos (sobre el río Marañón, en plena selva de la Amazonia peruana) y Manaus. El gomal o siringal Yaguanarí, meta del grupo, está situado en el Brasil, sobre el río Yurubaxí, afluente del río Negro.

[76] Silva fue vendido como esclavo. Estas transacciones se hacían con mercancías, quintales de caucho o dinero. Como sucede con frecuencia en la novela, las monedas que se mencionan no son colombianas. En este caso, son peruanas y brasileñas:

sol: Moneda de plata del Perú.

conto de reis: Un millar de mil reales. Antigua moneda portuguesa y brasileña que, como consecuencia de la acentuada pérdida de valor del real, pasó a constituir la unidad monetaria en Portugal hasta 1911, cuando fue sustituida por el escudo, y en el Brasil hasta 1942, cuando fue sustituida por el cruceiro (DA).

unos a otros, fríos y pálidos. Y repetíamos inconscientes:

—¡Yaguanarí! ¡Yaguanarí!

* * *

—Como ya les dije —agregó don Clemente Silva, después que le relatamos nuestra odisea—, no puedo suministrar otros informes. Conozco a Barrera de oídas, pero sé que tiene negocios con Pezil y con el Cayeno y que tratan de liquidar la compañía porque la madona reclama el pago de un dinero y se niega a conceder más prórrogas. Entiendo que Barrera se había obligado a sacar de Colombia un personal de doscientos hombres; mas se apareció con número exiguo, pues ha venido abonando a sus acreedores deudas viejas con caucheros de los que trae. Por lo demás, los colombianos no tenemos precio en estas comarcas: dicen que somos insurrectos y volvedores.

Comprendo perfectamente el deseo de ponerse al habla con la madona; pero es preciso tener paciencia. Mi turno de vigía sólo se vence el sábado próximo.

—Y si su relevo nos sorprendiera, ¿qué diría?

—No hay cuidado. Él bajará por el Papunagua y nosotros regresaremos por la pica* nueva, dejándole un fogón prendido para que vea que estuve aquí. Desde este zarzo se domina el río y se divisan los navegantes. No comprendo cómo me capturaron ustedes.

—Veníamos perdidos por esta ribera. Y como los perros encontraron huellas humanas... Mas ese detalle poco importa. ¿Conque será preciso esperar?

—Y aparecer en las barracas a la hora que el Váquiro[77] esté ausente, inspeccionando en las estradas a los caucheros. Ese capataz es muy malgeniado. Cuando yo les señale los caneyes, se presentan ustedes, solos, a quejarse de que

---

[77] *Váquiro:* En el vocabulario que Rivera anexa a la novela, marrano de monte. Sobrenombre del capataz que encontrarán en las barracas del Guaracú. El *cafuche* (*Tayassu pecari*) o *báquiro* (con «b», y no con «v» como aparece en la novela) es un cerdo de la selva que anda en grandes manadas y puede tener hasta 70 kg de peso. Dos enormes dientes lo convierten en un peligroso atacante (AC).

traían, para vender, mañoco fresco y unos gendarmes se lo arrebataron. (Allá se sabe ya que esos gendarmes eran de Funes y que el Cayeno los acuchilló.) Agreguen que les trambucaron* en los raudales la curiara, y tuvieron ustedes que venirse por las orillas y los montes, hasta que yo les puse la mano. Adviértanle que, como venían a pedir auxilio, los llevé a la trocha del Guaracú, y que ustedes llegan, acatando mis instrucciones, a implorar garantías. Ese discurso agradará, porque aumenta el crédito de la empresa y desmiente a sus detractores.

—Cuente usted con que la novela tendrá más éxito que la historia.

—Yo llegaré luego para hacer resaltar la circunstancia de que ustedes se fueron solos y no desconfiaron.

—¿Y si nos ponen a trabajá? —observó Correa.

—Mulato —sentencié—: no tengas miedo. ¡Venimos a jugar la vida!

—En cuanto a eso, no sabría qué aconsejarles. El Cayeno es cauteloso y cruel como un cazador. Cierto que ustedes nada le deben y que van de paso hacia el Brasil. Pero si se le antoja decir que se picurearon de otras barracas...

—Explique, don Clemente. Poco sabemos de estas costumbres.

—Cada empresario de caucherías tiene caneyes, que sirven de viviendas y bodegas. Ya conocerán los del Guaracú. Esos depósitos o barracas jamás están solos, porque en ellos se guarda el caucho con las mercancías y las provisiones y moran allí los capataces y sus barraganas.

El personal de trabajadores está compuesto, en su mayor parte, de indígenas y enganchados, quienes, según las leyes de la región, no pueden cambiar de dueño antes de dos años. Cada individuo tiene una cuenta en la que se le cargan las baratijas que le avanzan, las herramientas, los alimentos, y se le abona el caucho a un precio irrisorio que el amo señala. Jamás cauchero alguno sabe cuánto le cuesta lo que recibe ni cuánto le abonan por lo que entrega, pues la mira del empresario está en guardar el modo de ser siempre acreedor. Esta nueva especie de esclavitud vence la vida de los hombres y es transmisible a sus herederos.

Por su lado, los capataces inventan diversas formas de expoliación: les roban el caucho a los siringueros, arrebátanles hijas y esposas, los mandan a trabajar a caños pobrísimos, donde no pueden sacar la goma exigida, y esto da motivo a insultos y a latigazos, cuando no a balas de wínchester. Y con decir que fulano se picureó o que murió de fiebres, se arregla el cuento.

Mas no es justo olvidar la traición y el dolo. No todos los peones son palomas blancas: algunos solicitan enganche sólo para robarse lo que reciben, o salir a la selva por matar a algún enemigo o sonsacar a sus compañeros para venderlos en otras barracas.

Esto dio pie a un convenio riguroso, por el cual se comprometen los empresarios a prender a todo individuo que no justifique su procedencia o que presente el pasaporte sin la constancia de que pagó lo que debía y fue dado libre por su patrón. A su vez, las guarniciones de cada río cuidan de que tal requisito se cumpla inexorablemente.

Mas esta medida es fuente inexhausta de abusos y secuestros. ¿Si el amo se niega a expedir el salvoconducto? ¿Si el capturador despoja de él a quien lo presenta? Réstame aún advertir a ustedes que es frecuentísimo el último caso. El cautivo pasa a poder de quien lo cogió, y éste lo encierra en sus siringales a trabajar como preso prófugo, mientras se averigua "lo conveniente". Y corren años y años, y la esclavitud nunca termina. ¡Esto es lo que me pasa con el Cayeno!

¡Y he trabajado dieciséis años! ¡Dieciséis años de miseria! ¡Mas poseo un tesoro que vale un mundo, que no pueden robarme, que llevaré a mi tierra si llego a ser libre: un cajoncito lleno de huesos!»

* * *

—Para poder contarles mi historia[78] —nos dijo esa tar-

---

[78] El relato de Silva, que ya había comenzado en los fragmentos anteriores, va reemplazando definitivamente la voz de Cova, y se mantiene hasta el final de la segunda parte, incluyendo diálogos y otros relatos. En esta edición se mantiene la puntuación de la quinta edición y se suprimen las

de— tendría que perder el pudor de mis desventuras. En el fondo de cada alma hay algún episodio íntimo que constituye su vergüenza. El mío es una mácula de familia: ¡mi hija María Gertrudis dio su brazo a torcer![79].

Había tal dolor en las palabras de don Clemente, que nosotros aparentábamos no comprender. Franco se cortaba las uñas con la navaja, Helí Mesa escarbaba el suelo con un palillo, yo hacía coronas con el humo del cigarro. Tan sólo el mulato parecía envaído en la punzante narración.

—Sí, amigos míos —continuó el anciano—. El miserable que la engañaba con promesa de matrimonio, la sedujo en mi ausencia. Mi pequeño Luciano abandonó la escuela y fue a buscarme al pueblo vecino, donde yo ejercía un modesto empleo, para contarme que los novios hablaban de noche por el solar y que su madre lo había reñido cuando le dio noticia de ello. Al oír su relato perdí el aplomo, regañéle por calumniador, exalté la virtud de María Gertrudis y le prohibí que siguiera oponiéndose con celos y malquerencias al matrimonio de los jóvenes, que ya habían cambiado argollas. Desesperado, el pequeñuelo empezó a llorar y me declaró que estaba resuelto a perder la tierra antes que la deshonra de la familia lo hiciera sonrojarse ante sus compañeros de escuela primaria.

Montado en una borrica, se lo envié a mi esposa con un peón, que llevaba cartas para ésta y María Gertrudis, llenas de admoniciones y consejos. ¡Ya María Gertrudis no era hija mía!

---

continuas comillas, al comienzo de cada párrafo, con las que se marca el relato de Clemente Silva en la edición de la Biblioteca Ayacucho y en muchas otras ediciones. Esto dificulta la rápida identificación del relato inserto pero, como se explica en los criterios que rigen esta edición, así se mantiene no solo la puntuación de la última edición cuidada por el autor sino los contagios textuales entre los distintos narradores y relatos. (Cfr. Silvia Molloy, «Contagio narrativo y gesticulación retórica en *La Vorágine*», TC, págs. 489-513).

[79] *dar su brazo a torcer:* Se usa la expresión «no dar alguien su brazo a torcer» para indicar que esa persona se mantiene firme en una posición o decisión sin reconocer la razón de otro (MM). Aquí se utiliza para indicar que María Griselda perdió la virginidad, lo que ocasionará la desintegración de la familia y los sufrimientos en la selva de su hermano y de su padre.

Calculen ustedes cuál sería mi pena en presencia de mi deshonor. Medio loco olvidé el hogar por perseguir a la fugitiva. Acudí a las autoridades, imploré el apoyo de mis amigos, la protección de los influyentes; todos me hacían tragar las lágrimas obligándome a referir detalles pérfidos, y, al final, con gestos de lástima, me recriminaban así: "La responsabilidad es de los padres. Hay que saber educar a los hijos."

Cuando humillado por la tortura volví a casa, me esperaba un nuevo dolor: la pizarra de Lucianito pendía del muro, cerca al pupitre donde la brisa agitaba las páginas de un libro descuadernado; en el cajón, vi los premios y los juguetes: la cachucha que le bordó la hermana, el reloj que le regalé, la medallita de la mamá. Reteñidas en la pizarra, bajo una cruz leí estas palabras: ¡Adiós, adiós!

Más que la parálisis, mató la pena a mi pobre esposa. Sentado a la orilla del lecho la veía empapar en llanto la almohada, procurando infundirle el consuelo que no he conocido jamás. A veces me agarraba del brazo y lanzaba su grito demente: "¡Dame mis hijos! ¡Dame mis hijos!" Por aliviarla acudí al engaño: inventéle que había logrado hacer casar a María Gertrudis y que Lucianito estaba interno en el instituto. Saboreando su pesadumbre la encontró la muerte.

Un día, viendo que nadie, ni parientes ni amigos, me acompañaban, llamé por el cercado a mi vecina para que viniera a cuidar a la enferma, mientras me ausentaba en busca del médico. Cuando regresé, vi que mi esposa tenía en las manos la pizarra de Lucianito y que la remiraba, convencida de que era el retrato del pequeñuelo. ¡Así acabó! Al colocarla en el ataúd sollocé esta frase: "¡Juro por Dios y por su justicia que traeré a Lucianito, vivo o muerto, a que acompañe tu sepultura!" Le besé la frente y puse sobre el pecho de la infeliz la pizarra yerta, para que llevara a la eternidad la cruz que su propio hijo había estampado.»

—Don Clemente: no resucite esos recuerdos que hacen daño. Procure omitir en su narración todo lo sagrado y lo sentimental. Háblenos de sus éxodos en la selva.

Por un momento estrechó mi mano, murmurando:
—Es cierto. Hay que ser avaros con el dolor.

Pues bien: seguí las huellas de Lucianito hacia el Putumayo. Fue en Sibundoy donde me dijeron que había bajado con unos hombres un muchachito pálido, de calzón corto, que no representaba más de doce años, sin otro equipaje que un pañuelo con ropa. Negóse a decir quién era, ni de dónde venía, pero sus compañeros predicaban con regocijo que iban buscando las caucherías de Larrañaga, ese pastuso sin corazón, socio de Arana y otros peruanos que en la hoya amazónica han esclavizado más de treinta mil indios[80].

En Mocoa sentí la primera vacilación: los habían pasado, pero nadie pudo decirme qué senda del cuadrivio siguieron. Era posible que hubieran ido por tierra al caño Guineo, para salir al Putumayo, un poco arriba del puerto de San José, y bajar el río hasta encontrar el Igaraparaná;

---

[80] Benjamín Larrañaga es uno de los colombianos que penetró en la región del Putumayo desde 1880 y dominaba el negocio del caucho a fin de siglo. Según anota Eduardo Neale Silva, «En 1900, Arana se asoció con un colombiano para fundar la razón social "Larrañaga, Arana y Cía.", que pronto consiguió el apoyo oficial de fuerzas peruanas para monopolizar la extracción del caucho y establecer avanzadas en puntos estratégicos. En 1904 se reorganizó la empresa, renaciendo luego con nuevo nombre: "Arana, Vega y Cía.". El nuevo socio era don Juan Bautista ("Juanchito") Vega, cónsul colombiano en Iquitos» (HH, pág. 280). En 1907 la Casa Arana se convirtió en un consorcio inglés, The Peruvian Amazon Co., con sede en Londres y un capital de un millón de libras esterlinas. Después de los escándalos ocasionados por los informes de Hardenburg (1912) y Sir Roger Casement (1912) sobre el paraíso del diablo y el genocidio del Putumayo, y coincidiendo con la caída del precio internacional del caucho, The Peruvian Amazon Co. se disolvió en 1912, aunque Arana siguió explotando la región. El primer artículo documentado sobre las bases históricas de *La vorágine* lo escribió Eduardo Neale Silva («The Factual Bases of *La vorágine*», *PMLA*, vol. LIV, núm. 1, 1939). Para un análisis de la situación cauchera en el Putumayo, particularmente de la Casa Arana durante el período 1900-1930, véase Roberto Pineda Camacho, *Etnohistoria de las caucherías del Putumayo* (Bogotá, Banco de la República, 1983). Pineda ha elaborado además una completa revisión bibliográfica sobre los estudios de la Colombia amazónica: «Estado y perspectivas de la investigación histórica y etnohistórica de la Colombia amazónica en 1988», *Revista de Antropología* (Universidad de Los Andes, Bogotá), vol. V, núms. 1-2, 1989, págs. 7-65.

tampoco era improbable que hubieran tomado la trocha de Mocoa a Puerto Limón, sobre el Caquetá, para descender por esa arteria al Amazonas y remontar éste y el Putumayo en busca de los cauchales de La Chorrera. Yo me decidí por la última vía.

Por fortuna, en Mocoa me ofreció curiara y protección un colombiano de amables prendas, el señor Custodio Morales, que era colono del río Cuemaní. Indicóme el peligro de acometer los rápidos de Araracuara, y me dejó en Puerto Pizarro para que siguiera, al través de los grandes bosques, por el rumbo que va al puerto de la Florida, en el Caraparaná, donde los peruanos tenían barracas[81].

Solo y enfermo emprendí ese viaje. Al llegar solicité enganche y abrí una cuenta. Ya me habían dicho que a mi pequeño no se le conocía en la región; pero quise convencerme y salí a trabajar goma.

Era verdad que en mi cuadrilla no estaba el niño, pero podía hallarse en otras. Ningún cauchero oyó jamás su nombre. A veces se alegraba mi reflexión al considerar que Lucianito no había palpado la bruta inmoralidad de esas costumbres; mas ¡cuán poco me duraba el consuelo! Era seguro que se encontraba en remotos cauchales, bajo otros amos, educándose en la crueldad y la villanía, enloquecido de humillación y de miseria. Mi capataz principió a quejarse de mi trabajo. Un día me cruzó la cara de un latigazo y me envió preso al barracón. Toda la noche estuve en el cepo, y, en la siguiente, me mandaron para El En-

---

[81] Aquí se precisa la ruta de Clemente Silva por el Putumayo y el Caquetá: Va de Pasto a Sibundoy y a Mocoa, capital de la actual Intendencia del Putumayo. Puerto Pizarro y Cuemaní son poblaciones sobre el río Caquetá. De ahí pasa al río Cara-Paraná, afluente del Putumayo. Los consejos de Custodio Morales le evitan no solo el peligro de los rápidos de Araracuara, sino una vuelta interminable por los ríos de la Amazonia. Según Eduardo Neale Silva, Rivera tuvo en Ibagué (1909-1911) un amigo llamado Custodio Morales que fue quien le proporcionó datos y anécdotas sobre los indígenas, la Amazonia y los siringales. En 1942, Custodio Morales fue uno de los informantes que Neale Silva entrevista y cita (HH, págs. 96-107), dándole tal vez excesiva credibilidad a los recuerdos de sus conversaciones con Rivera tres décadas atrás.

canto. Había logrado lo que pretendía: buscar a Lucianito en otros gomales.»

Don Clemente Silva enmudeció. Tocábase la frente con las manos estremecidas, como si aún sintiera en su rostro el culebreo del látigo infame. Y agregó después:

—Amigos, esta pausa abarca dos años. De allí me picurié para La Chorrera.

* * *

«Recuerdo que la noche de mi llegada celebraban el carnaval. Frente a los barandales del corredor discurría borracha una muchedumbre clamorosa. Indios de varias tribus, blancos de Colombia, Venezuela, Perú y Brasil, negros de las Antillas, vociferaban pidiendo alcohol, pidiendo mujeres y chucherías. Entonces, desde una trastienda, aventábanles triquitraques, botones, potes de atún, cajas de galletas, tabaco de mascar, alpargatas, franelas, cigarros. Los que no podían recoger nada, empujaban, por diversión, a sus compañeros sobre el objeto que caía, y encima de él arracimábase el tumulto, entre risotadas y pataleos. Del otro lado, junto a las lámparas humeantes, había grupos nostálgicos, escuchando a los cantadores que entonaban aires de sus tierras: el bambuco, el joropo, la cumbia-cumbia[82]. De repente, un capataz velludo y bilioso se

---

[82] Para indicar la heterogeneidad de la población, se mencionan bailes de distintas regiones del país: el bambuco de la zona andina, el joropo de los Llanos y la cumbia-cumbia de la costa del Caribe.

bambuco: Baile en parejas de ritmo acompasado y a saltitos. La mujer, sosteniendo la falda con ambas manos, se adorna con cadenciosos desplazamientos. El hombre con un pañuelo que agita en la mano derecha la persigue, ora imitando sus pasos, ora alejándose de ella. La danza simula la conquista que de la mujer hace el varón y en la que él muestra sus audacias y ella su recato (LC).

joropo: Zapateado típico de los Llanos colombianos y venezolanos que se baila en parejas. También se llama joropo a una fiesta o baile en la región.

cumbia-cumbia: Baile popular en que las parejas, sin tocarse, giran rítmicamente en derredor de un centro, llevando las mujeres un paquete de velas encendidas, a manera de antorcha. En medio del círculo que describen se coloca la música, que no cuenta con más de una flauta de caña y un bombo (LC).

encaramó sobre una tarima y disparó al viento su wínchester. Expectante silencio. Todas las caras se volvieron al orador. "Caucheros —exclamó éste—, ya conocéis la munificencia del nuevo propietario. El señor Arana[83] ha formado una compañía que es dueña de los cauchales de La Chorrera y los de El Encanto. ¡Hay que trabajar, hay que ser sumisos, hay que obedecer! Ya nada queda en la pulpería para regalaros. Los que no hayan podido recoger ropa, tengan paciencia. Los que están pidiendo mujeres, sepan que en las próximas lanchas vendrán cuarenta, oídlo bien, cuarenta, para repartirlas de tiempo en tiempo entre los trabajadores que se distingan. Además saldrá pronto una expedición a someter las tribus andoques[84] y lleva encargo de recoger guarichas* donde las haya. Ahora, prestadme todos atención: Cualquier indio que tenga mujer o hija debe presentarla en este establecimiento para saber qué se hace con ella."

Inmediatamente otros capataces tradujeron el discurso a la lengua de cada tribu, y la fiesta siguió como antes, coreada por exclamaciones y aplausos.

Yo me escurría por entre la gente, temeroso de hallar a mi hijo. Fue la primera vez que no quise verlo. Sin embargo, miraba a todas partes y resolví preguntar por él: señor, ¿usted conoce a Luciano Silva? Dígame, ¿entre esa gente habrá algún pastuso? ¿Sabe usted, por casualidad, si Larrañaga o Juanchito Vega viven aquí?

---

[83] *el señor Arana:* Julio César Arana, natural de Rioja, en el departamento de Loreto, República del Perú, empezó comerciando con sombreros de paja por el río Marañón. Llamado el «perro de presa del Putumayo», se le acusa del genocidio de indígenas que realizó su compañía, la Casa Arana. Por sus atrocidades y su poder político y económico en el Amazonas, se le ha comparado con el rey Leopoldo II de Bélgica, soberano del Estado independiente del Congo y alma de la explotación del caucho en África central, hacia la misma época. (HH y Taussig.)

[84] *andoque:* Grupo indígena que vive en Amazonas y Caquetá. Los Andoke fueron una de las comunidades que estuvieron a punto de ser exterminadas durante la fiebre del caucho. De diez mil sobrevivieron ocho. Hoy son una comunidad de 250 personas, que han tenido que reconstruir su cultura. El nacimiento de un niño significa la supervivencia de la estirpe y se celebra como un acontecimiento.

Como mis preguntas producían hilaridad, me atreví a penetrar en el corredor. Los centinelas me rechazaron. Un hombre vino a advertirme que el aguardiente lo repartían en las barracas. Y era verdad: por allí desfilaba la multitud presentando jarros y totumas al vigilante que hacía la distribución. Un cuadrillero venático quería chancearse; vertió petróleo en una ponchera y lo ofreció a unos indios. Como ninguno aceptó el engaño, les tiró encima la vasija llena. No sé quién rastrilló sus fósforos; pero al momento una llamarada crepitante achicharró a los indígenas, que se abalanzaron sobre el tumulto, con alarida loca, coronados de fuego lívido, abriéndose paso hacia las corrientes, donde se sumergieron agonizando.

Los empresarios de La Chorrera asomaron a la baranda, con los naipes de póker en las manos. "¿Qué es esto? ¿Qué es esto?" repetían. El judío Barchilón tomó la palabra: "¡Hola muchachos, no sean patanes! ¡Van a quemarnos el ensoropado* de los caneyes!" Larrañaga calcó la orden de Juancho Vega: "¡No más diversión! ¡No más diversión!"

Y al sentir el hedor de la grasa humana, escupieron sobre la gente y se encerraron impasibles.

Así como el caballo entra en los corrales y a coces y mordiscos aparta las hembras de su rodeo, integraron los capataces sus cuadrillas a culatazos y las empujaron a cada barraca, en medio de un bullicio atormentador.

Yo alcancé a gritar con toda la fuerza de mis pulmones: "¡Luciano! ¡Lucianito, aquí está tu padre!"

* * *

Al día siguiente, mi paciencia se puso a prueba. Eran casi las dos y los empresarios continuaban durmiendo. Por la mañana, cuando las cuadrillas salieron a los trabajos, se me presentó un negrote de Martinica, afilando en la vaina de su machete la hoja terrible. "¡Hola! —me dijo—, ¿vos por qué te quedás aquí?"

—Porque soy rumbero*[85] y voy a salir a exploración.

---

85 *rumbero*: En el vocabulario que Rivera anexa a la novela, el que sabe orientarse. Esta habilidad de Silva es su característica especial, en gran con-

—Vos parecés picure. Vos estabas en El Encanto.

—Y aunque así fuera, ¿no son de un solo dueño ambas regiones?

—Vos eras el sinvergüenza que escribía letreros en los árboles. Agradecé que te perdonaban.

Púsele fin al riesgoso diálogo porque vi al tenedor de libros abriendo la puerta de la oficina. Ni siquiera volvió a mirarme cuando le di el saludo, pero avancé hasta el mostrador.

—Señor Loaiza —le dije con miedosa lengua—, quiero saber, si fuere posible, cuánto vale la cuenta de un hijo mío.

—¿Un hijo tuyo? ¿Querés comprarlo? ¿Te dijeron ya que lo vendían?

—Para hacer mis cálculos... Se llama Luciano Silva.

El hombre plegó un gran libro y tomando su lápiz hizo números. Las rodillas me temblaban por la emoción: ¡al fin encontraba el paradero de Lucianito!

—Dos mil doscientos soles —afirmó Loaiza—. ¿Qué recargo le piden sobre esa suma?

—¿Recargo?... ¿Recargo?

—Naturalmente. No estamos para vender el personal. Por el contrario: la empresa busca gente.

—¿Podría decirme usted dónde está ahora?...

—¿Tú muchacho? Fíjate con quién tratás. Eso se les pregunta a los cuadrilleros.

Por desgracia mía, el negrote entró en ese instante.

—Señor Loaiza —exclamó—, no pierda palabras con este viejo. Es un picure de El Encanto y de La Florida, flojo y destornillado, que en vez de picar los árboles, grababa letreros en las cortezas con la punta del cuchillo. Vaya usted a los siringales y se convencerá. Por todas las estradas

---

traste con Cova, y en varias oportunidades determina el desarrollo de la novela. Esta vez le sirve para buscar a su hijo dirigiéndose hacia el caño Eré, en la margen derecha del Putumayo, en Perú, a gran distancia de La Chorrera y en rumbo opuesto al Caquetá. Ahí le dirán que Luciano ha estado en el río Napo, un gran río que, con el Marañón, forma el Amazonas (Solimões) no lejos de Iquitos.

la misma cosa: "Aquí estuvo Clemente Silva en busca de su querido hijo Luciano." ¿Ha visto usted vagabundería?

Yo, como un acusado, bajé los ojos.

—¡Hombres —prorrumpí—, bien se conoce que ustedes nunca han sido padres!

—¿Qué opinan de este viejo tan descocado? ¡Cómo habrá sido de mujeriego cuando hace gala de reproductor!

Así me respondieron, desenfrenando carcajadas; pero yo me erguí como un mástil y mi mano debilitada abofeteó al contabilista. El negro, de un puntapié, me tiró boca abajo contra la puerta. ¡Al levantarme, lloré de orgullo y satisfacción!

* * *

En la pieza vecina se alzó una voz trasnochada y amenazante. No tardó en asomar, abotonándose la piyama, un hombre gordote y abotagado, pechudo como una hembra, amarillento como la envidia. Antes que hablara, apresuróse el contabilista a informarle lo sucedido:

—¡Señor Arana, voy a morir de pena! ¡Perdone usted! Este hombre que está presente vino a pedirme un extracto de lo que está debiéndole a la compañía; mas apenas le enuncié el saldo, se lanzó a romper el libro, lo trató a usted de ladrón y me amenazó con apuñalarnos.

El negro hizo señas de asentimiento; permanecí aturrullado de indignación; Arana enmudecía más. Pero con mirada desmentidora consternó a los dos infames, y me preguntó poniéndome sus manos en los hombros:

—¿Cuántos años tiene Luciano Silva, el hijo de usted?

—No ha cumplido los quince.

—¿Usted está dispuesto a comprarme la cuenta suya y la de su hijo? ¿Cuánto debe usted? ¿Qué abonos le han hecho por su trabajo?

—Lo ignoro, señor.

—¿Quiere darme por las dos cuentas cinco mil soles?

—Sí, sí, pero aquí no tengo dinero. Si usted quisiera la

casita que poseo en Pasto... Larrañaga y Vega son paisanos míos. Ellos podrían darle informes, ellos fueron mis condiscípulos.

—No le aconsejo ni saludarlos. Ahora no quieren amigos pobres. Dígame —agregó sacándome al patio—, ¿usted no tiene goma con que pagar?

—No, señor.

—¿Ni sabe cuáles son los caucheros que me la roban? Si me denuncia algún escondite, nos dividiremos la que allí haya.

—No, señor.

—¿Usted no podría conseguirla en el Caquetá? Yo le daría compañerazos para que asaltara barracones.

Disimulando la repulsión que me producían aquellas maquinaciones rapaces, pasé de la astucia a la doblez. Aparenté quedar pensativo. Mi sobornador estrechó el asedio:

—Me valgo de usted porque comprendo que es honrado y que sabrá guardarme la reserva. Su misma cara le hace el proceso. De no ser así, lo trataría como a picure, me negaría a venderle a su hijo y a uno y a otro los enterraría en los siringales. Recuerde que no tienen con qué pagarme y que yo mismo le doy a usted los medios de quedar libres.

—Es verdad, señor. Mas eso mismo obliga mi fe de hombre reconocido. No quisiera comprometerme sin tener la seguridad de cumplir. Me gustaría ir al Caquetá, por lo pronto, como rumbero, mientras estudio la región y abro alguna trocha estratégica.

—Muy bien pensado, y así será. Eso queda al cuidado suyo, y el hijo de usted a mi cuidado. Pida un wínchester, víveres, una brújula, y llévese un indio como carguero.

—Gracias, señor, pero mi cuenta se aumentaría.

—Eso lo pago yo, ése es mi regalo de carnaval.

* * *

El pasaporte que me dio el amo hacía rabiar de envidia a los capataces. Podía yo transitar por donde quisiera y ellos debían facilitarme lo necesario. Mis facultades me autorizaban para escoger hasta treinta hombres y tomarlos de las cuadrillas que me placieran, en cualquier tiempo. En vez de dirigirme hacia el Caquetá, resolví desviarme por la hoya del Putumayo. Un vigilante de las estradas del caño Eré, a quien llamaban el Pantero, por sobrenombre, me puso preso y envió en consulta el salvoconducto. La respuesta fue favorable, pero me reformaron la atribución: en ningún caso podía escoger a Luciano Silva.

La citada orden echó por tierra mis planes, porque yo buscaba a mi hijo para llevármelo. Muchas veces, al sentir el estruendo de los cauchales derribados por las peonadas, pensaba que mi chicuelo andaría con ellas y que podía aplastarlo alguna rama. Por entonces se trabajaba el caucho negro tanto como el siringa*, llamado goma borracha por los brasileños[86]; para sacar éste, se hacen incisiones en

---

86 Clemente Silva describe las dos clases básicas de caucho y la manera de obtener cada una.

caucho (Hevea spp.): Llamado *caucho* en Colombia y Venezuela, *siringa* en el Vaupés, el trapecio amazónico colombiano y Brasil, *caucho, jebe* o *goma* en Perú. Familia de las euforbiáceas. Así se llaman diversas especies de árboles productores de látex con el cual se hace el caucho de vulcanización. Las tres especies que se han explotado en Colombia son *Hevea brasiliensis,* productora del caucho de mejor calidad, considerada la siringa verdadera. En segundo lugar, *Hevea guianensis,* látex de segunda, de color amarillo, y en tercer lugar *Hevea benthamiana,* conocida como siringa blanca (AC).

caucho negro (Castilla elastica): Llamado caucho negro o castilla en Caquetá, Putumayo y Guaviare. Familia de las moráceas. Es un árbol que crece en el piedemonte de la Amazonia y la Orinoquia. Produce abundante látex a todo lo largo del tronco cuando se derriba. Por eso fue totalmente diezmado al comienzo de las caucherías, pues su rendimiento era mayor que el del Hevea, el cual debe ser rayado en pie (AC).

En su artículo «El ciclo del caucho (1850-1932), Roberto Pineda anota que el nombre del caucho proviene de la lengua de los indígenas Maina, de la selva amazónica peruana. Su etimología es *caa* = madera, árbol, y *ochu* = chorrear, que llora. Aunque era un producto conocido desde la Conquista, la invención de los procesos de masticación por Hancock en 1819 y de vulcanización por Goodyear en 1839 abrió el campo a la explotación industrial. Con la consolidación de la industria automotriz a principios del siglo XX, creció la explotación. De 30 toneladas en 1825 y 2.670 en 1860 se pasó a 50.000 toneladas en 1900 y 94.000 en 1910. La explotación del caucho y la exploración de la región y de la mano de obra indígena estuvieron precedidas en Colombia por la extracción de la quina (CA, págs. 183-209).

la corteza, se recoge la leche en petaquillas y se cuaja al humo; la extracción de aquél exigía tumbar el árbol, hacerle lacraduras de cuarta en cuarta, recoger el jugo y depositarlo en hoyos ventilados, donde lentamente se coagulaba. Por eso era tan fácil que los ladrones lo traspusieran.

Cierto día sorprendí a un peón tapando su depósito con tierra y hojas. Circulaba ya la falsa especie de que yo ejercía fiscalización por cuenta del amo, leyenda que me puso en grandes peligros porque me granjeó muchas odiosidades. El sorprendido cogió el machete para destroncarme, pero yo le tendí mi wínchester, advirtiéndole:

—Te voy a probar que no soy espía. No contaré nada. Pero si mi silencio te hace algún bien, dime, dónde está Luciano Silva.

—¡Ah!... ¿Silvita?... ¿Silvita?... Trabaja en Capalurco, sobre el río Napo, con la peonada de Juan Muñeiro.

Esa misma tarde principié a picar la trocha que va desde el caño Eré hasta el Tamboriaco. En esa travesía gasté seis meses; tuve que comer yuca silvestre, a falta de mañoco. ¡Qué tan grande sería mi extenuación, cuando decidí descansar un tiempo, en el abandono y la soledad!

En el Tamboriaco encontré peones de la cuadrilla que residía en un lugar llamado El Pensamiento. El capataz me invitó a remontar el caño, so pretexto de que visitara el barracón, donde me daría víveres y curiara. Esa noche, apenas quedamos solos, me preguntó:

—¿Y qué dicen los empresarios contra Muñeiro? ¿Lo perseguirán?

—Acaso Muñeiro...

—Se fugó con peones y caucho, hace cinco meses. ¡Noventa quintales y trece hombres!

—¡Cómo! ¡Cómo! ¿Pero es posible?

—Trabajaron últimamente cerca de la laguna de Cuyabeno, volvieron a Capalurco, se escurrieron por el Napo, saldrían al Amazonas y estarán en el extranjero. Muñeiro me había propuesto que tiráramos esa parada, pero yo tuve mi recelillo, porque está de moda entre los sagaces picurearse con los caucheros, prometiéndoles realizar la goma que llevan, prorratearles el valor y dejarlos libres. Con esta ilusión se los cargan para otros ríos y se los venden a nuevos patrones. ¡Y ese Muñeiro es tan faramallero! Y como hay un resguardo en la boca del río Mazán...

Al oír esta declaración me descoyunté. El resto de mi vida estaba de sobra. Un consuelo triste me reconfortó: con tal que mi hijo residiera en país extraño, yo, para los días que me quedaban, arrastraría gustoso la esclavitud en mi propia patria.

—Pero —prosiguió mi interlocutor— también se rumora que ese personal no se ha picureado. Piensan que usted lo llevó consigo a no sé qué punto.

—¡Si ni siquiera he visto el río Napo!

—Eso es lo curioso. Usted sabe muy bien que una cuadrilla cela a la otra y que hay obligación de contarle al dueño común lo bueno y lo malo. Envié posta al Encanto con este aviso: «Muñeiro no parece.» Me contestaron que averiguara si usted se lo había llevado con su gente para el Caquetá y que, en todo caso, por precaución, remitiera preso a Luciano Silva. A usted lo esperan hace tiempo y varias comisiones lo andan buscando. Yo le aconsejaría que se volviera a poner en claro estas cosas. Dígales allá que no tengo víveres y que mi personal está muriéndose de calenturas.

Quince días más tarde regresé al Encanto, a darme preso. Ocho meses antes había salido a la exploración. Aunque aseveré haber descubierto caños de mucha goma y ser inocente de la fuga de Juan Muñeiro y su grupo, me decretaron una novena de veinte azotes por día y sobre las heridas y desgarrones me rociaban sal. A la quinta flagelación no podía levantarme; pero me arrastraban en una estera sobre un hormiguero de congas, y tenía que salir corriendo. Esto divirtió de lo lindo a mis victimarios.

De nuevo volví a ser el cauchero Clemente Silva, decrépito y lamentable.

Sobre mis esperanzas pasaron los tiempos.

Lucianito debía tener diecinueve años.

* * *

Por esa época hubo para mi vida un suceso trascendental: un señor francés, a quien llamábamos el mosiú[87], llegó a las caucherías como explorador y naturalista. Al principio se susurró en los barracones que venía por cuenta de un gran museo y de no sé qué sociedad geográfica; luego se dijo que los amos de los gomales le costeaban la expedición.

Y así sería, porque Larrañaga le entregó víveres y peones. Como yo era el rumbero de mayor pericia, me retiraron de la tropa trabajadora en el río Cahuinarí para que lo guiara por donde él quisiera.

Al través de las espesuras iba mi machete abriendo la trocha, y detrás de mí desfilaba el sabio con sus cargueros, observando plantas, insectos, resinas. De noche, en playones solemnes, apuntaba a los cielos su teodolito y se ponía a coger estrellas, mientras que yo, cerca del aparato, le iluminaba el lente con un foco eléctrico. En lengua enrevesada solía decirme:

—Mañana te orientarás en la dirección de aquellos luceros. Fíjate bien de qué lado brillan y recuerda que el sol sale por aquí.

Y yo le respondía regocijado:

—Desde ayer hice el cálculo de ese rumbo, por puro instinto.

El francés, aunque reservado, era bondadoso. Es cierto que el idioma le oponía complicaciones; pero conmigo se mostró siempre afable y cordial. Admirábase de verme pisar el monte con pies descalzos, y me dio botas; dolíase de que las plagas me persiguieran, de que las fiebres me achajuanaran[88], y me puso inyecciones de varias clases, sin ol-

---

[87] *mosiú:* Pronunciación de «monsieur». Este personaje, como muchos otros de la novela, está basado en datos históricos. Eugenio Robuchon, geógrafo y fotógrafo francés contratado en 1904 por la Casa Arana para explorar la región, desapareció en la selva en 1906. En 1907 se publicó un libro de sus fotografías, *En el Putumayo y sus afluentes,* de dudosa credibilidad, financiado por la Casa Arana (Cfr. Michael Taussig, *Shamanism, Colonialism and the Wild Man. A Study in Terror and Healing,* Chicago: University of Chicago Press, 1987).

[88] *achajuanar:* Sofocarse por trabajar mucho cuando hace demasiado calor (LC).

vidarse nunca de dejarme en su vaso un sorbo de vino y consolar mis noches con algún cigarro.

Hasta entonces parecía no haberse enterado de la condición esclava de los caucheros. ¿Cómo pensar que nos apalearan, nos persiguieran, nos mutilaran aquellos señores de servil ceño y melosa charla que salieron a recibirlo en La Chorrera y en El Encanto? Mas cierto día que vagábamos en una vega del Yacuruma, por donde pasa un viejo camino que une barracones abandonados en la soledad de esas montañas, se detuvo el francés a mirar un árbol. Acerquéme por alistarle, según costumbre, la cámara fotográfica y esperar órdenes. El árbol, castrado antiguamente por los gomeros, era un siringo enorme, cuya corteza quedó llena de cicatrices, gruesas, protuberantes, tumefactas, como lobanillos apretujados.

—¿El señor desea tomar alguna fotografía? —le pregunté.

—Sí. Estoy observando unos jeroglíficos.

—¿Serán amenazas puestas por los caucheros?

—Evidentemente: aquí hay algo como una cruz.

Me acerqué congojoso, reconociendo mi obra de antaño, desfigurada por los repliegues de la corteza: "Aquí estuvo Clemente Silva." Del otro lado, las palabras de Lucianito: "Adiós, adiós..."

—¡Ay mosiú —murmuré—, esto lo hice yo!

Y apoyado en el tronco me puse a llorar.

* * *

Desde aquel instante tuve, por primera vez, un amigo y un protector. Compadecióse el sabio de mis desgracias y ofreció libertarme de mis patrones, comprando mi cuenta y la de mi hijo, si aún era esclavo. Le referí la vida horrible de los caucheros, le enumeré los tormentos que soportábamos, y, porque no dudara, lo convencí objetivamente:

—Señor, diga si mi espalda ha sufrido menos que ese árbol.

Y, levantándome la camisa, le enseñé mis carnes laceradas.

Momentos después, el árbol y yo perpetuamos en la Kodak nuestras heridas, que vertieron para igual amo distintos jugos: siringa y sangre.

De allí en adelante, el lente fotográfico se dio a funcionar entre las peonadas, reproduciendo fases de la tortura, sin tregua ni disimulo, abochornando a los capataces, aunque mis advertencias no cesaban de predicarle al naturalista el grave peligro de que mis amos lo supieran. El sabio seguía impertérrito, fotografiando mutilaciones y cicatrices. "Estos crímenes, que avergüenzan a la especie humana —solía decirme—, deben ser conocidos en todo el mundo para que los gobiernos se apresuren a remediarlos." Envió notas a Londres, París y Lima, acompañando vistas de sus denuncios, y pasaron tiempos sin que se notara ningún remedio. Entonces decidió quejarse a los empresarios, adujo documentos y me envió con cartas a La Chorrera.

Sólo Barchilón se encontraba allí. Apenas leyó el abultado pliego, hizo que me llevaran a su oficina.

—¿Dónde conseguiste botas de soche?*[89] —gruñó al mirarme.

—El mosiú me las dio con este vestido.

—¿Y dónde ha quedado ese vagabundo?

—Entre el caño Campuya y Lagarto-cocha —Afirmé mintiendo—. Poco más o menos a treinta días.

—¿Por qué pretende ese aventurero ponerle pauta a nuestro negocio? ¿Quién le otorgó permiso para darlas de retratista? ¿Por qué diablos vive alzaprimándome los peones?

—Lo ignoro, señor. Casi no habla con nadie y cuando lo hace, poco se le entiende...

—¿Y por qué propone que te vendamos?

—Cosas de él.

---

[89] *soche* o *venado soche (Mazama spp.)*: En el vocabulario que Rivera anexa a la novela, especie de venado. Es un venado pequeño, que no pasa de los 25 kg de peso, de cuernos no bifurcados. Aquí se refiere a la piel curtida con la que se fabrica calzado.

El furioso judío salió a la puerta y examinaba contra la luz algunas postales de la Kodak.

—¡Miserable! ¿Este espinazo no es el tuyo?

—¡No, señor; no, señor!

—¡Pélate medio cuerpo, inmediatamente!

Y me arrancó a tirones blusa y franela. Tal temblor me agitaba, que, por fortuna, la confrontación resultó imposible. El hombre requirió la pluma de su escritorio; y, tirándomela de lejos, me la clavó en el omóplato. Todo el cuadril se me tiñó de rojo.

—Puerco, quita de aquí, que me ensangrientas el entablado.

Me precipitó contra la baranda y tocó un silbato. Un capataz, a quien le decíamos el Culebrón, acudió solícito. Me preguntaron sobre mil cosas y las contesté equívocamente. El amo ordenó al entrar:

—Ajústale las botas con un par de grillos, porque, de seguro, le quedan grandes.

Así se hizo.

El Culebrón se puso en marcha con cuatro hombres, a llevar la respuesta, según se decía.

¡El infeliz francés no salió jamás!

* * *

El año siguiente fue para los caucheros muy fecundo en expectativas. No sé cómo, empezó a circular subrepticiamente en gomales y barracones un ejemplar del diario *La Felpa,* que dirigía en Iquitos el periodista Saldaña Roca. Sus columnas clamaban contra los crímenes que se cometían en el Putumayo y pedían justicia para nosotros. Recuerdo que la hoja estaba maltrecha, a fuerza de ser leída, y que en el siringal del caño Algodón la remendamos con caucho tibio, para que pudiera viajar de estrada en estrada, oculta entre un cilindro de bambú, que parecía cabo de hachuela.

A pesar de nuestro recato, un gomero del Ecuador, a quien llamábamos el Presbítero, le sopló al vigilante lo que ocurría, y sorprendieron cierta mañana, entre unos palmares de chiquichiqui[90], a un lector descuidado y a sus oyentes, tan distraídos en la lectura que no se dieron cuenta del nuevo público que tenían. Al lector le cosieron los párpados con fibras de cumare* y a los demás les echaron en los oídos cera caliente.

El capataz decidió regresar al Encanto para mostrar la hoja; y como no tenía curiara, me ordenó que lo condujera por entre el monte. Una nueva sorpresa me esperaba: había llegado un Visitador y en la propia casa recibía declaraciones.

Al darle mi nombre, comenzó a filiarme y en presencia de todos me preguntó:

—¿Usted quiere seguir trabajando aquí?

Aunque he tenido la desgracia de ser tímido, alarmé a la gente con mi respuesta:

—¡No, señor; no, señor!

El letrado acentuó con voz enérgica:

—Puede marcharse cuando le plazca, por orden mía. ¿Cuáles son sus señales particulares?

—Éstas —afirmé desnudando mi espalda.

El público estaba pálido. El Visitador me acercaba sus espejuelos. Sin preguntarme nada, repitió:

—¡Puede marcharse mañana mismo!

Y mis amos dijeron sumisamente:

—¡Señor Visitador, mande Su Señoría!

Uno de ellos, con el desparpajo de quien recita un discurso aprendido, agregó ante el funcionario:

—¿Curiosas cicatrices las de este hombre, verdad? ¡Tiene tantos secretos la botánica, particularmente en estas regiones! No sé si Su Señoría habrá oído hablar de un árbol maligno, llamado mariquita por los gomeros. El sabio francés, a petición nuestra, se interesó por estudiarlo. Dicho árbol, a semejanza de las mujeres de mal vivir, brinda una sombra perfumada; mas ¡ay! del que no resista a la ten-

---

90 *chiquichiqui (Leopoldinia piassaba):* Palma que crece en los afluentes del Orinoco y del río Negro. De ella se extrae una fibra larga, de color rojizo, muy resistente a la humedad, que se utiliza en cordelería marina y para fabricar escobas. Otra especie de fibra más corta crece en el Amazonas (AC).

tación: su cuerpo sale de allí veteado de rojo, con una comezón desesperante, y van apareciendo lamparones que se supuran y luego cicatrices arrugando la piel. Como este pobre viejo que está presente, muchos siringueros han sucumbido a la inexperiencia.

—Señor... —iba a insinuar; pero el hombre siguió tan cínico:

—¿Y quién creerá que este insignificante detalle le origina complicaciones a la empresa? Tiene tantas rémoras este negocio, exige tal patriotismo y perseverancia que si el gobierno nos desatiende quedarán sin soberanía estos grandes bosques, dentro del propio límite de la patria. Pues bien: Ya Su Señoría nos hizo el honor de averiguar en cada cuadrilla cuáles son las violencias, los azotes, los suplicios a que sometemos las peonadas, según el decir de nuestros vecinos, envidiosos y despechados, que buscan mil maneras de impedir que nuestra nación[91] recupere sus territorios y que haya peruanos en estas lindes, para cuyo intento no faltan nunca ciertos escritorcillos asalariados.

Ahora retrocedo al tema inicial: la empresa abre sus brazos a quien necesite de recursos y quiera enaltecerse mediante el esfuerzo. Aquí hay trabajadores de muchos lugares, buenos, malos, díscolos, perezosos. Disparidad de caracteres y de costumbres, indisciplina, amoralidad, todo eso ha encontrado en la mariquita un cómplice cómodo; porque algunos —principalmente los colombianos— cuando riñen y se golpean o padecen el mal del árbol, se vengan de la empresa que los corrige, desacreditando a los vigilantes, a quienes achacan toda lesión, toda cicatriz, desde las picaduras de los mosquitos hasta la más parva rasguñadura.

Así dijo, y volviéndose a los del grupo, les preguntó:

—¿Es verdad que en estas regiones abunda la mariquita? ¿Es cierto que produce pústulas y nacidos?

Y todos respondieron con grito unánime:

---

[91] *nuestra nación:* Perú. Se refiere a los conflictos de la época entre colombianos y peruanos, por motivos territoriales y económicos. Cfr. Roberto Pineda Camacho, «El ciclo del caucho (1850-1932)» (CA, págs. 205-209).

—¡Sí, señor; sí, señor!

—Afortunadamente —agregó el bellaco—, el Perú atenderá nuestra iniciativa patriótica: le hemos pedido a la autoridad que nos militarice las cuadrillas, mediante la dirección de oficiales y sargentos, a quienes pagaremos con mano pródiga su permanencia en estos confines, con tal que sirvan a un mismo tiempo de fiscales para la empresa y de vigilantes en las estradas. De esta suerte el gobierno tendrá soldados, los trabajadores garantías innegables y los empresarios estímulo, protección y paz.

El Visitador hizo un signo de complacencia.

* * *

Un abuelo, Balbino Jácome, nativo de Garzón[92], a quien se le secó la pierna derecha por la mordedura de una tarántula, fue a visitarme al anochecer; y recostando sus muletas bajo el alero de la barraca donde mi chinchorro pendía, dijo quedo:

—Paisano, cuando pise tierra cristiana pague una misa por mi intención.

—¿En premio de qué confirma las desvergüenzas de los empresarios?

—No. En memoria de la esperanza que hemos perdido.

—Sepa y entienda —le repuse— que usted no debe valerse de mi persona. Usted ha sido el más abyecto de los lambones*, el favorito de Juancho Vega, a quien superó en renegar de nuestro país y en desacreditar a los colombianos.

—Sin embargo —replicó—, mis compatriotas algo me deben. Pues que usted se va, puedo hablarle claro: he tenido la diplomacia de enamorar a los enemigos, aparentando esgrimir el rebenque para que hubiera un verdugo me-

---

92 Balbino Jácome es otro de los personajes colombianos esclavizados en las caucherías. Viene de Garzón, departamento del Huila. Su relato se inserta en el de Clemente Silva, con los conocidos diálogos y contaminaciones textuales de las diversas voces de la novela.

nos. He desempeñado el puesto de espía porque no pusieran a otros, de verdaderas capacidades. No hice más que amoldarme al medio y jugar al tute escogiendo las cartas. ¿Que era necesario atajar un chisme? Yo lo sabía y lo tergiversaba. ¿Que a un tal lo maltrataron en la cuadrilla? Aplaudía el maltratamiento ya inevitable, y luego me vengaba del esbirro. ¿Por qué los vigilantes me miman tanto? Porque soy el hombre de las influencias y de la confianza. "Oye, le digo a uno: los amos han sabido cierta cosita..." Y éste se me postra, prorrumpiendo en explicaciones. Entonces consigo lo que nadie obtendría: "¡No me les pegues a mis paisanos; si aprietas allá, te remacho aquí!"

De esta manera practico el bien, sin escrúpulos, sin gloria y con sacrificios que nadie agradece. Siendo una escoria andante, hago lo que puedo como buen patriota, disfrazado de mercenario. Usted mismo se irá muy pronto, odiándome, maldiciéndome, y al pisar su valle, fértil como el mío, sentirá alegría de que yo sufra en tierra de salvajes la expiación de pecados que son virtudes.

Confíeselo, paisano: ¿cuando su viaje al Caquetá no le rogué que se picureara? ¿No le pinté, para decidirlo, el caso de Julio Sánchez, que en una canoa se fugó con la esposa encinta, por toda la vena del Putumayo, sin sal ni fuego, perseguido por lanchas y guarniciones, guareciéndose en los rebalses, remontando tan sólo en noches oscuras, y en tan largo tiempo, que al salir a Mocoa la mujer penetró en la iglesia llevando de la mano a su muchachito, nacido en la curiara?

Mas usted despreció muchas facilidades. ¡Si yo las hubiera tenido, si no me maneara esta invalidez! Cuantos se fugan, por consejos míos, me prometieron venir por mí y llevarme en hombros; pero se largan sin avisarme, y si los prenden, cargo la culpa, y vienen a decir que fui su cómplice, por lo cual tengo que exigir que les echen palo, para recuperar así mi influencia mermada. ¿Quién le rogó al francés que pidiera de rumbero a Clemente Silva? ¿Qué mejor coyuntura para un picure? ¡Y usted, lejos de agradecer mis sugestiones, me trató mal! Y en vez de impedir que el sabio se metiera en tantos peligros, lo dejó solo, y tuvo la ocurrencia de venir con esas cartas donde el patrón, para que sucediera lo que ha sucedido. ¡Y ahora quiere que me ponga a contradecir lo que dicen los amos, cuando nos ha perdido el Visitador!

—¡Hola, paisano, explíqueme eso!

—No, porque nos oyen en la cocina. Si quiere, más tardecito nos vamos en la curiara, con el pretexto de pescar.

Así lo hicimos.

* * *

En el puerto había diversas embarcaciones. Mi compañero se detuvo a hablar con un boga que dormía a bordo de una gran lancha. Ya me impacientaba la demora cuando oí que se despidieron. El marinero prendió el motor y encendióse la luz eléctrica. Sobre la bombilla de mayor volumen comenzó a zumbar el ventilador.

Entonces, por un tablón que servía de puente, pasaron a la barca varias personas de vestidos almidonados, y entre ellas una dama llena de joyas y arandelas, que se reía con risa de rico. Mi compañero se me acercó.

—Mire —dijo en voz baja—, los señores amos están de té. Esa hermosura a quien le da la mano Su Señoría es la madona Zoraida Ayram.

Nos metimos en la curiara, y, a poco bogar, la amarramos en un remanso, desde donde veíamos luces de focos reflejadas en la corriente. Balbino Jácome dio principio a su exposición:

—Según me contaba Juanchito Vega, las cartas que el sabio mandó al exterior produjeron alarmas muy graves. A esto se agrega que el francés desapareció, como desaparecen aquí los hombres. Pero Arana vive en Iquitos y su dinero está en todas partes. Hace como seis meses empezó a mandar los periódicos enemigos para que la empresa los conociera y tomara con tiempo precauciones.

Al principio, ni siquiera me los mostraban; después me preguntaron si podían contar conmigo y me gratificaron con la administración de la pulpería.

Cierta vez que los empresarios se trasladaron a La Chorrera, unos cuadrilleros pidieron quinina y pólvora. Como bien conozco qué capataces no deletrean, hice paquetes en esos periódicos y los despaché a los barracones y a los siringales, por si algún día, al quedar por ahí volteando, daban con un lector que los aprovechara.

—Paisano —exclamé—, ahora sí le creo. Entre nosotros circuló uno. ¡Por causa de él vine a dar aquí, a encontrar salvación! ¡Gracias a usted! ¡Gracias a usted!

—No se alegre, paisano: ¡estamos perdidos!

—¿Por qué? ¿Por qué?

—¡Por la venida de este maldito Visitador! ¡Por este Visitador que al fin no hizo nada! Mire usted: quitaron el cepo, el día que llegó, y pusiéronselo de puente al desembarcar, sin que se le ocurriera reparar en los agujeros que tiene, o en las manchas de sangre que lo vetean; fuimos al patio, al lugar donde estuvo puesta esa máquina de tormento, y no advirtió los trillados que dejaron los prisioneros al debatirse, pidiendo agua, pidiendo sombra. Por burlarse de él, olvidaron en la baranda un rebenque de seis puntas, y preguntó el muy simple si estaba hecho de verga de toro. Y Macedo, con gran descaro, le dijo riéndose: «Su Señoría es hombre sagaz. Quiere saber si comemos carne vacuna. Evidentemente, aunque el ganado cuesta carísimo, en aquel botalón apegamos las resecitas.»

—Me consta —le argüí— que el Visitador es hombre enérgico.

—Pero sin malicia ni observación. Es como un toro ciego que sólo le embiste al que le haga ruido. ¡Y aquí nadie se atreve a hablar! Aquí ya estaba todo muy bien arreglado y las cuadrillas reorganizadas: a los peones descontentos o resentidos los encentraron quién sabe en dónde, y los indios que no entienden el español ocuparon los caños próximos. Las visitas del funcionario se limitaron a reconocer algunas cuadrillas, de las ciento y tantas que trabajan en estos ríos y en muchos otros inexplorados, de suerte que en recorrerlas e interrogarlas nadie gastaría menos de cinco meses. Aún no hace una semana que llegó el Visitador y ya está de vuelta.

Su Señoría se contentará con decir que estuvo en la calumniada selva del crimen, les habló de *habeas corpus*[93] a los gomeros, oyó sus quejas, impuso su autoridad y los dejó en condiciones inmejorables, facultados para el regreso al hogar lejano. Y de aquí en adelante nadie prestará crédito a las torturas y a las expoliaciones, y sucumbiremos irredentos, porque el informe que presente Su Señoría será respuesta obligada a todo reclamo, si quedan personas cándidas que se atrevan a insistir sobre asuntos ya desmentidos oficialmente.

Paisano, no se sorprenda al escucharme estos razonamientos, en los cuales no tengo parte. Es que se los he oído a los empresarios. Ellos temblaron ante la idea de salir de aquí con la soga al cuello: y hoy se ríen del temor pretérito porque aseguraron el porvenir. Cuando el Visitador se movía para tal caño, en ejercicio de sus funciones, quedábamos en casa sin más distracción que la de apostar a que no pasarían de tres los gomeros que se atrevieran a dar denuncios, y a que Su Señoría tendría para todos idéntica frase: «Usted puede irse cuando le plazca.»

—Paisano, ¡si estamos libres! ¡Si nos han dado libertad!

—No, compañero, ni se lo sueñe. Quizás algunos podrían marcharse, pero pagando, y no tienen medios. No saben el por dónde, el cómo, ni el cuándo. «Mañana mismo.» ¡Ese es un adverbio que suena bien! ¿Y el saldo y la embarcación y el camino y las guarniciones? Salir de aquí por quedar allá, no es negocio que pague los gastos, muy menos hoy que los intereses sólo se abonan a látigo y sangre.

—¡Yo me olvidaba de esa verdad! ¡Me voy a hablarle al Visitador!

—¡Cómo! ¿A interrumpir sus coloquios con la madona?

—¡A pedirle que me lleve de cualquier modo!

---

[93] *habeas corpus:* Derecho del ciudadano detenido o preso a comparecer inmediata y públicamente ante un juez o tribunal para que, oyéndole, resuelva si su arresto fue o no legal, y si debe alzarse o mantenerse (DRAE).

—No se afane, que mañana será otro día. El boga con quien hablé al venir aquí, dañará el motor de la lancha esta misma noche y durará el daño hasta que yo quiera. Para eso está en mis manos la pulpería. Ya ve que los lambones de algo servimos.

—¡Perdóneme, perdóneme! ¿Qué debo hacer?

—Lo que manda Dios: confiar y esperar. ¡Y lo que yo mando: seguir oyendo!

Sin hacer caso de mi angustia, Balbino Jácome prosiguió:

—Su Señoría no se lleva ni un solo preso, aunque se le hubieran dado algunitos, por peligrosos; no a los que matan o a los que hieren, sino a los que roban. Pero el Visitador no pudo hacer más. Antes que llegara, fueron espías a las barracas a secretear el chisme de que la empresa quería cerciorarse de cuáles eran los servidores de mala índole, para ahorcarlos a todos, con cuyo fin les tomaría declaraciones cierto socio extranjero, que se haría pasar por Juez de Instrucción. Esta medida tuvo un éxito completísimo: Su Señoría halló por doquiera gentes felices y agradecidas, que nunca oyeron decir de asesinatos ni de vejámenes.

Mas el crimen perpetuo no está en las selvas sino en dos libros: en el Diario y en el Mayor. Si Su Señoría los conociera, encontraría más lectura en el DEBE, que en el HABER, ya que a muchos hombres se les lleva la cuenta por simple cálculo, según lo que informan los capataces. Con todo, hallaría datos inicuos: peones que entregan kilos de goma a cinco centavos y reciben franelas a veinte pesos; indios que trabajan hace seis años, y aparecen debiendo aún el mañoco del primer mes; niños que heredan deudas enormes, procedentes del padre que les mataron, de la madre que les forzaron, hasta de las hermanas que les violaron, y que no cubrirán en toda su vida, porque cuando conozcan la pubertad, los solos gastos de su niñez les darán medio siglo de esclavitud.

Mi compañero hizo una pausa, mientras me ofrecía su tabaquera. Yo, aunque consternado por tanta ignominia, quise defender al Visitador:

—Probablemente Su Señoría no tendrá orden judicial para ver esos libros.

—Aunque la tuviera. Están bien guardados.

—¿Y será posible que Su Señoría no lleve pruebas de tantos atropellos que fueron públicos? ¿Se estará haciendo el disimulado?

—Aunque así fuera. ¿Qué ganaríamos con la evidencia de que fulano mató a zutano, robó a mengano, hirió a perencejo? Eso, como dice Juanchito Vega, pasa en Iquitos y en donde quiera que existan hombres: cuanto más aquí en una selva sin policía ni autoridades. Líbrenos Dios de que se compruebe crimen alguno, porque los patrones lograrían realizar su mayor deseo: la creación de Alcaldías y de Panópticos, o mejor, la iniquidad dirigida por ellos mismos. Recuerde usted que aspiran a militarizar a los trabajadores, a tiempo que en Colombia pasan cosillas reveladoras de algo muy grave, de subterránea complicidad, según frase de Larrañaga. Los colonos colombianos ¿no están vendiendo a esta empresa sus fundaciones, forzados por la falta de garantías? Ahí están Calderón, Hipólito Pérez y muchos otros, que reciben lo que les dan, creyéndose bien pagados con no perderlo todo y poder escurrir el bulto. Y Arana, que es el despojador, ¿no sigue siendo, prácticamente, Cónsul nuestro en Iquitos? ¿Y el Presidente de la República no dizque envió al General Velasco a licenciar tropas y resguardos en el Putumayo y en el Caquetá, como respuesta muda a la demanda de protección que los colonizadores de nuestros ríos le hacían a diario? ¡Paisano, paisanito, estamos perdidos! ¡Y el Putumayo y el Caquetá se pierden también![94].

Óigame este consejo: ¡no diga nada! Dicen que el que habla yerra, pero el que hable de estos secretos errará más. Vaya, predíquelos en Lima o en Bogotá, si quiere que lo tengan por mendaz y calumniador. Si le preguntan por el francés, diga que la empresa lo envió a explorar lo desco-

---

[94] La crítica de Balbino Jácome, como colombiano, sobre la política del gobierno central respecto a los territorios de la frontera, refleja la posición de José Eustasio Rivera. (*HH*, págs. 288-307).

nocido; si le averiguan la especie aquella de que El Culebrón mostró cierto día el reloj del sabio, adviértales que
eso fue con ocasión de una borrachera, y que por siempre
está durmiéndola. Al que lo interrogue por El Chispita,
respóndale que era un capataz bastante ilustrado en lenguas nativas: yeral, carijona, huitoto, muinane; y si usted,
por adobar la conversación, tiene que referir algún episodio, no cuente que esa paloma les robaba los guayucos a los
indígenas para tener pretexto de castigarlos por inmorales,
ni que los obligaba a enterrar la goma, sólo por esperar que
llegara el amo y descubrirle ocasionalmente los escondites,
con lo cual sostenía su fama de adivino honrado y vivaz;
hable de sus uñazas, afiladas como lancetas, que podían
matar al indio más fuerte con imperceptible rasguñadura,
no por ser mágicas ni enconosas, sino por el veneno de curare* que las teñía.

—¡Paisano —exclamé—: usted me habla de Lima y de
Bogotá como si estuviera seguro de que puedo salir de
aquí!

—Sí, señor. Tengo quien lo compre y quien se lo lleve:
¡la madona Zoraida Ayram!

—¿De veras? ¿De veras?

—Como ser de noche. Esta mañana, cuando Su Señoría
lo mandó llamar para interrogarlo, la madona lo veía desde la baranda, con el binóculo: y cuando usted declaró en
alta voz que no quería trabajar más, ella pareció muy com-
placida por tal insolencia. «¿Quién es, me preguntó, ese
viejo tan arriesgado?» Y yo respondí: «Nada menos que el
hombre que le conviene: es el rumbero llamado El Brújulo, a quien le recomiendo como letrado, ducho en números, perito en tratos de goma, conocedor de barracas y de
siringales, avispado en lances de contrabando, buen mercader, buen boga, buen pendolista[95], a quien su hermosura
puede adquirir por muy poca cosa. Si lo hubiera tenido
cuando el asunto de Juan Muñeiro, no me contaría complicaciones.»

—¿Asunto de Juan Muñeiro? ¿Complicaciones?

---

[95] *pendolista:* Calígrafo. Escritor (MM).

—Sí, descuidillos que pasaron ya. La madona les compró el caucho a los picures de Capalurco y en Iquitos querían decomisárselo. Pero ella triunfó. ¡Para eso es hermosa! Les habían prohibido a las guarniciones que la dejaran subir estos ríos, y ya ve usted que el Visitador le compuso todo, y hasta de balde. Sin embargo: la mujer cuando da, pide; y el hombre pide cuando da.

—¡Compañero, la madona tendrá noticias de Lucianito! ¡Voy a hablar con ella! ¡Aunque no me compre!

Veinte días después estaba en Iquitos.

* * *

La lancha de la madona remolcaba un bongo de cien quintales, en cuya popa gobernaba yo la espadilla, sufriendo sol. Frecuentemente atracábamos en bohíos del Amazonas, para realizar la corotería aunque fuera permutándola por productos de la región, jebe*, castañas, pirarucú*[96], ya que hasta entonces la agricultura no había conocido adictos en tan dilatados territorios. Doña Zoraida misma pactaba las permutas con los colonos, y era tal su labia de mercachifle, que siempre al reembarcarse tuvo el placer de verme inscribir en el Diario las cicateras utilidades obtenidas.

No tardé en convencerme de que mi ama era de carácter insoportable, tan atrabiliaria como un canónigo. Negóse a creerme que era el padre de Lucianito, habló despectivamente de Muñeiro, y a fuerza de humillaciones pude saber que los prófugos, tras de engañarla con un siringa, que «era robado y de ínfima clase», burlaron las guarniciones del Amazonas y remontaron el Caquetá hasta la confluencia del Apaporis, por donde subieron en busca del río Taraira, que tiene una trocha para el Vaupés, a cuyas márgenes fue a buscarlos para que la indemnizaran de los perjui-

---

[96] *jebe* o *caucho:* Véase la nota 86 de esta segunda parte.

pirarucú o *paiche (Arapaima gigas):* Pez de la familia de los osteoglosídeos, que llega a pesar más de cien kilos. Muy apreciado y perseguido, está en proceso de extinción. Se encuentra en el Amazonas, el Putumayo y el Caquetá (LC, AC).

cios, sin lograr más que decepciones y hasta calumnias contra su decoro de mujer virgen, pues hubo deslenguados que se atrevieron a inventar un drama de amor.

—¡No olvides, viejo —gritóme un día—, tu vil condición de criado mendigo! No tolero que me interrogues familiarmente sobre puntos que apenas serían pasables en conversaciones de camaradas. Basta de preguntarme si Lucianito es mozo apuesto, si tiene bozo, buena salud y modales nobles. ¿Qué me importan a mí semejantes cosas? ¿Ando tras los hombres para inventariarles sus lindas caras? ¿Está mi negocio en preferir los clientes gallardos? ¡Sigue, pues, de atrevido y necio, y venderé tu cuenta a quien me la compre!

—¡Madona, no me trate así, que ya no estamos en los siringales! ¡Harto estoy de sufrir por hijos ingratos! ¡Ocho años llevo de buscar al que se me vino, y él, quizá, mientras yo lo anhelo, nunca habrá pensado en hallarme a mí! ¡El dolor de esta idea es suficiente para abreviar mi pesadumbre, porque soy capaz, en cualquier instante, de soltar el timón del bongo y lanzarme al agua! ¡Sólo quiero saber si Luciano ignora que lo busco; si topaba mis señas en los troncos y en los caminos; si se acordaba de su mamá!

—¡Ay, arrojarte al agua! ¡Arrojarte al agua! ¿Será posible? ¿Y mis dos mil soles? ¿Mis dos mil soles? ¿Quién me paga mis dos mil soles?

—¿Ya no tengo derecho ni de morir?

—¡Eso sería un fraude!

—¿Pero cree usted que mi cuenta es justa? ¿Quién no cubre en ocho años de labor continua lo que se come? ¿Estos harapos que envilecen mi cuerpo no están gritando la miseria en que viví siempre?

—Y el robo de tu hijo...

—¡Mi hijo no roba! ¡Aunque haya crecido entre bandoleros! No lo confunda con los demás. ¡Él no le ha vendido caucho ninguno! Usted hizo el trato con Juan Muñeiro, recibió la goma y se la debe en parte. ¡He revisado ya los libros!

—¡Ay, este hombre es espía! ¡Me engañaron los de El Encanto! ¡Traición del viejo Balbino Jácome! ¡Pero de mí no te burlarás! ¡Cuando desembarquemos, te haré prender!

—¡Sí, que me entreguen al juez Valcárcel, para quien llevo graves revelaciones!

—¡Alá! ¿Piensas meterme en nuevos embrollos?

—¡Pierda cuidado! No seré delator cuando he sido víctima.

—Yo arreglo eso. ¡Me echarás encima el odio de Arana!

—No mentaré lo de Juan Muñeiro.

—¡Vas a crearte enemigos muy poderosos! ¡En Manaos te dejaré libre! ¡Irás a Vaupés y abrazarás a Luciano Silva, a tu hijo querido, quien de seguro anda buscándote!

—No desistiré de hablar con mi Cónsul. ¡Colombia necesita de mis secretos! ¡Aunque muriera inmediatamente! ¡Ahí le queda mi hijo para luchar!

Horas después, desembarcamos.

* * *

El altercado con la madona me enalteció. A las últimas frases, me troqué en amo, temido por mi dueña, mirado con respeto por la servidumbre de lancha y de bongo. El motorista y el timonel, que en días anteriores me obligaban a lavar sus ropas, no sabían qué hacer con el «señor Silva». Al saltar a tierra, uno de ellos me ofreció cigarrillos, mientras que el otro me alargaba la yesca de su eslabón, sombrero en mano.

—¡Señor Silva, usted nos ha vengado de muchas afrentas!

La mestiza de Parintins, camarera de la madona, pidió a los hombres, desde la lancha, que descorrieran las cortinas de a bordo.

—Pronto, que la señora tiene cefálicos[97]. Ya se ha tomado dos aspirinas. ¡Es urgente guindarle la hamaca!

Mientras los marineros obedecían, medité mis planes: ir al Consulado de mi país, exigirle al Cónsul que me asesorara en la Prefectura o en el Juzgado, denunciar los crímenes

---

[97] *tener cefálicos:* Tener dolor de cabeza.

de la selva, referir cuanto me constaba sobre la expedición del sabio francés, solicitar mi repatriación, la libertad de los caucheros esclavizados, la revisión de libros y cuentas en La Chorrera y en El Encanto, la redención de miles de indígenas, el amparo de los colonos, el libre comercio en caños y ríos. Todo, después de haber conseguido la orden de amparo a mi autoridad de padre legítimo, sobre mi hijo menor de edad, para llevármelo, aun por la fuerza, de cualquier cuadrilla, barraca o monte.

La camarera se me acercó:

—Señor Silva, nuestra señora ruega a usted que ordene sacar del bongo lo que allí venga, y que haga en la Aduana las gestiones indispensables, como cosa propia, por ser usted el hombre de confianza.

—Dígale que me voy para el Consulado.

—¡Pobrecita, cómo ha llorado al pensar en «Lú»!

—¿Quién es ese Lú?

—Lucianito. Así le decía cuando anduvieron juntos en el Vaupés.

—¡Juntos!

—Sí, señor, como beso y boca. Era muy generoso, le conseguía lotes de caucho. La que tiene detalles ciertos es mi hermana mayor, que actualmente está en el Río Negro, como querida de un capataz del turco Pezil, y fue primero que yo camarera de la madona.

Al escuchar esta confidencia temblé de amargura y resentimiento. Volví el rostro hacia la ciudad, disimulando mi indignación. Ignoro en qué momento me puse en marcha. Atravesé corrillos de marineros, filas de cargadores, grupos de resguardo. Un hombre me detuvo para que le mostrara el pasaporte. Otro me preguntó de dónde venía, y si en mi canoa quedaban legumbres para vender. No sé cómo recorrí las calles, suburbios, atracaderos. En una plaza me detuve frente a un portón que tenía un escudo. Llamé.

—¿El Cónsul de Colombia se encuentra aquí?

—¿Qué Cónsul es ése? —preguntó una dama.

—El de Colombia.

—¡Ja, ja!

En una esquina vi sobre el balcón el asta de una bandera. Entré.

—Perdone, señor: ¿el Consulado de la República de Colombia?

—Este no es.

Y seguí caminando de ceca en meca, hasta la noche.

—Caballero —le dije a un nadie— : ¿dónde reside el Cónsul de Francia?

Inmediatamente me dio las señas. La oficina estaba cerrada. En la placa de cobre leí: Horas de despacho, de nueve a once.

* * *

Pasada la primera nerviosidad, me sentí tan acobardado, que eché de menos la salvajez de los siringales. Siquiera allá tenía «conocidos» y para mi chinchorro no faltaba un lugar; mis costumbres estaban hechas, sabía desde por la noche la tarea del día siguiente y hasta los sufrimientos me venían reglamentados. Pero en la ciudad advertí que me faltaba el hábito de las risas, del albedrío, del bienestar. Vagaba por las aceras con el temor de ser importuno, con la melancolía de ser extranjero. Me parecía, que alguien iba a preguntarme por qué andaba ocioso, por qué no seguía fumigando goma, por qué había desertado de mi barraca. Donde hablaran recio, mis espaldas se estremecían; donde hallaba luces, encandilábanse mis ojos, habituados a la penumbra. La libertad me desconocía, porque no era libre: tenía un amo, el acreedor; tenía un grillo, la deuda, y me faltaban la ocupación, el techo y el pan.

Varias veces había recorrido el pueblo, sin comprender que no era grande. Al fin me di cata de que los edificios se repetían. En uno de ellos desocupábanse los vehículos. Adentro, aplausos y músicas. La madona bajó de un coche, en compañía de un caballero gordo, cuyos bigotes eran gruesos y retorcidos como cables. Quise volver al puerto y vi en una tienda al motorista y al timonel.

—Señor Silva, estamos aquí porque no hay cuidado en la embarcación. Ya entregamos todo. Mañana, a las doce en punto, sale el vapor de línea que entra en el Río Negro. La madona compró pasaje. Pero los tres viajaremos en nuestra lancha. Saldremos cuando usted lo ordene. Le aconsejaríamos dejar sus secretos para Manaos. Aquí no le oyen. ¿Qué esperanzas le dio su Cónsul?

—Ni siquiera sé dónde vive.

—¿Podrían decirme —les preguntó el timonel a los parroquianos— si el Consulado de Colombia tiene oficina?

—No sabemos.

—Creo que donde Arana, Vega y Compañía —insinuó el motorista—. Yo conocí de Cónsul a don Juancho Vega.

La ventera, que lavaba las copas en un caldero, advirtió a sus clientes:

—El latonero de la vecindad me ha contado que a su patrón lo llaman el Cónsul. Pueden indagar si alguno de ellos es colombiano.

Yo, por honor del nombre, rechacé la burla:

—¡Ustedes no sospechan por quién les pregunto!

Sin embargo, al amanecer tuve el pensamiento de visitar la latonería y pasé varias veces por la acera opuesta, con actitudes de observador, mientras llegaba la hora de presentarme al Cónsul de Francia. La gente del barrio era madrugadora. No tardó en abrirse la indicada puerta. Un hombre, que tenía delantal azul, soplaba fuera del quicio, con grandes fuelles, un brasero metálico. Cuando llegué, comenzó a soldar el cuello de un alambique. En los estantes se alineaba una profusa cacharrería.

—Señor, ¿Colombia tiene Cónsul en este pueblo?

—Aquí vive, y ahora saldrá.

Y salió en mangas de camisa, sorbiendo su pocillo de chocolate. El tal no era un ogro, ni mucho menos. Al verlo, aventuré mi campechanada:

—¡Paisano, paisano! ¡Vengo a pedir mi repatriación!

—Yo no soy de Colombia ni me pagan sueldos. Su país no repatria a nadie. El pasaporte vale cincuenta soles.

—Vengo del Putumayo, y esto lo compruebo con la miseria de mis chanchiras*, con las cicatrices de los azotes, con la amarillez de mi rostro enfermo. Lléveme al Juzgado a denunciar crímenes.

—Ni soy abogado ni sé de leyes. Si no puede pagar a un procurador...

—Tengo revelaciones sobre la exploración del sabio francés.

—Pues que las oiga el Cónsul de Francia.

—A un hijo mío, menor de edad, me lo secuestraron en esos ríos.

—Eso se debe tratar en Lima. ¿Cómo se llama el hijo de usted?

—¡Luciano Silva, Luciano Silva!

—¡Oh, oh, oh! Le aconsejo callar. El Cónsul de Francia tiene noticias. Ese apellido no le será grato. Un tal Silva fue a La Chorrera, después que el sabio desapareció, usando los vestidos de éste. La orden de captura no tardará. ¿Conoce usted al rumbero apodado El Brújulo? ¿Cuáles van a ser sus revelaciones?

—Versarán sobre cosas que me refirieron.

—Las sabrá de seguro el señor Arana, quien se interesa por ese asunto; pero cuénteselas usted y pídale trabajo, de mi parte. Él es hombre muy bueno y le ayudará.

Porque no percibiera mi agitación, me despedí sin darle la mano[98]. Cuando salí a la calle no acertaba a encontrar el puerto. El motorista y el timonel estaban a bordo de la lancha con unos peones.

—Vámonos —les rogué.

—Venga, conozca tres compañeros del personal del señor Pezil, el caballero grueso que anoche estuvo en el cine con la madona. Todos vamos para Manaos, y vamos solos porque nuestros patrones tomaron el buque.

Al instalarnos para partir, me dijo alguno de esos muchachos:

—De todo corazón lo acompañamos en sus desgracias.

—De igual manera les agradezco sus expresiones.

---

[98] Clemente Silva busca la protección de una autoridad colombiana en Iquitos, y en lugar de eso encuentra a un cónsul que es socio y cómplice de los dueños peruanos de las caucherías.

—En el propio raudal de Yavaraté, contra las raíces de un jacarandá[99].

—¿Qué me dice usted?

—Que es preciso esperar tres años para poder sacar los huesos.

—¿De quién? ¿De quién?

—De su pobre hijo. ¡Lo mató un árbol!

El trueno del motor apagó mi grito:

—¡Vida mía! ¡Lo mató un árbol!

---

[99] *Yavaraté:* Población de la frontera colombo-brasileña, junto al Vaupés.

jacarandá (Jacaranda copaia) o *gualanday:* Árbol de hermoso follaje, flores azuladas y madera muy apreciada. De la familia de las bignoniáceas. Crece comúnmente como vegetación secundaria (MM, AC).

Tercera parte

¡Yo he sido cauchero, yo soy cauchero![1]. Viví entre fangosos rebalses, en la soledad de las montañas, con mi cuadrilla de hombres palúdicos, picando la corteza de unos árboles que tienen sangre blanca, como los dioses.

A mil leguas del hogar donde nací, maldije los recuerdos porque todos son tristes: ¡el de los padres, que envejecieron en la pobreza, esperando apoyo del hijo ausente; el de las hermanas, de belleza núbil, que sonríen a las decepciones, sin que la fortuna mude el ceño, sin que el hermano les lleve el oro restaurador!

¡A menudo, al clavar la hachuela en el tronco vivo sentí deseo de descargarla contra mi propia mano, que tocó las monedas sin atraparlas; mano desventurada que no produce, que no roba, que no redime, y ha vacilado en libertar-

---

[1] Paralelo por su tono lírico al primer capítulo de la segunda parte, este fragmento se ha llamado la canción, el canto o el lamento del cauchero. De nuevo se presenta un caso de contaminación de discursos: aunque la voz podría ser de Arturo Cova, el único cauchero del grupo es Clemente Silva, quien además en otras oportunidades se refiere a la selva en términos muy similares a los de Cova. Por otra parte, el tono y el vocabulario evocan especialmente la voz de Cova en el fragmento de carta que sigue al prólogo de la novela. En este capítulo se repiten los temas y motivos más significativos de la obra, como la relación entre leche/semen y sangre («sangre blanca»), el árbol antropomorfizado, los elementos melodramáticos de las relaciones familiares imaginadas, la función del dinero, la selva como cárcel, las metas irrealizadas, la dicotomía entre cuerpo y espíritu, la invocación satánica. Alude, asimismo, a las técnicas de recolección del látex, y a la esclavitud y rivalidad de los caucheros.

me de la vida! ¡Y pensar que tantas gentes en esta selva están soportando igual dolor!

¿Quién estableció el desequilibrio entre la realidad y el alma incolmable? ¿Para qué nos dieron alas en el vacío? ¡Nuestra madrastra fue la pobreza, nuestro tirano, la aspiración! Por mirar la altura tropezábamos en la tierra; por atender al vientre misérrimo fracasamos en el espíritu. La medianía nos brindó su angustia. ¡Sólo fuimos los héroes de lo mediocre!

¡El que logró entrever la vida feliz, no ha tenido con qué comprarla; el que buscó la novia, halló el desdén; el que soñó en la esposa, encontró la querida; el que intentó elevarse, cayó vencido ante los magnates indiferentes, tan impasibles como estos árboles que nos miran languidecer de fiebres y de hambre entre sanguijuelas y hormigas!

¡Quise hacerle descuentos a la ilusión, pero incógnita fuerza disparóme más allá de la realidad! Pasé por encima de la ventura, como flecha que marra su blanco, sin poder corregir el fatal impulso y sin otro destino que caer! ¡Y a esto lo llamaban mi porvenir!

¡Sueños irrealizados, triunfos perdidos! ¿Por qué sois fantasmas de la memoria, cual si me quisierais avergonzar? ¡Ved en lo que ha parado este soñador: en herir al árbol inerme para enriquecer a los que no sueñan; en soportar desprecios y vejaciones en cambio de un mendrugo al anochecer!

Esclavo, no te quejes de las fatigas; preso, no te duelas de tu prisión: ignoráis la tortura de vagar sueltos en una cárcel como la selva, cuyas bóvedas verdes tienen por fosos ríos inmensos. ¡No sabéis del suplicio de las penumbras, viendo al sol que ilumina la playa opuesta, adonde nunca lograremos ir! ¡La cadena que muerde vuestros tobillos es más piadosa que las sanguijuelas de estos pantanos; el carcelero que os atormenta no es tan adusto como estos árboles, que nos vigilan sin hablar!

Tengo trescientos troncos en mis estradas[2] y en martirizarlos gasto nueve días. Les he limpiado los bejuqueros y

---

[2] *estrada:* Camino.

hacia cada uno desbrocé un camino. Al recorrer la taimada tropa de vegetales para derribar a los que no lloran, suelo sorprender a los castradores robándose la goma ajena. Reñimos a mordiscos y a machetazos, y la leche disputada se salpica de gotas enrojecidas. ¿Mas qué importa que nuestras venas aumenten la savia del vegetal? ¡El capataz exige diez litros diarios y el foete[3] es usurero que nunca perdona!

¿Y qué mucho que mi vecino, el que trabaja en la vega próxima, muera de fiebre? Ya lo veo tendido en las hojarascas, sacudiéndose los moscones, que no lo dejan agonizar. Mañana tendré que irme de estos lugares, derrotado por la hediondez; pero le robaré la goma que haya extraído y mi trabajo será menor. Otro tanto harán conmigo cuando muera. ¡Yo, que no he robado para mis padres, robaré cuanto pueda para mis verdugos!

Mientras le ciño al tronco goteante el tallo acanalado del caraná[4], para que corra hacia la tazuela su llanto trágico, la nube de mosquitos que lo defiende chupa mi sangre y el vaho de los bosques me nubla los ojos. ¡Así el árbol y yo, con tormento vario, somos lacrimatorios ante la muerte y nos combatiremos hasta sucumbir!

Mas yo no compadezco al que no protesta. Un temblor de ramas no es rebeldía que me inspire afecto. ¿Por qué no ruge toda la selva y nos aplasta como a reptiles para castigar la explotación vil? ¡Aquí no siento tristeza sino desesperación! ¡Quisiera tener con quién conspirar! ¡Quisiera librar la batalla de las especies, morir en los cataclismos, ver invertidas las fuerzas cósmicas! ¡Si Satán dirigiera esta rebelión!...

¡Yo he sido cauchero, yo soy cauchero! ¡Y lo que hizo mi mano contra los árboles puede hacerlo contra los hombres!

* * *

---

[3] *foete:* Látigo (LC).
[4] *caraná (Mauritia carana):* Palma muy usada para techar casas con sus hojas. Se encuentra en el Alto Orinoco y el río Negro (AC).

—Sepa usted, don Clemente Silva —le dije al tomar la trocha del Guaracú—, que sus tribulaciones nos han ganado para su causa. Su redención encabeza el programa de nuestra vida. Siento que en mí se enciende un anhelo de inmolación; mas no me aúpa la piedad del mártir, sino el ansia de contender con esta fauna de hombres de presa, a quienes venceré con armas iguales, aniquilando el mal con el mal, ya que la voz de paz y justicia sólo se pronuncia entre los rendidos. ¿Qué ha ganado usted con sentirse víctima? La mansedumbre le prepara terreno a la tiranía y la pasividad de los explotados sirve de incentivo a la explotación. Su bondad y su timidez han sido cómplices inconscientes de sus victimarios.

Aunque ya mis iniciativas parecen súplicas al fracaso, porque mi mala suerte las desvía, tengo el presentimiento de que esta vez se mueven mis pasos hacia el desquite. No sé cómo se cumplirán los hechos futuros, ni cuántas pruebas ha de resistir mi perseverancia; lo que menos me importa es morir aquí, con tal que muera a tiempo. Y ¿por qué pensar en la muerte ante los obstáculos, si, por grandes que sean, nunca cerraron al animoso la posibilidad de sobrevivirlos? La creencia en el destino debe valernos para caldear la decisión. Estos jóvenes que me siguen son hazañosos; mas si usted no quiere afrontar calamidades, escoja al que provoque y escápense en una balsa por este río.

—¿Y mi tesoro? ¿No sabe que el Cayeno guarda los despojos de Lucianito? ¿Cree usted que sin esa prenda andaría yo suelto?

Por lo pronto nada tuve que replicar.

—Los huesos de mi hijo son mi cadena. Vivo forzado a portarme bien para que me permitan asolearlos. Ya les dije a ustedes que ni siquiera los poseo todos: el día que los exhumé, tuve que dejarle a la sepultura algunas falanges que aún estaban frescas. Los cargaba envueltos en mi cobija, y cuando el Cayeno me capturó, a mi regreso del Vaupés, en la trocha que enlaza al Isana y al Kerarí, pretendía botármelos por la fuerza. Ahora los conservo, limpios, blancos, entre una caja de kerosén, bajo la barbacoa de mi patrón.

—Don Clemente, tiene usted evidencia de que esos restos...

—¡Sí! ¡Ésos son! La calavera es inconfundible: en la encía superior un diente encaramado sobre los otros. Tal vez con la pica alcancé a perforar el cráneo, pues tiene un agujero en el frontal.

Hubo una pausa. No sé si en aquel instante se había agrietado la decisión de mis compañeros, que callaban en corro meditabundo. El mulato dijo, aproximándose a don Clemente:

—Camaráa, siempre es mejorcito que nos volvamos. Mi mama se quedó sola, y mi ganao se mañosea. Tengo cuatro cachonas[5] de primer parto, y de seguro que ya tan parías. Déjese de güesos, que son guiñosos[6]. Es malo meterse en cosas de difuntos. Por eso dice la letanía: «Aquí te entierro y aquí te tapo; el diablo me yeve si un día te saco.» Ruéguele a estos señores que reclamen la güesamenta y la sepulten bajo una cruz, y verá usté que se le compone la suerte. ¡Resuelva ligero, que ya es tarde!

—¡Cómo! ¿Arriesgarnos a que nos prenda Funes? Usted no sabe en qué tierra está. Los secuaces del coronel merodean por aquí.

—Y ya no es tiempo de indecisiones —exclamé colérico—. ¡Mulato, adelante! ¡Ya te pasó la hora!

Helí Mesa, entonces, acercóse al tambo, a prenderle fuego. Don Clemente lo miraba sin protestar.

—¡No, no! —ordené—: se quemarían los mapires envenenados. ¡Los cazadores de indios pueden volver, y ojalá que se envenenen todos!

* * *

Hubiera deseado que mis amigos marcharan menos silenciosos: me hacían daño mis pensamientos y una especie de pánico me invadía al meditar en mi situación. ¿Cuáles eran mis planes? ¿En qué se apoyaba mi altanería? ¿Qué debían importarme las desventuras ajenas, si con las propias iba de rastra? ¿Por qué hacerle promesas a don Cle-

---

[5] *cachona:* Vaca. Véase la nota 153 de la primera parte.
[6] *guiñoso:* De mala suerte, maléfico.

mente si Barrera y Alicia me tenían comprometido? El concepto de Franco empezó a angustiarme: «Era yo un desequilibrado impulsivo y teatral.»

Paulatinamente llegué a dudar de mi espíritu: ¿estaría loco? ¡Imposible! La fiebre me había olvidado unas semanas. ¿Loco por qué? Mi cerebro era fuerte y mis ideas limpias. No sólo comprendía que era apremiante ocultar mis vacilaciones, sino que me daba cuenta hasta de los detalles minuciosos. La prueba estaba en lo que iba viendo: el bosque en aquella parte no era muy alto, no había camino, y don Clemente abría la marcha, partiendo ramitas en el rastrojo para dejar señales del rumbo, como se acostumbra entre cazadores; Fidel llevaba la carabina atravesada sobre el pecho, engarzando con el calibre, por encima de las clavículas, los cabestros de la talega, rica en mañoco, que fingía sobre su espalda inmensa joroba; portaba el mulato el hatillo de las hamacas, un caldero y dos canaletes; Mesa, en aquel momento, bajo sus bártulos, saboreaba un cuesco[7] maduro y mecía en el aire el tizón humeante, que cargaba en la diestra, a falta de fósforos.

¿Loco yo? ¡Qué absurdo más grande! Ya se me había ocurrido un proyecto lógico: entregarme como rehén en las barracas del Guaracú, mientras el viejo Silva se marchaba a Manaos, llevando secretamente un pliego de acusaciones dirigido al Cónsul de mi país, con el ruego de que viniera inmediatamente a liberarme y a redimir a mis compatriotas. ¿Quién que fuera anormal razonaría con mayor acierto?

El Cayeno debía aceptar mi ventajosa propuesta: en cambio de un viejo inútil adquiría un cauchero joven, o dos o más, porque Franco y Helí no me abandonaban. Para halagarlo, procuraría hablarle en francés[8]: «Señor, este anciano es pariente mío; y como no puede pagarle la cuenta, déjelo libre y dénos trabajo hasta cancelarla.» Y el antiguo prófugo de Cayena accedería sin vacilar.

---

[7] *cuesco:* Fruto de cierta palma (LC).

[8] Una nueva fantasía de Cova, con personajes y diálogos teatrales. Es irónico que el idioma que para Cova significa prestigio, aquí sea el de un prófugo.

Cosa fácil habría de serme adquirir la confianza del empresario, obrando con paciencia y disimulo. No emplearía contra él la fuerza sino la astucia. ¿Cuánto iban a durar nuestros sufrimientos? Dos o tres meses. Acaso nos enviara a siringuear a Yaguanarí, pues Barrera y Pezil eran sus asociados. Y aunque no lo fuesen, le expondríamos la conveniencia de sonsacar para sus gomales a los colombianos de aquella zona. En todo caso, al oponerse a nuestros deseos, nos fugaríamos por el Isana, y, cualquier día, enfrentándome a mi enemigo, le daría muerte, en presencia de Alicia y de los enganchados. Después, cuando nuestro Cónsul desembarcara en Yaguanarí, en vía para el Guaracú, con una guarnición de gendarmes, a devolvernos la libertad, exclamarían mis compañeros: «¡El implacable Cova nos vengó a todos y se internó por este desierto!»

Mientras discurría de esta manera, principié a notar que mis pantorrillas se hundían en las hojarascas y que los árboles iban creciendo a cada segundo, con una apariencia de hombres acuclillados, que se empinaban desperezándose hasta elevar los brazos verdosos por encima de la cabeza. En varios instantes creía advertir que el cráneo me pesaba como una torre y que mis pasos iban de lado. Efectivamente, la cara se me volvió sobre el hombro izquierdo y tuve la impresión de que un espíritu me repetía: «¡Vas bien así, vas bien así! ¿Para qué marchar como los demás?»

Aunque mis compañeros caminaban cerca, no los veía, no los sentía. Parecióme que mi cerebro iba a entrar en ebullición. Tuve miedo de hallarme solo, y, repentinamente, eché a correr hacia cualquier parte, ululando empavorecido, lejos de los perros, que me perseguían. No supe más. De entre una malla de trepadoras mis camaradas me desenredaron.

—¡Por Dios! ¿Qué te pasa? ¿No nos conoces? ¡Somos nosotros!

—¿Qué les he hecho? ¿Por qué me amenazan? ¿Por qué me tenían amarrado?

—Don Clemente —prorrumpió Franco—, desandemos este camino: Arturo está enfermo.

—¡No, no! Ya me tranquilicé. Creo que quise coger una

ardilla blanca. Las caras de ustedes me aterraron. ¡Tan horribles muecas...!

Así dije, y aunque todos estaban pálidos, porque no dudaran de mi salud me puse de guía por entre el bosque. Un momento después se sonrió don Clemente:

—Paisano, usted ha sentido el embrujamiento de la montaña.

—¡Cómo! ¿Por qué?

—Porque pisa con desconfianza y a cada momento mira atrás. Pero no se afane ni tenga miedo. Es que algunos árboles son burlones.

—En verdad no entiendo...

—Nadie ha sabido cuál es la causa del misterio que nos trastorna cuando vagamos en la selva. Sin embargo, creo acertar en la explicación: cualquiera de estos árboles se amansaría, tornándose amistoso y hasta risueño, en un parque, en un camino, en una llanura, donde nadie lo sangrara ni lo persiguiera; mas aquí todos son perversos, o agresivos, o hipnotizantes. En estos silencios, bajo estas sombras, tienen su manera de combatirnos: algo nos asusta, algo nos crispa, algo nos oprime, y viene el mareo de espesuras, y queremos huir y nos extraviamos, y por esta razón miles de caucheros no volvieron a salir nunca.

Yo también he sentido la mala influencia en distintos casos, especialmente en Yaguanarí[9].

* * *

---

[9] En este fragmento reaparecen las alucinaciones, la personificación de la selva y el embrujamiento que ésta produce. En el siguiente capítulo se encuentra una de las más famosas descripciones de la selva, en donde domina la lucha entre la vida y la muerte, el horror ante la exuberancia vegetal personificada y ante las imágenes de sexualidad. Se han citado repetidamente las referencias de Arturo Cova a los poetas románticos y modernistas, así como a los contrastes entre civilización y barbarie.

A la Amazonia, la tercera región natural de Colombia en *La vorágine*, están dedicadas la segunda y la tercera parte de la novela. En Colombia, comprende todo el suroriente del país y tiene una extensión de 331.320 km², que incluye las Comisarías del Guaviare, el Guainía, el Vaupés y el Amazonas, la Intendencia del Putumayo y el Departamento del Caquetá (AGC). La región se caracteriza por una gran homogeneidad en su relieve plano o suavemente ondulado, por sus espesas selvas tropicales, su clima cá-

Por primera vez, en todo su horror, se ensanchó ante mí la selva inhumana. Árboles deformes sufren el cautiverio de las enredaderas advenedizas, que a grandes trechos los ayuntan con las palmeras y se descuelgan en curva elástica, semejantes a redes mal extendidas, que a fuerza de almacenar en años enteros hojarascas, chamizas, frutas, se desfondan como un saco de podredumbre, vaciando en la yerba reptiles ciegos, salamandras mohosas, arañas peludas.

Por doquiera el bejuco de matapalo[10] —rastrero pulpo de las florestas— pega sus tentáculos a los troncos, acogotándolos y retorciéndolos, para injertárselos y trasfundírselos en metempsicosis[11] dolorosas. Vomitan los bachaqueros[12] sus trillones de hormigas devastadoras, que recor-

---

lido y húmedo, la riqueza de su flora y de su fauna, y los numerosos ríos y caños que, en lugar de caminos y carreteras, son el modo de transporte general. La llamada Saliente del Vaupés, al noroeste, conformada por rocas del Escudo Guayanés, es una parte de la región amazónica colombiana por donde pasa la ruta de Arturo Cova y sus amigos. Como en el caso de los Llanos colombianos y venezolanos que, con excepción de algunos límites demarcados por los ríos, no tienen una frontera natural, la Amazonia colombiana se funde física y culturalmente con la peruana y con la brasileña. Es bien sabido que la cuenca del Amazonas es brasileño casi en su totalidad, pero tanto el Amazonas como sus más caudalosos afluentes nacen en la cordillera de Los Andes, en Colombia, Ecuador, Perú y Bolivia. Desde el descubrimiento y la Conquista, la Orinoquia y la Amazonia han sido construcciones culturales, estrechamente vinculadas al discurso mitificador generado por la mirada europea sobre América. Por otra parte, las diversas formas de ver la Orinoquia y la Amazonia, que se han multiplicado en las crónicas, la historia, la ciencia y la literatura de estos cinco siglos, coexisten en la actual conciencia latinoamericana.

[10] *matapalo:* Nombre de varios árboles del género *Ficus* que a medida que crecen se abrazan a otros árboles sobre los cuales han germinado y acaban por sofocarlos y matarlos (LC).

[11] *metempsicosis:* Teoría según la cual las almas encarnan sucesivamente en distintos seres. Transmigración (MM). Lo que sucede entre los árboles de la selva parece repetirse entre las voces narrativas de la novela.

[12] *bachaquero:* Nido de hormigas arrieras que consiste en grandes galerías subterráneas de preferencia en terrenos arcillosos, duros y rojizos (LC).

bachaco, arriera o sauva (Atta spp.): Hormiga de medio a un centímetro de largo, de color rojizo. Son el terror de los cultivadores debido al inmenso daño que causan en las plantas con sus tenazas, que pueden destruir todas las hojas de un árbol en pocas horas. El prominente abdomen de las reinas aladas es un manjar muy apetecido por indígenas y colonos (AC).

tan el manto de la montaña y por anchas veredas regresan al túnel, como abanderadas del exterminio, con sus gallardetes de hojas y de flores. El comején[13] enferma los árboles cual galopante sífilis, que solapa su lepra supliciatoria mientras va carcomiéndoles los tejidos y pulverizándoles la corteza, hasta derrocarlos, súbitamente, con su pesadumbre de ramazones vivas.

Entre tanto, la tierra cumple las sucesivas renovaciones: al pie del coloso que se derrumba, el germen que brota; en medio de los miasmas[14], el polen que vuela; y por todas partes el hálito del fermento, los vapores calientes de la penumbra, el sopor de la muerte, el marasmo de la procreación.

¿Cuál es aquí la poesía de los retiros, dónde están las mariposas que parecen flores traslúcidas, los pájaros mágicos, el arroyo cantor? ¡Pobre fantasía de los poetas que sólo conocen las soledades domesticadas!

¡Nada de ruiseñores enamorados, nada de jardín versallesco, nada de panoramas sentimentales! Aquí, los responsos de sapos hidrópicos[15], las malezas de cerros misántropos, los rebalses de caños podridos. Aquí, la parásita afrodisíaca[16] que llena el suelo de abejas muertas; la diversidad de flores inmundas que se contraen con sexuales palpitaciones y su olor pegajoso emborracha como una droga; la liana maligna cuya pelusa enceguece los animales; la pringamoza que inflama la piel, la pepa del curujú que parece irisado globo y sólo contiene ceniza cáustica, la uva purgante, el corozo amargo.

---

13 *comején:* Aquí, se compara un elemento de la naturaleza con una enfermedad venérea.

14 *miasmas:* Efluvio maligno que se creía desprendían cuerpos enfermos, materias corruptas o aguas estancadas (DRAE).

15 *hidrópico:* Que padece de la acumulación anormal del humor seroso en el vientre (DRAE).

16 *parásita afrodisíaca:* Las parásitas y orquídeas, flores comunes de la selva, que tradicionalmente han sido símbolos sexuales, inspiran horror a Cova.

Orquídea viene del griego *orchis,* testículo, por los bulbos de su raíz. Por sus asociaciones con la sexualidad masculina la orquídea se ha considerado afrodisíaca y se ha empleado en pociones y ritos. En el lenguaje de las flores la orquídea representa la seducción.

Aquí, de noche, voces desconocidas, luces fantasmagóricas, silencios fúnebres. Es la muerte, que pasa dando la vida. Óyese el golpe de la fruta, que al abatirse hace la promesa de su semilla; el caer de la hoja, que llena el monte con vago suspiro, ofreciéndose como abono para las raíces del árbol paterno; el chasquido de la mandíbula, que devora con temor de ser devorada; el silbido de alerta, los ayes agónicos, el rumor del regüeldo[17]. Y cuando el alba riega sobre los montes su gloria trágica, se inicia el clamoreo sobreviviente: el zumbido de la pava chillona, los retumbos del puerco salvaje, las risas del mono ridículo. ¡Todo por el júbilo breve de vivir unas horas más!

Esta selva sádica y virgen procura al ánimo la alucinación del peligro próximo. El vegetal es un ser sensible cuya psicología desconocemos. En estas soledades, cuando nos habla, sólo entiende su idioma el presentimiento. Bajo su poder, los nervios del hombre se convierten en haz de cuerdas, distendidas hacia el asalto, hacia la traición, hacia la asechanza. Los sentidos humanos equivocan sus facultades: el ojo siente, la espalda ve, la nariz explora, las piernas calculan y la sangre clama: ¡Huyamos, huyamos!

No obstante, es el hombre civilizado el paladín[18] de la destrucción. Hay un valor magnífico en la epopeya de estos piratas que esclavizan a sus peones, explotan al indio y se debaten contra la selva. Atropellados por la desdicha, desde el anonimato de las ciudades, se lanzaron a los desiertos buscándole un fin cualquiera a su vida estéril. Delirantes de paludismo, se despojaron de la conciencia, y, connaturalizados con cada riesgo, sin otras armas que el wínchester y el machete, sufrieron las más atroces necesidades, anhelando goces y abundancia, al rigor de las intemperies, siempre famélicos y hasta desnudos porque las ropas se les podrían sobre la carne.

Por fin, un día, en la peña de cualquier río, alzan una

---

[17] *regüeldo:* Eructo.

[18] *paladín:* Héroe, defensor de una idea o de una persona. Parece una contradicción hablar de «paladín de la destrucción», pero el párrafo es una crítica, y a la vez una alabanza, a la explotación.

choza y se llaman «amos de empresa». Teniendo a la selva por enemigo, no saben a quién combatir, y se arremeten unos a otros y se matan y se sojuzgan en los intervalos de su denuedo contra el bosque. Y es de verse en algunos lugares cómo sus huellas son semejantes a los aludes: los caucheros que hay en Colombia destruyen anualmente millones de árboles. En los territorios de Venezuela el balatá*[19] desapareció. De esta suerte ejercen el fraude contra las generaciones del porvenir.

Uno de aquellos hombres se escapó de Cayena, presidio célebre, que tiene por foso el océano. Aunque sabía que los carceleros ceban los tiburones para que ronden la muralla, sin zafarse los grillos se arrojó al mar. Vino a las vegas del Papunagua, asaltó los tambos ajenos, sometió a los caucheros prófugos, y, monopolizando la explotación de goma, vivía con sus parciales y sus esclavos en las barracas del Guaracú, cuyas luces lejanas, al través de las espesuras, palpitaban ante nosotros la noche que retardamos la llegada.

¡Quién nos hubiera dicho en ese momento que nuestros destinos describirían la misma trayectoria de crueldad!

* * *

Durante los días empleados en el recorrido de la trocha hice una comprobación humillante; mi fortaleza física era aparente, y mi musculatura —que desgastaron fiebres pretéritas— se aflojaba con el cansancio. Sólo mis compañeros parecían inmunes a la fatiga, y hasta el viejo Clemente, a pesar de sus años y lacraduras, resultaba más vigoroso en las marchas. A cada momento se detenían a esperarme, y aunque me aligeraron de todo peso, del morral y la carabina, seguía necesitando que el cerebro me mantuviera en

---

[19] *balatá* o *pendare mazaranduba (Manilkara spp.; Mimusops spp.):* Árbol de la familia de las sapotáceas, de gran porte, que se encuentra, sobre todo, en las zonas inundables de los grandes ríos negros. Su fruto es comestible. Su látex produce un sucedáneo de la gutapercha. Se industrializa como chicle igual que el *pendare,* de ahí que se tienda a confundirlos. Véase la nota 31 de la segunda parte (AC).

tensión el orgullo para no echarme a tierra y confesarles mi decaimiento.

Iba descalzo, en pernetas, malhumorado, esguazando[20] tembladeros y lagunas, por en medio de un bosque altísimo cuyas raigambres han olvidado la luz del sol. La mano de Fidel me prestaba ayuda al pisar los troncos que utilizábamos como puentes, mientras los perros aullaban en vano porque los soltara en aquel paraíso de cazadores que, ni por serlo, me entusiasmaba.

Esta situación de inferioridad me tornó desconfiado, irritable, díscolo. Nuestro jefe en tales emergencias era, sin duda, el anciano Silva, y principié a sentir contra él una secreta rivalidad. Sospeché que aposta buscó ese rumbo, deseoso de hacerme experimentar mi falta de condiciones para medirme con el Cayeno. No perdía don Clemente oportunidades de ponderarme los sufrimientos de la vida en las barracas y la contingencia de cualquier fuga, sueño perenne de los caucheros, que lo ven esbozarse y nunca lo realizan porque saben que la muerte cierra todas las salidas de la montaña.

Estas prédicas tenían eco en mis camaradas y se multiplicaron los consejeros. Yo no les oía. Me contentaba con replicar:

—Aunque vosotros andáis conmigo, sé que voy solo. ¿Estáis fatigados? Podéis ir caminando en pos de mí.

Entonces, silenciosos, me tomaban la delantera y al esperarme cuchicheaban mirándome de soslayo. Esto me indignaba. Sentía contra ellos odio súbito. Probablemente se burlaban de mi jactancia. ¿O habrían tomado una dirección que no fuera la del Guaracú?

—Óigame, viejo Silva —grité deteniéndolo—. ¡Si no me lleva al Isana, le pego un tiro!

El anciano sabía que no lo amenazaba por broma. Ni sintió sorpresa ante mi amenaza. Comprendió que el desierto me poseía. ¡Matar a un hombre! ¿Y qué? ¿Por qué no? Era un fenómeno natural. ¿Y la costumbre de defen-

---

[20] *en pernetas:* Con las piernas desnudas (DRAE).
esguazar: Vadear (DRAE).

derme? ¿Y la manera de emanciparme? ¿Qué otro modo más rápido de solucionar los diarios conflictos?

Y por este proceso —¡oh selva!— hemos pasado todos los que caemos en tu vorágine[21].

* * *

Agachados entre la fronda, con las manos en las carabinas, atisbábamos las luces de las barracas, miedosos de que alguien nos descubriera. En aquel escondite debíamos pernoctar sin encender fuego. Sollozando en la oscuridad pasaba una corriente desconocida. Era el Isana.

—Don Clemente —dije abrazándolo—: ¡en esto de rumbos es usted la más alta sabiduría!

—Sin embargo, le cogí miedo a la profesión: anduve perdido más de dos meses en el siringal de Yaguanarí[22].

—Tengo presentes los pormenores. Cuando su fuga para el Vaupés...

—Éramos siete caucheros prófugos.

—Y quisieron matarlo...

—Creían que los extraviaba intencionalmente.

—Y unas veces lo maltrataban...

—Y otras, me pedían de rodillas la salvación.

—Y lo amarraron una noche entera...

—Temiendo que pudiera abandonarlos.

—Y se dispersaron por buscar el rumbo...

—Pero sólo toparon el de la muerte.

Este mísero anciano Clemente Silva siempre ha tenido

---

[21] *vorágine:* Aparece el título de la novela en una invocación a la selva, inmediatamente después de un intento de homicidio. Están en el istmo selvoso entre la hoya del Orinoco y la del Amazonas. Es un trayecto de gran importancia geográfica entre el Papunáua (afluente del Inírida, éste del Guaviare, y éste del Orinoco) y el Isana, que desemboca en el río Negro, afluente del Amazonas. Es también el paso de Colombia a Brasil y uno de los trayectos más penosos del viaje.

[22] Este diálogo entre Silva y Cova ha sido citado repetidamente como ejemplo de la identidad de voces y personalidades que se establece entre Silva y Cova. Es evidente que Clemente Silva ya había relatado esta historia sobre su fuga, que Cova asimila y vuelve a contar. Clemente Silva se había perdido precisamente en el siringal de Yaguanarí, en el río Yurubaxí, la meta de Cova y sus compañeros.

el monopolio de la desventura. Desde el día que yendo de Iquitos para Manaos oyó noticias del hijo muerto, cifró su esperanza en prolongar la esclavitud. Quería ser cauchero unos años más, hasta que la tierra le permitiera exhumar los restos. La selva, indirectamente, lo reclamaba como a prófugo, y era el espectro de Lucianito el que le pedía volver atrás.

Aunque la madona hubiera querido darlo libre, ¿qué ganaría con la libertad si de nuevo debía engancharse, obligado por la indigencia, en la cuadrilla de cualquier amo que quizá lo alejara del Vaupés? En Manaos recorrió las agencias donde buscan trabajo los inmigrantes, y salió descorazonado de esos tugurios donde la esclavitud se contrata, porque los patrones sólo avanzaban gente para el Madeira, para el Purús, para el Ucayali. Y él quería irse al infausto río que guardaba al pie de su raudal la enmalezada tumba, distinguida por cuatro piedras.

El turco Pezil no tenía trabajos en esos parajes, pero se lo llevaba al alto Río Negro, y eso era mucho. Sólo que fingía no querer comprarlo, y al fin accedió a sus ruegos estipulando con la madona una retroventa, por si no le satisfacían las aptitudes del colombiano. Lo trajo a su hermosa quinta de Naranjal, en la margen opuesta a Yaguanarí, y lo tuvo un tiempo en oficios fáciles, bajo su vigilancia de musulmán despreciativo y taciturno, sin maltratarlo ni escarnecerlo.

Mas cierta vez riñeron unas mujeres en la cocina y despertaron a su señor, que dormía la siesta. Don Clemente estaba en el corredor, observando el mapa del muro. En esa actitud lo sorprendió el amo. Ordenóle a gritos que desnudara a las contrincantes hasta la cintura y las azotara. El viejo Silva se resistió a cumplir la orden. Esa tarde lo despacharon a siringuear a Yaguanarí.

Una de las cuitadas era la antigua camarera de la madona, la que conoció en el Vaupés a Luciano Silva cuando su mancebía con doña Zoraida. No lo vio muerto, pero sabía el lugar de la sepultura, junto al correntón de Yavaraté, y le había dado ya a don Clemente todas las señas indispensables para hallarla.

La desobediencia del colombiano no consiguió indultarla de los azotes, porque el turco feroz, con un látigo en cada mano, la llenó de sangre y contusiones. Gimoteando entre la despensa escribió un papel para su querido, que trabajaba en los siringales, y rogó a don Clemente que se lo entregara al destinatario, sin omitir detalle ninguno sobre la cobarde flagelación.

Este hombre, que se llamaba Manuel Cardoso, era capataz en un barracón del caño Yurubaxí. Al saber los percances de su mujer, ofreció matar a Pezil donde lo encontrara, y, por vengarse interinamente, quiso proceder contra los intereses de su patrón aconsejándoles a los gomeros que se fueran con la goma que tenían en el tambo.

El viejo Silva aparentó rechazar esa idea, receloso de alguna celada. Sin embargo, en los días siguientes, comentaba con los peones la insinuación del vigilante, mientras procedían a fumigar la leche extraída. La respuesta no cambió nunca: «Cardoso sabe que no hay rumbero capaz de enfrentársele a estas montañas.»

De noche, los caucheros dictaminaban sobre tal hipótesis, tan sugestionadora como imposible, por tener de qué conversar:

—Es claro que la fuga sería irrealizable por el Río Negro; las lanchas del amo parecen perros de cacería.

—Mas logrando remontar el Cababurí es fácil descender al Maturacá y salir al río Casiquiare.

—Conforme. Pero el Río Negro tiene una anchura de cuatro kilómetros. Hay que descartar los afluentes de su banda izquierda. Más bien, aguas arriba por este caño Yurubaxí, a los sesenta y tantos días de curiara, dizque se encuentra un igarapé*[23] que desemboca en el Caquetá.

—¿Y para el río Vaupés no hay rumbo directo?

—¿A quién se le ocurre esa estupidez?

El barracón estaba situado sobre un arrecife que no se inunda, único refugio en aquel desierto. Mensualmente

---

[23] *igarapé:* Riachuelo. Vocablo portugués del tupi *ïara'pé,* camino de agua. En la Amazonia, canal natural, estrecho, entre dos islas o entre una isla y tierra firme (DA).

llegaba la lancha de Naranjal a recoger la goma y a dejar víveres. Los trabajadores eran escasos y el beriberi mermaba el número, sin contar los que perecían en las lagunas, lanzados por la fiebre desde el andamio donde se trepaban a herir los árboles.

Pese a todo, muchos pasaban meses enteros sin verle la cara al capataz, guareciéndose en chozas mínimas, y volvían al tambo con la goma ya fumigada, convertida en bolones, que entregaban a la corriente en vez de conducirlos en las curiaras. Acostumbrados a no alejarse de las orillas, carecían del instinto de orientación, y esta circunstancia ayudó al prestigio de don Clemente, cuando se aventuraba por la floresta y clavando el machete en cualquier lugar, los instaba días después a que lo acompañaran a recogerlo, partiendo del sitio que quisieran.

Una mañana, al salir el sol, vino una catástrofe impresentida. Los hombres que en el caney curaban su hígado, oyeron gritos desaforados y se agruparon en la roca. Nadando en medio del río, como si fueran patos descomunales, bajaban los bolones de goma, y el cauchero que los arreaba venía detrás, en canoa minúscula, apresurando con la palanca a los que se demoraban en los remansos. Frente al barracón, mientras pugnaba por encerrar su rebaño negro en la ensenada del puertecito, elevó estas voces, de más gravedad que un pregón de guerra:

—¡Tambochas, tambochas![24]. ¡Y los caucheros están aislados!

¡Tambochas! Esto equivalía a suspender trabajos, dejar la vivienda, poner caminos de fuego, buscar otro refugio en alguna parte. Tratábase de la invasión de hormigas carnívoras, que nacen quién sabe dónde y al venir el invierno emigran para morir, barriendo el monte en leguas y leguas, con ruidos lejanos, como de incendio. Avispas sin alas, de cabeza roja y cuerpo cetrino, se imponen por el terror que inspira su veneno y su multitud. Toda guarida, toda grieta, todo agujero; árboles, hojarascas, nidos, colmenas, sufren la filtración de aquel oleaje espeso y hedion-

[24] *tambocha:* Véase nota 70 de la segunda parte.

do, que devora pichones, ratas, reptiles y pone en fuga pueblos enteros de hombres y de bestias.

Esta noticia derramó la consternación. Los peones del tambo recogían sus herramientas y macundales* con revoltosa rapidez.

—¿Y por qué lado viene la ronda? —preguntaba Manuel Cardoso.

—Parece que ha cogido ambas orillas. ¡Las dantas y los cafuches[25] atraviesan el río desde esta margen, pero en la otra están alborotadas las abejas!

—¿Y cuáles caucheros quedan aislados?

—¡Los cinco de la ciénaga de El Silencio, que ni siquiera tienen canoa!

—¿Qué remedio? ¡Que se defiendan! ¡No se les puede llevar socorro! ¿Quién se arriesga a extraviarse en estos pantanos?

—Yo —dijo el anciano Clemente Silva.

Y un joven brasileño, que se llamaba Lauro Coutinho:

—Iré también. ¡Allá está mi hermano!

* * *

Recogiendo los víveres que pudieron y provistos de armas y de fósforos, aventuráronse los dos amigos por una trocha que, partiendo de la barraca, profundiza las espesuras en la dirección del caño Marié.

Marchaban presurosos por entre el barro de las malezas, con oído atento y ojo sagaz. De pronto, cuando el anciano, abriéndose de la senda, empezó a orientarse hacia la ciénaga de El Silencio, lo detuvo Lauro Coutinho.

—¡Ha llegado el momento de picurearnos!

Don Clemente ya pensaba en ello, mas supo disimular su satisfacción.

---

25 *danta (Tapirus terrestris):* El mamífero más grande de la selva sudamericana y único proboscidio de América. Puede pesar más de 200 kg y su carne es muy apetecida por indígenas y colonos. Está en proceso acelerado de extinción.

cafuche o *báquiro,* cerdo.

—Había que consultarlo con los caucheros...

—¡Respondo de que convienen, sin vacilar!

Y así fue, porque al día siguiente los hallaron en un bohío, jugando a los dados sobre un pañuelo y emborrachándose con vino de palmachonta, que se ofrecían en un calabazo.

—¿Hormigas? ¡Qué hormigas! ¡Nos reímos de las tambochas! ¡A picurearnos, a picurearnos! ¡Un rumbero como usted es capaz de sacarnos de los infiernos!

Y allá van por entre la selva, con la ilusión de la libertad, llenos de risas y proyectos, adulando al guía y prometiéndole su amistad, su recuerdo, su gratitud. Lauro Coutinho ha cortado una hoja de palma y las conduce en alto, como un pendón; Souza Machado no quiere abandonar su bolón de goma, que pesa más de dieciocho kilos, con cuyo producto piensa adquirir durante dos noches las caricias de una mujer, que sea blanca y rubia y que trascienda a brandy y a rosas; el italiano Peggi habla de salir a cualquier ciudad para emplearse de cocinero en algún hotel donde abunden las sobras y las propinas; Coutinho, el mayor, quiere casarse con una moza que tenga rentas; el indio Venancio anhela dedicarse a labrar curiaras; Pedro Fajardo aspira a comprar un techo para hospedar a su madre ciega; don Clemente Silva sueña en hallar una sepultura. ¡Es la procesión de los infelices, cuyo camino parte de la miseria y llega a la muerte!

¿Y cuál era el rumbo que perseguían? El del río Curicuriarí. Por allí entrarían al Río Negro, setenta leguas arriba de Naranjal, y pasarían a Umarituba, a pedir amparo. El señor Castanheira Fontes era muy bueno. En aquel sitio el horizonte se les ampliaba. En caso de captura, era incuestionable la explicación; salían del monte derrotados por las tambochas. Que le preguntaran al capataz.

Al cuarto día de montaña principió la crisis: las provisiones escasearon y los fangales eran intérminos. Se detuvieron a descansar, y, despojándose de las blusas, las hacían jirones para envolverse las pantorrillas, atormentadas por las sanguijuelas. Souza Machado, generoso por la fatiga, a golpes de cuchillo dividió su bolón de goma en varios pedazos para obsequiar a sus compañeros. Fajardo se negó a recibir su parte: no tenía alientos para cargarla. Souza la recogió. Era caucho, «oro negro», y no se debía desperdiciar.

Hubo un indiscreto que preguntaba:

—¿Hacia dónde vamos ahora?

Todos replicaron reconviniéndolo:

—¡Hacia adelante!

Mientras tanto, el rumbero había perdido la orientación. Avanzaba a tientas, sin detenerse ni decir palabra, para no difundir el miedo. Por tres veces en una hora volvió a salir a un mismo pantano, sin que sus camaradas reconocieran el recorrido. Concentrando en la memoria todo su ser, mirando hacia su cerebro, recordaba el mapa que tantas veces había estudiado en la casa de Naranjal, y veía las líneas sinuosas, que parecían una red de venas, sobre la mancha de un verde pálido en que resaltaban nombres inolvidables: Teiya, Marié, Curí-curiarí. ¡Cuánta diferencia entre una región y la carta que la reduce! ¡Quién le hubiera dicho que aquel papel, donde apenas cabían sus manos abiertas, encerraba espacios tan infinitos, selvas tan lóbregas, ciénagas tan letales! Y él, rumbero curtido, que tan fácilmente solía pasar la uña del índice de una línea a otra línea, abarcando ríos, paralelos y meridianos, ¿cómo pudo creer que sus plantas eran capaces de moverse como su dedo?

Mentalmente empezó a rezar. Si Dios quisiera prestarle el sol... ¡Nada! La penumbra era fría, la fonda transpiraba un vapor azul. ¡Adelante! ¡El sol no sale para los tristes!

Uno de los gomeros declaró con certeza súbita que le parecía escuchar silbidos. Todos se detuvieron. Eran los oídos que les zumbaban. Souza Machado quería meterse entre los demás: juraba que los árboles le hacían gestos.

Estaban nerviosos, tenían el presentimiento de la catástrofe. La menor palabra les haría estallar el pánico, la locura, la cólera. Todos se esforzaban por resistir. ¡Adelante!

Como Lauro Coutinho pretendía mostrarse alegre, le

soltó una pulla a Souza Machado, que se había detenido a botar el caucho. Esto forzó los ánimos a resignarse a la hilaridad. Hablaron un trecho. No sé quién le hizo preguntas a don Clemente.

—¡Silencio! —gruñó el italiano—. ¡Recuerden que a los pilotos y a los rumberos no se les debe hablar!

Pero el anciano Silva, deteniéndose de repente, levantó los brazos, como el hombre que se da preso, y, encarándose con sus amigos, sollozó:

—¡Andamos perdidos!

Al instante, el grupo desventurado, con los ojos hacia las ramas y aullando como perros, elevó su coro de blasfemias y plegarias:

—¡Dios inhumano! ¡Sálvanos, mi Dios! ¡Andamos perdidos!

* * *

«Andamos perdidos.» Estas dos palabras, tan sencillas y tan comunes, hacen estallar, cuando se pronuncian entre los montes, un pavor que no es comparable ni al «sálvese quien pueda» de las derrotas. Por la mente de quien las escucha pasa la visión de un abismo antropófago, la selva misma, abierta ante el alma como una boca que se engulle los hombres a quienes el hambre y el desaliento le van colocando entre las mandíbulas[26].

Ni los juramentos, ni las advertencias, ni las lágrimas del rumbero, que prometía corregir la ruta, lograban aplacar a los extraviados. Mesábanse la greña, retorcíanse las falanges, se mordían los labios, llenos de una espumilla sanguinolenta que envenenaba las inculpaciones:

---

[26] La comparación de la selva con un abismo antropófago y una boca que engulla a los hombres es otra de las más famosas imágenes de la novela. Seymour Menton, por ejemplo, la relaciona con los mitos de la Madre Terrible y de la *vagina dentata*. («*La vorágine*: el triángulo y el círculo», TC, págs. 199-228). La fantasía de la *vagina dentata* es el símbolo clásico del miedo del hombre al sexo de la mujer, que cree insaciable. Expresa el temor de ser castrado o devorado, una imagen recurrente en la novela, no solo referida a la selva sino también a personajes como la madona o a leyendas como la de la indiecita Mapiripana.

—¡Este viejo es el responsable! ¡Perdió el rumbo por querer largarse para el Vaupés!

—¡Viejo remalo, viejo bandido, nos llevabas con engañifas para vendernos quién sabe dónde!

—¡Sí, sí, criminal! ¡Dios se opuso a tus planes!

Viendo que aquellos locos podían matarlo, el anciano Silva se dio a correr, pero un árbol cómplice lo enlazó por las piernas con un bejuco[27] y lo tiró al suelo. Allí lo amarraron, allí Peggi los exhortaba a volverlo trizas. Entonces fue cuando don Clemente pronunció aquella frase de tanto efecto:

—¿Queréis matarme? ¿Cómo podríais andar sin mí? ¡Yo soy la esperanza!

Los agresores, maquinalmente, se contuvieron.

—¡Sí, sí, es preciso que viva para que nos salve!

—¡Pero sin soltarlo, porque se nos va!

Y aunque no le quitaron las ligaduras, postráronse de rodillas a implorarle la salvación y le limpiaban los pies con besos y llantos.

—¡No nos desampare!

—¡Regresemos a la barraca!

—¡Si usted nos abandona, moriremos de hambre!

Mientras unos plañían de este jaez, otros halábanlo de la cuerda, suplicando el regreso. Las explicaciones de don Clemente parecían reconciliarlos con la cordura. Tratábase de un percance muy conocido de rumberos y de cazadores y no era razonable perder el ánimo a la primera dificultad, cuando había tantos modos de solucionarla. ¿Para qué lo asustaron? ¿Para qué se pusieron a pensar en el extravío? ¿No los había instruido una y otra vez en la urgencia de desechar esa tentación, que la espesura infunde en el hombre para trastornarlo? Él les aconsejó no mirar los árboles, porque hacen señas, ni escuchar los murmurios, porque dicen cosas, ni pronunciar palabra, porque los ramajes remedan la voz. Lejos de acatar esas instrucciones, entraron en chanzas con la floresta y les vino el embruja-

---

27 *bejuco:* En este caso, de nuevo un árbol antropomorfizado usa el bejuco como un arma contra el hombre.

miento, que se trasmite como por contagio[28] y él también, aunque iba delante, comenzó a sentir el influjo de los malos espíritus, porque la selva principió a movérsele, los árboles le bailaban ante los ojos, los bejuqueros no le dejaban abrir la trocha, las ramas se le escondían bajo el cuchillo y repetidas veces quisieron quitárselo. ¿Quién tenía la culpa?

Y luego, ¿por qué diablos se ponían a gritar? ¿Qué lograban con hacer tiros? ¿Quién sino el tigre correría a buscarlos? ¿Acaso les provocaba su visita? ¡Bien podían esperarla al oscurecer!

Esto los aterró y guardaron silencio. Mas tampoco hubieran podido hacerse entender a más de dos yardas: a fuerza de dar alaridos la garganta se les cerró, y, dolorosamente, hablaban a la sordina, con un jadeo gutural y torpe, como el de los gansos.

Antes de la hora en que el sol sanguíneo empenacha las lejanías, fueles imperioso encender la hoguera, porque entre los bosques la tarde se enluta. Cortaron ramas, y, esparciéndolas sobre el barro, se amontonaron alrededor del anciano Silva a esperar el suplicio de las tinieblas. ¡Oh, la tortura de pasar la noche con hambre, entre el pensar y el bostezar, a sabiendas de que el bostezo ha de intensificarse al día siguiente! ¡Oh, la pesadumbre de sentir sollozos entre la sombra cuando los consuelos saben a muerte! ¡Perdidos! ¡Perdidos! El insomnio les echó encima su tropel de alucinaciones. Sintieron la angustia del indefenso cuando sospecha que alguien lo espía en lo oscuro. Vinieron los ruidos, las voces nocturnas, los pasos medrosos, los silencios impresionantes como un agujero en la eternidad.

Don Clemente, con las manos en la cabeza, estrujaba su pensamiento para que brotara alguna idea lúcida. Sólo el cielo podía indicarle la orientación. ¡Que le dijera de qué lado nace la luz! Eso le bastaría para calcular otro derrotero. Por un claro de la techumbre, semejante a una clarabo-

---

[28] Los consejos de Clemente Silva respecto a no entrar en diálogo con la selva se pueden leer, también, como referencias al acto de lectura y al embrujamiento que éste puede producir.

ya, columbró un retazo de éter azul, sobre el cual inscribía su varillaje una rama seca. Esta visión le recordó el mapa. ¡Ver el sol, ver el sol! Allí estaba la clave de su destino. ¡Si hablaran aquellas copas enaltecidas que todas las mañanas lo ven pasar! ¿Por qué los árboles silenciosos han de negarse a decirle al hombre lo que debe hacer para no morir? ¡Y, pensando en Dios, comenzó a rezarle a la selva una plegaria de desagravio![29].

Treparse por cualquiera de aquellos gigantes era casi imposible: los troncos tan gruesos, las ramas tan altas y el vértigo de la altura acechando en las frondas. Si se atreviera Lauro Coutinho, que nervioso dormía abrazándolo por los pies... Quiso llamarlo, pero se contuvo: un ruidillo raro, como de ratones en madera fina, rasguñó la noche: ¡eran los dientes de sus compañeros que roían pepas de tagua![30].

Don Clemente sintió por ellos tal compasión, que resolvió darles el alivio de la mentira.

—¿Qué hay? —le susurraron a media voz, acercándole las caras oscuras.

Y palpaban los nudos de la soga que le ciñeron.

—¡Estamos salvados!

Estúpidos de gozo, repitieron la misma frase: «¡Salvados! ¡Salvados!» Y, postrándose en tierra, apretaban el lodo con las rodillas, porque el dolor los dejó contritos, y entonaron un gran ronquido de acción de gracias, sin preguntar en qué consistía la salvación. Bastó que otro hombre la prometiera para que todos la proclamaran y bendijeran al salvador.

Don Clemente recibió abrazos, súplicas de perdón, palabras de enmienda. Algunos querían atribuirse el exclusivo mérito del milagro:

—¡Las oraciones de mi madrecita!

—¡Las misas que ofrecí!

[29] Esta plegaria a la selva de Clemente Silva remite a la plegaria con la que empieza la segunda parte de la novela.
[30] *tagua (Phytelephas spp.):* Palma de mediano tamaño cuyo fruto maduro da un cuesco de color y consistencia de marfil (AC).

—¡El escapulario que llevo puesto!

Mientras tanto, la Muerte debió reírse en la oscuridad.

* * *

Amaneció.

La ansiedad que los sostenía les acentuó en el rostro la mueca trágica. Magros, febricitantes, con los ojos enrojecidos y los pulsos trémulos, se dieron a esperar que saliera el sol. La actitud de aquellos dementes bajo los árboles infundía miedo. Olvidaron el sonreír, y, cuando pensaban en la sonrisa, les plegaba la boca un rictus fanático.

Recelaron del cielo, que no se divisaba por ninguna parte. Lentamente empezó a llover. Nadie dijo nada, pero se miraron y se comprendieron.

Decididos a regresar, moviéronse sobre el rastro del día anterior, por la orilla de una laguna donde las señales desaparecían. Sus huellas en el barro eran pequeños pozos que se inundaban. Sin embargo, el rumbero cogió la pista, gozando del más absoluto silencio como hasta las nueve de la mañana, cuando entraron a unos chuscales*[31] de plebeya vegetación donde ocurría un fenómeno singular: tropas de conejos y guatines[32], dóciles o atontados, se les metían por entre las piernas buscando refugio. Momentos después, un grave rumor como las linfas[33] precipitadas se sentía venir por la inmensidad.

—¡Santo Dios! ¡Las tambochas!

Entonces sólo pensaron en huir. Prefirieron las sanguijuelas y se guarecieron en un rebalse, con el agua sobre los hombros.

---

[31] *chuscal:* Vegetación de chusques, plantas de mucha altura parecidas al bambú (LC).

[32] *guatín* o *picure (Dasyprocta spp.):* Roedor parecido a una liebre, de orejas cortas. Come sus alimentos sentado, cogiéndolos con las patas delanteras como las ardillas. Son muy aficionados a la yuca y destruyen las chagras. Los indígenas entrenan perros para cazarlos y comen su carne, que es muy agradable (AC). Se llama *picure,* en la novela, al prófugo, al que se ha fugado de las caucherías.

[33] *linfas:* Aguas.

Desde allí miraron pasar la primera ronda. A semejanza de las cenizas que a lo lejos lanzan las quemas, caían sobre la charca fugitivas tribus de cucarachas y coleópteros, mientras que las márgenes se poblaban de arácnidos y reptiles, obligando a los hombres a sacudir las aguas mefíticas[34] para que no avanzaran en ellas. Un temblor continuo agitaba el suelo, cual si las hojarascas hirvieran solas. Por debajo de troncos y raíces avanzaba el tumulto de la invasión, a tiempo que los árboles se cubrían de una mancha negra, como cáscara movediza, que iba ascendiendo implacablemente a afligir las ramas, a saquear los nidos, a colarse en los agujeros. Alguna comadreja desorbitada, algún lagarto moroso, alguna rata recién parida, eran ansiadas presas de aquel ejército, que las descarnaba, entre chillidos, con una presteza de ácidos disolventes.

¿Cuánto tiempo duró el martirio de aquellos hombres, sepultados en cieno líquido hasta el mentón, que observaban con ojos pávidos el desfile de un enemigo que pasaba, pasaba y volvía a pasar? ¡Horas horripilantes en que saborearon a sorbo y sorbo las alquitaradas[35] hieles de la tortura! Cuando calcularon que se alejaba la última ronda, pretendieron salir a tierra, pero sus miembros estaban paralizados, sin fuerzas para despegarse del barrizal donde se habían enterrado vivos.

Mas no debían morir allí. Era preciso hacer un esfuerzo. El indio Venancio logró cogerse de algunas matas y comenzó a luchar. Agarróse luego de unos bejucos. Varias tambochas desgaritadas[36] le royeron las manos. Poco a poco sintió ensancharse el molde de fango que lo ceñía. Sus piernas al desligarse de lo profundo produjeron chasquidos sordos. «¡Upa! ¡Otra vez y no desmayar! ¡Ánimo! ¡Ánimo!»

Ya salió. En el hoyo vacío burbujeó el agua.

Jadeando, boca arriba, oyó desesperarse a sus compañeros, que imploraban ayuda. «¡Déjenme descansar!» Una

---

[34] *mefítico:* Dícese de lo que respirado puede causar daño (DRAE).

[35] *alquitarado:* Destilado (DRAE).

[36] *desgaritado:* Perdido (DRAE).

hora después, valiéndose de palos y maromas, consiguió sacarlos a todos.

Esta fue la postrera vez que sufrieron juntos. ¿Hacia qué lado quedó la pista? Sentían la cabeza en llamas y el cuerpo rígido. Pedro Fajardo empezó a toser convulsivamente y cayó bañándose en sangre por un vómito de hemoptisis[37].

Mas no tuvieron lástima del cadáver. Coutinho, el mayor, les aconsejaba no perder tiempo. Quitarle el cuchillo de la cintura y dejarlo ahí. ¿Quién lo convidó? ¿Para qué se vino si estaba enfermo? No los debía perjudicar. Y en diciendo esto, obligó a su hermano a subir por una copaiba[38] para observar el rumbo del sol.

El desdichado joven, con pedazos de su camisa, hizo una manea[39] para los tobillos... En vano pretendió adherirse al tronco. Lo montaron sobre las espaldas para que se prendiera de más arriba, y repitió el forcejeo titánico, pero la corteza se despegaba y lo hacía deslizarse y recomenzar. Los de abajo lo sostenían, apuntalándolo con horquetas, y, alucinados por el deseo, como que triplicaban sus estaturas para ayudarlo. Al fin ganó la primera rama. Vientre, brazos, pecho, rodillas le vertían sangre. ¿Ves algo? ¿Ves algo?, le preguntaban. ¡Y con la cabeza decía que no!

Ya ni se acordaban de hacer silencio para no provocar la selva. Una violencia absurda les pervertía los corazones y les requintaba un furor de náufrago, que no reconoce deudos ni amigos cuando, a puñal, mezquina su bote. Manoteaban hacia la altura al interrogar a Lauro Coutinho. «¿No ves nada? ¡Hay que subir más y fijarse bien!»

Lauro sobre la rama, pegado al tronco, acezaba sin responderles. A tamaña altitud, tenía la apariencia de un mono herido, que anhelaba ocultarse del cazador. «¡Co-

---

[37] *hemoptisis:* Hemorragia de la membrana mucosa pulmonar, caracterizada por la expectoración más o menos abundante de sangre (DRAE).

[38] *copaiba (Copaifera spp.):* Árbol de mediana altura, de buena madera. De su tronco se extrae un aceite medicinal llamado bálsamo de copaiba (AC).

[39] *manea:* En este caso, se refiere a una especie de cuerda hecha de jirones, atada a los tobillos, con la que se ayuda a subir por el tronco liso.

barde, hay que subir más!» Y locos de furia lo amenazaban.

Mas, de pronto, el muchacho intentó bajarse. Un gruñido de odio resonó debajo. Lauro, despavorido, les contestaba: «¡Vienen más tambochas! ¡Vienen más tambo...!»

La última sílaba le quedó magullada entre la garganta, porque el otro Coutinho, con un tiro de carabina que le sacó el alma por el costado, lo hizo descender como una pelota.

El fratricida se quedó viéndolo. «¡Ay, Dios mío, maté a mi hermano, maté a mi hermano!» Y, arrojando el arma, se echó a correr. Cada cual corrió sin saber a dónde. Y para siempre se dispersaron.

Noches después los sintió gritar don Clemene Silva, pero temió que lo asesinaran. También había perdido la compasión, también el desierto lo poseía. A veces lo hacía llorar el remordimiento, mas se sinceraba ante su conciencia con sólo pensar en su propia suerte. A pesar de todo, regresó a buscarlos. Halló las calaveras y algunos fémures.

Sin fuego ni fusil, vagó dos meses entre los montes, hecho un idiota, ausente de sus sentidos, animalizado por la floresta, despreciado hasta por la muerte, masticando tallos, cáscaras, hongos, como bestia hervíbora, con la diferencia de que observaba qué clase de pepas comían los micos, para imitarlos[40].

No obstante, alguna mañana tuvo repentina revelación. Paróse ante una palmera de cananguche[41], que, según la leyenda, describe la trayectoria del astro diurno, a la manera del girasol. Nunca había pensado en aquel misterio. Ansiosos minutos estuvo en éxtasis, constatándolo, y creyó observar que el alto follaje iba moviéndose pausadamente, con el ritmo de una cabeza que gastara doce horas justas en inclinarse desde el hombro derecho hasta el contrario. La

---

[40] El discurso de los dos narradores, Cova y Silva, en vez de admiración muestra su desprecio por los habitantes de la selva, capaces de vivir y alimentarse de ella.

[41] *cananguche* o *canangucha*: Moriche (AC).

secreta voz de las cosas le llenó su alma. ¿Sería cierto que esa palmera, encumbrada en aquel destierro como un índice hacia el azul, estaba indicándole la orientación? Verdad o mentira, él lo oyó decir. ¡Y creyó! Lo que necesitaba era una creencia definitiva. Y por el derrotero del vegetal comenzó a perseguir el propio.

Fue así como al poco tiempo encontró la vaguada del río Tiquié. Aquel caño de estrechas curvas parecióle rebalse de estancada ciénaga, y se puso a tirarle hojitas para ver si el agua corría. En esa tarea lo encontraron los Albuquerques, y, casi de rastra, lo condujeron al barracón.

—¿Quién es ese espantajo que han conseguido en la cacería? —les preguntaban los siringueros.

—Un picure que sólo sabe decir: «¡Coutinho!... ¡Peggi! ¡Souza Machado...!»

De allí, al terminar el año, se les fugaba en una canoa para el Vaupés.

Ahora está aquí sentado, en mi compañía, esperando que raye el alba para que lleguemos a las barracas del Guaracú. Quizás piensa en Yaguanarí, en Yavaraté, en los compañeros extraviados. «No vaya usted a Yaguanarí», me aconseja siempre. Yo, recordando a Alicia y a mi enemigo, exclamé colérico:

—¡Iré, iré, iré!

* * *

Al amanecer suscitóse una discusión en que, por fortuna, no perdí el aplomo. Tratábase de la forma como debíamos demandar la hospitalidad.

Era indudable que la presencia inesperada de cuatro hombres desconocidos provocaría en los tambos serias alarmas. Uno de nosotros debía arriesgarse a explorar el ánimo del empresario, para que los demás, que quedarían en expectativa, con la selva libre, no se expusieran a sufrir irreparable servidumbre. Al fin, se convino en que aquella misión me correspondía; pero mis compañeros se negaban resueltamente a dejarme ir armado.

Con esta precaución ofendían mi cordura, y, sin embar

go, la acepté de manera tácita. Evidentemente, ciertos actos como que se anticipan a mis ideas: cuando el cerebro manda, ya mis nervios están en acción. Era bueno privarme de cualquier medio que pudiera encender mi agresividad; y todo hombre armado está siempre a dos pasos de la tragedia.

Entregándoles el revólver que tenía al cinto, les repetí mis advertencias: esperadme aquí; si algo grave sucede, escaparé esta misma noche y nos reuniremos para...

Y partí solo, con el día ya entrado, hacia la vivienda del capataz.

Mientras que marchaba con paso azaroso, empezó a tomar cuerpo mi decisión y recordé el proyecto del Catire Mesa: asaltar la barraca, apoderarnos del «tesoro» de don Clemente, coger los víveres que halláramos y huir con el rumbero por entre los bosques, en busca de las cercanas fuentes del río Guainía, apercibidos para descenderlo, sin correr contingencias con el Isana, su tributario.

¿No sería mejor invadir los tambos a plomo y cuchillo? ¿Por qué llegar como pordiosero a pedir amparo? Me detuve indeciso y miré atrás. Mis camaradas, sacando la cabeza por entre las frondas, esperaban alguna orden. En otra situación, les hubiera gritado con ásperas voces: ¡Mentecatos! ¡Para qué dejan venir los perros!

Porque Martel y Dólar corrían presurosos sobre mi rastro; y en breve instante, desesperándome de inquietud, llevaban por las barracas el anuncio de mi presencia. ¡Imposible retroceder!

Avancé. No creía lo que estaba viendo. ¿Esas pobres ramadas de estilo indígena eran los tan mentados barracones del Guaracú? ¿Esas viles casuchas, amenazadas por el rastrojo, podían ser la sede de un sátrapa[42], que tenía esclavos y concubinas, señor de los montes y amo de los ríos? Cierto que los caucheros sólo construyen habitaciones ocasionales y mudan su residencia de un caño a otro, conforme a la abundancia del siringal; cierto que el Cayeno, estableci-

---

[42] *sátrapa:* Se aplica a veces a alguien que gobierna o manda despóticamente. Originalmente, gobernador de una provincia en la antigua Persia (MM).

do años antes cerca a los raudales del Guaracú, fue moviéndose Isana arriba, sin cambiarle el nombre a la empresa, hasta situarse en el istmo de Papunagua para ejercer dominio sobre el Inírida, en contra de Funes. Pero estas razones no aliviaban mi desencanto ante el mal aspecto de la cauchería.

Uno de los tambos, a paciencia de sus moradores, estaba casi enmallado por andariego bejuco de hojas lanudas y calabacitas amarillentas. En el suelo, espinas de pescado, conchas de armadillo, vasijas de latas carcomidas por el orín. En sucios chinchorros, tendidos sobre un humazo de tizones que ahuyentaba zancudos, se aburrían unas mujeres de fístulas hediondas a yodoformo y pañuelos amarrados en la cabeza. No me sintieron, no se movieron. Parecíame haber llegado a un bosque de leyenda donde dormitaba la Desolación.

Fueron mis cachorros los que disiparon el marasmo: en el caney próximo hicieron chillar a un mico, que, amarrado por la cintura, colgábase de un palo al extremo de la correa. La dueña salió. Gentes enfermas aparecieron. Por todas partes, chicuelos desnudos y mujeres grávidas.

—¿Usted trajo mañoco para vender?

—Sí. ¿El amo está en casa?

—En aquel caney. Dígale que compre. ¡Estamos con hambre!

—¡Mañoco, ay, mañoco! ¡De cualquier modo se lo pagamos!

Y con anticipada salivación saboreaban su propio deseo.

El caney del amo no tenía paredes; tabiques de palma dividían los departamentos. Propiamente carecía de puertas, pero sus huecos se tapaban con planchas de chusque. Yo no supe en aquel momento a dónde llamar. Por encima de la palmicha que le servía de muro a una alcoba, miré hacia adentro, con sutil sospecha. En una hamaca de floreados flecos fumaba una mujer vestida de encajes. Era la madona Zoraida Ayram. ¡Y me vio fisgándola!

—¡Váquiro, Váquiro! ¡Aquí hay un hombre!

No hallé qué decir. Me acerqué a la puerta inmediata. La madona tenía en la mano un revólver, pequeñito como un juguete. Mis camaradas estarían observando mis movimientos. El entrar sin sombrero en el barracón era la señal de que el capataz estaba presente. Más tardé yo en pensarlo que él en salir de la pieza próxima, encapsulando la carabina.

—¿Qué quiere busté?

—Señor, soy Arturo Cova. Gente de paz.

La madona, como burlándose de sus nervios, dijo con pintoresca pronunciación, reparando en mí, mientras que guardaba el revólver entre el corpiño:

—¡Oh, Alá! ¡Lleven a ese mugroso a la cocina!

El Váquiro repuso extendiéndome su cuadrada mano:

—¡Soy Aquiles Vácares, veterano de Venezuela, guapo pal plomo y pa cualquier hombre!

Por lo cual murmuré, descubriéndome reverente:

—¡Salud, General!

* * *

El Váquiro ocupó su chinchorro del corredor, con la carabina en las piernas. Ordenóme que me sentara en el banco próximo. Quedéme perplejo, pero expliqué mi indecisión con estas razones:

—General, ¿podrá ser posible que yo tome asiento al lado de un jefe? Sus fueros militares me lo prohíben.

—Eso sí es verdá.

El Váquiro era borracho, bizco, gangoso. Sus bigotes, enemigos del beso y la caricia, se le alborotaban, inexpugnables, sobre la boca, en cuyo interior la caja de dientes se movía desajustada. En su mestizo rostro pedía justicia la cicatriz de algún machetazo, desde la oreja hasta la nariz. Por el escote de su franela irrumpía del pecho un reprimido bosque de vello hirsuto, tan ingrato de emanaciones como abundante en sudor termal. Su cinturón de cuero curtido se daba pretensiones de muestrario bélico: cuchillo, puñal, cápsulas, revólver. Vestía pantalones de kaki sucio y calzaba cotizas[43] sueltas, que, al moverse, le palmoteaban bajo los talones.

---

43 *cotiza:* Especie de sandalia. Consiste en suela de cuero y capellada de tela y se sujeta al talón por una presilla de la misma clase de tela (I.C).

—¿Cómo hizo busté para adivinar los grados que tengo?

—Un veterano tan eminente debe haber recorrido el escalafón.

—¿El qué?

—El escalafón.

—Dígame: ¿y en Colombia suena mi nombre?

—¿Quién no ha oído nombrar al «valiente Aquiles»?

—Eso sí es verdá.

—¡Paladín homérida![44].

—Le advierto que no soy de Mérida sino de Coro.

En ese momento, en grupo acezante, aparecieron mis camaradas, desarmados, en la extremidad del corredor. El Váquiro, sospechoso, se mantuvo en pie. Hice una modesta presentación:

—Señor General, éstos son compañeros míos.

Los tres, sin acercarse, murmuraron confusos:

—¡Señor General!... ¡Señor General!

Comprendí que era tiempo de improvisar un discurso lírico para que el Váquiro se calmara. Tergiversé las instrucciones de don Clemente. Pronto adquirió mi lengua un tono irresistible de convicción. Yo mismo me admiraba de mi inventiva, riendo, por dentro, de mi propia solemnidad.

Éramos barraqueros[45] del río Vaupés y residíamos en una zona equidistante de Calamar y de la confluencia de Itilla y el Unilla. Trabajábamos en mañoco, siringa y tagua. Teníamos en Manaos un cliente espléndido, la casa Rosas, en cuyo poder me quedaba un ahorro de unas mil libras, que representaba mi trabajo de penosos meses como productor y comisionista.

---

44 *paladín homérida:* Cova se burla de Aquiles Vácares aludiendo al «valiente Aquiles» de Homero y admirándolo como a un héroe épico. En vez de «homérida» el Váquiro entiende «Mérida», población de Venezuela, y contesta precisando el nombre de otra ciudad venezolana, de donde es oriundo: Coro, en la costa del Caribe, a gran distancia de Mérida.

45 *barraquero:* Que pertenece a las barracas, cauchero. Las fantasías y las rutas imaginarias de las que Cova habla a la madona muestran también su forma de asimilar los relatos y las experiencias de Clemente Silva.

Al decir esto, noté que la madona ponía cuidado a mi relato, porque dejó de sonar la hamaca en el cuarto próximo. Este detalle me produjo cierta zozobra y viré de rumbo en mis fantasías.

—Señor General, por desgracia, el Vaupés nos opone raudales pérfidos; y perdimos en un trambuque*[46], en el correntón de Yavaraté, nuestra cosecha de ahora tres años.

Y repetí intencionalmente: en el propio raudal de Yavaraté, contra las raíces de un jacarandá.

La madona asomó a la puerta, llenando con su figura quicio y dintel. Era una hembra adiposa y agigantada, redonda de pechos y de caderas. Ojos claros, piel láctea, gesto vulgar. Con sus vestidos blancos y sus encajes tenía la apariencia de una cascada. Luengo collar de cuentas azules se descolgaba desde su seno, cual una madreselva sobre una sima[47]. Sus brazos, resonantes por las pulseras y desnudos desde los hombros, eran pulposos y satinados como dos cojincillos para el placer, y en la enjoyada mano tenía un tatuaje que representaba dos corazones atravesados por un puñal.

¡Entretanto que la miraba, absolví mentalmente tu inexperiencia, desventurado Luciano Silva, y adiviné el desenlace de tu pasión!

—¿Cuáles son los muchachos que conocen el río Vaupés? —preguntó, regando en la atmósfera el cálido perfume de su abanico.

—Los cuatro, señora.

—¿Y el afiliado a la casa Rosas? ¿El comisionista?

—Su admirador.

—¿A cómo le ordenaron pagar el caucho?

---

[46] La mención al raudal de Yavaraté y al jacarandá es una referencia a la muerte de Luciano Silva, destinada a llamar la atención de la madona.

[47] *sima:* Abismo. Así figura en las ediciones primera y quinta. En la edición de la Biblioteca Ayacucho (1976) y en muchas otras aparece, erróneamente, «cima». Los estudios críticos citan con frecuencia esta sensual descripción de la madona, que la asimila a las cascadas y al color azul de la mariposa de la indiecita Mapiripana, así como al amor y a la violencia.

—El de primera, a un conto de reis. Poco más o menos a trescientos pesos.

—¿No te lo dije, Váquiro, que no se puede pagar a más?

—¡Mire: no le permito apodarme así! Dígame por mi nombre: ¡General Vácares! ¡Aprenda del joven Cova, que sí sabe tratar a los jefes!

—Nada tengo que ver con nombres y títulos. Devuélvanme mi plata o páguenmela en caucho, a razón de trescientos pesos, menos el flete, porque yo no viajo de balde. ¡Lo demás, me importa un comino!

—¡No sea grosera!

—¡Pues entonces no sea tramposo, no sea canalla, ni tal por cual! Sepa que a las damas se les atiende con guante blanco. Aprenda también de este caballero, que me ha dicho «su admirador».

—Calma, mi señora; calma, General.

El sofocado jefe ordenóme con gesto heroico:

—¡Vámonos pa juera, onde no nos vengan a interrumpir!

Al despedirme de la madona hice una profunda reverencia.

* * *

—...Y como le decía, la casa Rosas me ordenó que en lo sucesivo esquiváramos el Vaupés y por el caño Grande descendiéramos al Inírida, hacia San Fernando del Atabapo, donde podíamos consignarle al Gobernador los productos que consiguiéramos, pues era agente suyo y tenía el encargo de remitírselos, por el Orinoco, a la isla de Trinidad.

—¡Chicos! ¿Y no sabían que a Pulido lo asesinaron?

—General, vivimos en el limbo de los desiertos...

—Pues lo descuartizaron, por robarle lo que tenía y por coger la Gobernación.

—¡El Coronel Funes!

—¡Qué coronel! ¡Está degradao! ¡Escupa ese nombre! ¡Cuidado con volverlo a mentar aquí!

Y por darme ejemplo, dejó caer ancha saliva y la refregó con los calcañales.

—Señor General, yo fui precavido: le hice saber a la casa Rosas que en ningún caso respondería por los accidentes que la nueva ruta ocasionara; y, aprobada esta base, dejamos nuestras barracas hace ya dos meses, cargados de mañoco, sarrapia[48] y goma. ¡Pero el Inírida es tan envidioso como el Vaupés, y, al llegar a la boca del Papunagua perdimos todo! ¡Hemos venido por entre el monte, en el colmo de la miseria, a pedir amparo!

—¿Y qué será lo que busté quiere?

—Que me tripulen una canoa para enviar un correo a Manaos, a llevar el aviso de la catástrofe y a traer dinero, sea de la caja de nuestro cliente, sea de mi cuenta; y que nos den posada a los cuatro náufragos hasta que regrese tal expedición.

—¡No tenemos marina... estamos escasísimos de mañoco...!

—Deme usted un boga conocedor y el mulato Correa se irá con él. Pagaremos lo que se nos pida. ¡Los jefes no conocen dificultades!

—¡Eso sí es verdá!

La madona, que oía este diálogo, me llamó aparte:

—Caballero, yo le podría vender un boga que es mío.

—¡No interrumpa busté! ¡Déjenos conversar!

—¿Es que acaso no es mío el rumbero Silva? ¿No les probé que era picure del personal de Yaguanarí? ¿No saben que Pezil no me lo pagó?

—Señora, si usted desea... Si el General no me lo prohíbe...

—¡Qué General! ¡Éste no es el que manda, sino el Cayeno! Éste es un pobre diablo que fanfarronea de administrador.

---

48 *sarrapia (Dypteryx odorata):* Árbol de excelente madera que produce un fruto de semilla odorífica utilizada en perfumería. Contiene cumarina y se utiliza también como antiespasmódico. La extracción de la sarrapia fue muy activa a principios de siglo, en los Llanos, el Guaviare y el río Negro (AC).

—¡No sea deslenguada! ¡Le veoy a probar que sí tengo mando: joven, puede contar con la embarcación!

—¡Gracias! ¡Gracias! En cuanto al boga, si la señora me vende el picure, si me acepta un giro sobre Manaos...

—¿Y qué me da en prenda mientras lo pagan?

—Nuestras personas.

—¡Oh, no! ¡Eso no! ¡Alá!

—No me sorprende la desconfianza. Es verdad que nuestras figuras nos contradicen la solvencia: descalzos, astrosos, necesitados. Sólo aspiro a poner en manos de ustedes cuanto poseemos. Escojan el personal que ha de realizar la comisión. Lo indispensable es que salga pronto con nuestras cartas y tenga cuidado con los valores y mercancías que solicitamos y que ustedes mismos recibirán: drogas, vituallas, y, especialmente, algunos licores, porque conviene alegrar la vida en este desierto.

—Eso sí es verdá.

Cuando la madona, pensativa, nos dejó solos, le rogué al jefe:

—¡Júreme, General, que contaremos con su valía!

—Joven, poco me gusta jurar en cruz, porque soy ateo. ¡Mi religión es la de la espada!

Y llevando la diestra al cinto, como garantía de su juramento, murmuró solemne:

—¡Dios y Federación!

* * *

Al atardecer la madona reapareció. Por frente a la ramada que nos destinó el Váquiro, me hizo el honor de pasear su tedio, cubierta con un velo de gasa nívea que la defendía de los jejenes*.

Junto al fogón ocioso bostezábamos en silencio, esperando a los pescadores que fueron al río a conseguir la cena. Franco vació mañoco del bolsillo y lo comíamos a puñados, cuando reparamos en la mujer. Al verla, volví la cara o a otro lugar, con el sombrero sobre la frente, avergonzado de la miseria en que me hallaba.

—¿Me está mirando?

—Mucho, pero aparenta disimular.

—¿Se fue?

—Les está haciendo cariños a los dos perros.

—Déjate de observarla, porque se acerca.

—¡Ya viene! ¡Ya viene!

Levanté el rostro para afrontarla, y la vi hollando las yerbas, blanca, entre la penumbra semilunar. Pasó junto a mí, saludándome con la mano, y envolvió este reproche en una sonrisa:

—¡Caramba! Estamos esquivos. ¡No hay como tener saldo en la casa Rosas!

Mudo, la vi alejarse hacia su caney, cuando Franco me sacudió:

—¿Oíste? Ya está intrigada por el dinero. ¡Hay que conquistarla inmediatamente!

—¡Sí! A ver si vuelve a decirme mugroso[49]. ¡Caerá! ¡Caerá! ¡El desprecio de una mujer no tiene perdón! ¡Mugroso! Esta noche lavaremos nuestros vestidos y los secaremos a la candela. Mañana...

La turca extendió en el patio su silla portátil y se reclinó bajo los luceros a respirar fragancias del monte. Aquella actitud no tenía más fin que el de fascinarme, aquellos ojos dirigidos a las alturas querían que los contemplara, aquel pensamiento que fingía vagar en la noche estaba conspirando contra mi reposo. ¡Otra vez, como en las ciudades, la hembra bestial y calculadora, sedienta de provechos, me vendía su tentación!

Observándola de reojo, comencé a sentir la agresividad que precede a los desafíos. ¡Mujer singular, mujer ambiciosa, mujer varonil! Por los ríos más solitarios, por las correntadas más peligrosas, atrevía su batelón en busca de los caucheros, para cambiarles por baratijas la goma robada, exponiéndose a las violencias de toda suerte, a la traición de sus propios bogas, al fusil de los salteadores, deseosa de acumular centavo a centavo la fortuna con que soñaba, ayudándose con su cuerpo cuando el buen éxito del negocio lo requería. Por hechizar a los hombres selváticos ata-

---

[49] *mugroso:* Mugriento, sucio.

viábase con grande esmero, y al desembarcar en los barracones, limpia, olorosa, confiaba la defensa de sus haberes a su prometedora sensualidad.

¡Cuántas noches como ésta, en desiertos desconocidos, armaría su catre sobre las arenas todavía calientes, desilusionada de sus esfuerzos, ansiosa de llorar, huérfana de amparo y protección![50]. Tras el día sofocante, cuyo sol restuesta la piel y enrojece los ojos con doble llama al quebrarse en la onda fluvial, la sospecha nocturna de que los bogas van a disgusto y han concebido algún plan siniestro; tras el suplicio de los mosquitos, el tormento de los zancudos, la cena mezquina, el rezongo del temporal, la borrasca encendida y vertiginosa. ¡Y aparentar confianza en los marineros que quieren robarse la embarcación, y relevarlos en la guardia, y aguantarles refunfuños y malos modos, para que al alba continúe el viaje, hacia el raudal que prohíbe el paso, hacia las lagunas donde el gomero prometió entregar un kilo de goma, hacia los ranchos de los deudores que nunca pagan y que se ocultan al divisar la nave tardía!

Así, continuando el éxodo repetido, al monótono chapoteo de los canaletes, debió de medir la inmensa distancia que hay entre la miseria y el oro espléndido. Sentada sobre los fardos, en la proa del batelón, al abrigo de su paraguas, repasaría en la mente sus cuentas, confrontando deudas e ingresos, viendo impaciente cómo pasaba un año tras otro sin dejarle en las manos valiosa dádiva, igual a esos ríos que donde confluyen sólo arrojan espumas en el arenal. Quejosa de la suerte, agravaría su decepción al pensar en tantas mujeres nacidas en la abundancia, en el lujo, en la ociosidad, que juegan con su virtud por tener en qué distraerse, y que aunque la pierdan siguen con honra, porque el dinero es otra virtud. Y ella, uncida al yugo de la pobreza, luchando a brazo partido para comprar el descanso de

---

[50] En la fantasía de Arturo Cova, la vida de la madona se convierte en una narrativa alucinada, en una historia de melodrama y folletín en donde la mujer caída suspira por la tierra, por la madre y por la familia, y requiere el amparo y la protección masculina.

la vejez y volver a su tierra, que le negó todos los placeres, menos el de quererla, el de recordarla. Quizás tendría madre a quien mantener, hermanos que educar, deudas sagradas que redimir. Y por eso la forzaría la necesidad a pulir su rostro, ataviar su cuerpo, refinar su labia, para que los artículos adquirieran categoría; los cobros, provecho; las ofertas, solicitud.

Esto pensaba ya con juicio romántico, desposeído de encono, viéndola ingeniarse por adquirir imperio sobre mi ser. ¿Ambicionaba mi oro o mi juventud? Bien podía escoger lo que le placiera. En aquel momento sentía por ella la solidaridad de los desgraciados. Su alma, endurecida por el comercio, debía pagar tributo a la pesadumbre y a la ilusión, aunque sus ambiciones fueran siempre vulgares. Quizás, como yo, del amor humano sólo conocería la pasión sexual, que no deja lágrimas, sino tedio. ¿Alguien habría rendido su corazón? Pareció no acordarse de Lucianito cuando, al mencionar a Yavaraté, hice veladamente la evocación de la sepultura. Acaso otros pesares constituirían el patrimonio de su dolor, pero era seguro que su maciza femineidad no vivía insensible a las sugestiones espirituales: sus grandes ojos denuncian a ratos una congoja sentimental, que parece contagiada por la tristeza de los ríos que ha recorrido, por el recuerdo de los paisajes que no ha vuelto a ver.

Lentamente, dentro del perímetro de los ranchos, empezó a flotar una melodía semirreligiosa, leve como el humo de los turíbulos[51]. Tuve la impresión de que una flauta estaba dialogando con las estrellas. Luego me pareció que la noche era más azul y que un coro de monjas cantaba en el seno de las montañas, con acento adelgazado por los follajes, desde inconcebibles lejanías. Era que la madona Zoraida Ayram tocaba sobre sus muslos un acordeón.

Aquella música de secreto y de intimidad daba motivo a

---

51 *turíbulo:* Incensario. Como otras veces en la novela, se repiten las imágenes religiosas.

evocaciones y saudades[52]. Cada cual comenzó a sentir en su corazón que lo interrogaba una voz conocida. Varias mujeres con sus chicuelos vinieron a acurrucarse junto a la tañedora. Paz, misterio, melancolía. Elevado en pos del arpegio, el espíritu se desligaba de la materia y emprendía fabulosos viajes, mientras el cuerpo se quedaba inmóvil, como los vegetales circunvecinos.

Mi psiquis de poeta, que traduce el idioma de los sonidos, entendió lo que aquella música les iba diciendo a los circunstantes. Hizo a los caucheros una promesa de redención, realizable desde la fecha en que alguna mano (ojalá que fuera la mía) esbozara el cuadro de sus miserias y dirigiera la compasión de los pueblos hacia las florestas aterradoras; consoló a las mujeres esclavizadas, recordándoles que sus hijos han de ver la aurora de la libertad que ellas nunca miraron, e individualmente nos trajo a todos el don de encariñarnos con nuestras penas por medio del suspiro y de la ensoñación.

En breves minutos volví a vivir mis años pretéritos, como espectador de mi propia vida. ¡Cuántos antecedentes indicadores de mi futuro! ¡Mis riñas de niño, mi pubertad agreste y voluntariosa, mi juventud sin halagos ni amor! ¿Y quién me conmovía en aquel momento hasta ablandarme a la mansedumbre y desear tenderles los brazos, en un ímpetu de perdón, a mis enemigos? ¡Tal milagro lo realizaba una melodía casi pueril! ¡Indudablemente, la madona Zoraida Ayram era extraordinaria! Intenté quererla, como a todas, por sugestión. ¡La bendije, la idealicé! Y recordando las circunstancias que me rodeaban, lloré por ser pobre, por andar mal vestido, por el sino de tragedia que me persigue.

* * *

---

[52] *saudade:* Del portugués. Recuerdo nostálgico y al mismo tiempo suave de personas o cosas distantes o extintas, acompañado del deseo de volver a verlas o a poseerlas (DA).

Franco fue a despertarme por la mañana y encontró el chinchorro vacío. Corrió luego al caño donde yo cumplía mi ablución matinal y me dio esta noticia despampanante:

—¡Vístete ligero, que la madona va a proponerte una transacción!

—¡Mis ropas están húmedas todavía!

—¿Qué importa? ¡Hay que aprovechar! Ella salió del baño, al amanecer, y ya nos hizo un presente regio: galletas, café, dos potes de atún. Quiere hablar contigo, ahora que estamos solos, pues el Váquiro se marchó desde temprano a vigilar a los siringueros y sólo volverá de tardecita.

—¿Y qué quiere decirme?

—Que la prefieras en el negocio. Que si pides dinero para comprar caucho, le tomes al Cayeno todo el que tenga en estos depósitos, a ver si él le paga lo que le está debiendo. ¡Aprisa, vamos!

La madona, en el patio, conversaba animadamente con el Mulato y el Catire, mostrándoles los encajes y los dedos, cual si quisiera instarlos a desmayarse de admiración.

—Es un muestrario andante —advirtióme Franco—: nos propone que le compremos telas, sortijas, joyas, semejantes a las que usa o de mejor laya. Dice que llegó sola en una curiara, tripulada por tres naturales, y dejó su lancha en el caserío de San Felipe, en pleno Río Negro, porque el alto Isana es intransitable. ¿Pero dónde tiene la mercancía que nos ofrece? Podría yo jurar que su batelón está escondido en alguna ciénaga, por temor de que puedan desvalijarlo, y que gentes adictas la esperan allí.

Al calor de la siesta, resolví presentármele a la mujer en su propia alcoba, sin anunciarme, repensando un discurso preparado y con cierta emoción que aumentaba mi palidez. La sorprendí aspirando su cigarrillo en boquilla de ámbar, tendida en la hamaca soporosa, un pie sobre el otro, y el ruedo de la falda barriendo el suelo en tardo compás. Al verme, logró sentarse, con fingido disgusto de mi imprudencia, ajustóse la blusa desabrochada, y, observándome, enmudeció.

Entonces, con ilusoria teatralidad, que, por cierto, fue muy sincera, murmuré bajando los ojos[53]:

—¡No repares, señora, en mis pies descalzos, ni en mis remiendos, ni en mi figura: mi porte es la triste máscara de mi espíritu, mas por mi pecho pasan todas las sendas para el amor!

Me bastó una mirada de la madona para comprender mi equivocación. Tampoco entendía la sinceridad de mi rendimiento, cuando hubiera podido darle a mi ánima, ansiosa de un afecto cualquiera, las orientaciones definitivas; tampoco supo velarse con el espíritu para hacerme olvidar la hembra ante la mujer.

Disgustado por mi ridículo, me senté a su lado, decidido a vengarme de su estupidez, y tendiéndole el brazo sobre los hombros la doblé contra mí, bruscamente, y mis dedos tenaces le quedaron impresos en la piel. Arreglándose las peinetas, protestó anhelante:

—¡Estos colombianos son atrevidos!

—¡Sí, pero en empresas de mucha monta!

—¡Quieto! ¡Quieto! ¡Déjeme reposar!

—Eres insensible como tus cabellos.

—¡Oh! ¡Alá!

—Te besé la cabeza y no sentiste.

—¡Para qué!

—¡Cual si hubiera besado tu inteligencia!

—¡Oh, sí!

Durante un momento quedóse inmóvil, menos pudorosa que alarmada, sin mirarme ni protestar. De repente, se puso en pie.

—¡Caballero, no me pellizque! ¡Está equivocado!

—¡Nunca se equivoca mi corazón!

Y diciendo esto, le mordí la mejilla, una sola vez, porque en mis dientes quedó un saborcillo de vaselina y polvos de arroz. La madona, estrechándome contra el seno, prorrumpió llorosa:

---

[53] Reaparece la conciencia de teatralidad de Cova, unida a su autocrítica ante el fracaso de su discurso.

—¡Ángel mío, prefiérame en el negocio! ¡Prefiérame! Lo demás fue de cuenta mía.

* * *

Hasta diez chiquillos panzudos me cercaron con sus totumas, gimoteando un ruego enseñado por sus mamás, quienes en corrillo famélico los instigaban desde otro caney, ayudándoles con los ojos en la súplica mendicante: «¡Mañoco, ay, mañoco!»

Entonces la madona Zoraida Ayram, con su mano usurera y blanca, que aún tenía la agitación de las últimas sensaciones, quiso demostrar su munificencia y obtener mi aplauso: ejerciendo derechos de ama de casa, franqueó la despensa a los pedigüeños y les ordenó colmar sus vasijas hasta saciarse. Abalanzáronse los muchachos sobre el mapire, como chisgas sobre el trigal, cuando, de súbito, una vieja envidiosa los alarmó con estas palabras: «¡Uiii! ¡Güipas![54] ¡El viejo!» Y la turba despavorida desbandóse con tal precipitación, que algunos cayeron derramando el afrecho precioso, pese a lo cual, los más listos recogieron del suelo varios puñados y lleváronlos a la boca, con tierra y todo.

El espanto[55] de aquellos párvulos era el rumbero Clemente Silva, que, habiendo ido a pescar, regresaba con las redes ineficaces. Grave recelo sienten ante el anciano, con quien los asustan desde que salen de la lactancia, enseñándoles que, cuando crezcan, va a extraviarlos en el centro de los rebalses, bajo siringales oscurecidos, donde la selva habrá de tragárselos.

La arisca timidez de los indiecitos crece al influjo de grotescas supersticiones. Para ellos el amo es un ser sobrenatural, amigo del máguare[56], es decir, del diablo, y por

---

[54] *chisga:* Avecilla de color amarillo y manchas negras (LC).
güipa: Niño.
[55] *espanto:* Fantasma, aparecido (DRAE).
[56] *máguare:* Aparece con acento esdrújulo en todas las ediciones consultadas, pero la palabra usual es *maguaré,* o *manguaré,* tambor de señales. Así se designa a una generalidad de instrumentos, construidos de madera, que se per-

eso los montes le prestan ayuda y los ríos le guardan los secretos de sus violencias. Ahí está la isla del Purgatorio, en donde han visto perecer, por mandato del capataz, a los caucheros desobedientes, a las indias ladronas, a los niños díscolos, amarrados a la intemperie, en total desnudez, para que los zancudos y los murciélagos los ajusticien. Semejante castigo amedrenta a los pequeñuelos, y, antes de cumplir cinco años de edad, salen a los cauchales en la cuadrilla de las mujeres, con miedo al patrón, que los obliga a picar los troncos, y con miedo a la selva, que debe odiarlos por su crueldad. Siempre anda con ellos algún hachero que les derriba determinado número de árboles, y es de verse entonces cómo, en el suelo, torturan el vegetal, hiriéndole ramas y raíces con clavos y puyas, hasta extraerle la postrera gota de jugo.

—¿Qué opina usted, don Clemente, de estos rapaces?

—Que en mí le tienen miedo a su porvenir.

—Pero usted es hombre de buen agüero. Compare nuestros temores de hace dos días con la tranquilidad de que gozamos.

Así dije; y pensando en nuestra pronta separación, nos arrepentimos íntimamente de haber hablado, y enmudecimos, procurando que nuestros ojos no se encontraran.

—¿Hoy ha conferenciado con mis compañeros?

—Como amanecimos pescando, estarán durmiendo la siesta.

—¡Vamos a verlos!

Y cuando pasamos ante un caney, cercano al río, vi un grupo de niñas, de ocho a trece años, sentadas en el suelo, en círculo triste. Vestían todas chingues[57] mugrientos,

cuten con mazos de madera o caucho y su sonido se escucha a gran distancia. El más conocido es el tambor de madera cilíndrico, ahuecado en su interior y que puede ir en pares, o uno solamente. El tambor literalmente habla por medio de señales y sus sonidos tienen equivalentes fonéticos que la comunidad conoce y entiende. Es un instrumento tradicional del grupo Huitoto, del noroeste amazónico colombiano. (Cfr. Benjamín Yepes, «Notas sobre el maguaré», *Maguaré* (Revista del Departamento de Antropología de la Universidad Nacional de Colombia, vol II, núm. 2, 1983-1984, págs. 5-7).

[57] *chingue:* En este caso se refiere a un pedazo de tela sin forma, amarrado de cualquier manera.

terciados en forma de banda y suspendidos por sobre el hombro de un cordón, de suerte que les quedaban pecho y brazos desnudos. Una espulgaba a su compañera, que se le había dormido sobre las rodillas; otras preparaban un cigarrillo en una corteza de tabarí*[58], fina como papel; ésta, de cuando en cuando, mordía con displicencia un caimito lechoso; aquélla, de ojos estúpidos y greñas alborotadas, distraía el hambre de una criatura que le pataleaba en las piernas, metiédole el meñique entre la boquita, a falta del pezón ya exhausto. ¡Nunca veré otro grupo de más infinita desolación!

—Don Clemente, ¿qué se quedan haciendo estas indiecitas mientras tornan sus padres a la barraca?

—Estas son las queridas de nuestros amos. Se las cambiaron a sus parientes por sal, por telas y cachivaches o las arrancaron de sus bohíos como impuesto de esclavitud. Ellas casi no han conocido la serena inocencia que la infancia respira, ni tuvieron otro juguete que el pesado tarro de cargar agua o el hermanito sobre el cuadril. ¡Cuán impuro fue el holocausto de su trágica doncellez! Antes de los diez años, son compelidas al lecho, como a un suplicio; y, descaderadas por sus patrones, crecen entecas, taciturnas, ¡hasta que un día sufren el espanto de sentirse madres, sin comprender la maternidad!

Mientras íbamos caminando, estremecidos de indignación, observé un semitecho de mirití*[59], sostenido por dos horcones, de los cuales pendía chinchorro misérrimo, donde descansaba un sujeto joven, de cutis ceroso y aspecto extático. Sus ojos debían tener alguna lesión, porque los velaba con dos trapillos amarrados sobre la frente.

---

[58] *tabarí (Cariniana spp.)*: Tabarí, árbol alto y recto parecido al castaño. Produce frutos grandes y redondos muy perseguidos por los animales. Su corteza macerada produce un papelillo fino que se utiliza para envolver cigarrillos (AC).

caimito (Pouteria caimito): Árbol de mediano porte, con hojas verdes y lustrosas, muy cultivado en toda la Amazonia. El fruto es de color amarillo brillante y contiene una pulpa semitransparente de sabor muy dulce (AC).

[59] *mirití*: Palma llamada *mirití* en Brasil, *canangucha* en el Valpés, Caquetá y Puntumayo, *moriche* en el Guaviare Medio y los Llanos, y *aguaje* en Perú (AC).

—¿Cómo se llama aquel individuo que se tapó la cara con la cobija, como disgustado por mi presencia?

—Un paisano nuestro. Es el solitario Esteban Ramírez, que tiene la vista a medio perder.

Entonces acercándome al chinchorro y descubriéndole la cabeza, le dije con voz tenue y emocionada:

—¡Hola, Ramiro Estévanez! ¿Crees que no te conozco?[60].

* * *

Un singular afecto me ligó siempre a Ramiro Estévanez. Hubiera querido ser su hermano menor. Ningún otro amigo logró inspirarme aquella confianza que, manteniéndose dignamente sobre la esfera de lo trivial, tiene elevado imperio en el corazón y en la inteligencia.

Siempre nos veíamos, nunca nos tuteábamos. Él era magnánimo; impulsivo yo. Él optimista; yo, desolado. Él, virtuoso y platónico; yo, mundano y sensual. No obstante, nos acercó la desemejanza, y, sin desviar las innatas inclinaciones, nos completábamos en el espíritu, poniendo yo la imaginación, él la filosofía. También, aunque distanciados por las costumbres, nos influimos por el contraste. Pretendía mantenerse incólume ante la seducción de mis

---

[60] Aparece Ramiro Estévanez, un personaje que cumple diversas funciones significativas en la novela. Con su presencia se evocan, integran y contrastan recuerdos y experiencias de los dos amigos, en especial sus relaciones amorosas. Más adelante él será el último narrador de un largo relato enmarcado. Cova señalará la función de confidente de su amigo como motivación para escribir su manuscrito. El cambio de nombre de Ramiro Estévanez a Esteban Ramírez es significativo dentro de la novela, como forma de ocultamiento y descubrimiento del personaje. Hay muchos otros casos en los que Rivera hizo numerosos juegos de nombres y apellidos para bautizar a sus personajes, ya no dentro de la novela sino tomándolos de la realidad para cambiarlos en su ficción. Al respecto anota Eduardo Neale Silva: «A Rivera le gustaba servirse de nombres y apellidos auténticos, combinándolos en tal forma que conservasen cierta semejanza con los de sus conocidos, amigos o rivales. En la mayoría de los casos, esta triquiñuela no tenía otro objeto que dar más sabor de autenticidad a la novela. [...] Las asociaciones a veces son puramente casuales y no tienen ningún significado especial para la comprensión de la novela» (HH, págs. 303-304).

aventuras, pero al censurármelas lo inundaba cierta curiosidad, una especie de regocijo pecaminoso por los desvíos de que lo hizo incapaz su temperamento, sin dejar de reconocerles vital atractivo a las tentaciones. Creo que, por encima de sus consejos, más de una vez hubiera cambiado su temperancia por mis locuras. De tal suerte llegué a habituarme a comparar nuestros pareceres, que ya en todos mis actos me preocupaba una reflexión: ¿Qué pensará de esto mi amigo mental?

Amaba de la vida cuanto era noble: el hogar, la patria, la fe, el trabajo, todo lo digno y lo laudable. Arca de sus parientes, vivía circunscrito a su obligación, reservándose para sí los serenos goces espirituales y conquistando de la pobreza el lujo real de ser generoso. Viajó, se instruyó, comparó civilizaciones, comprendió a hombres y a mujeres, y por todo aquello adquirió después una sonrisilla sardónica, que tomaba relieve cuando ponía en sus juicios la pimienta del análisis y en sus charlas la coquetería de la paradoja.

Antaño, apenas supe que galanteaba a cierta beldad de categoría, quise preguntarle si era posible que un joven pobre pensara compartir con otra persona el pan escaso que conseguía para sus padres. Nada le traté a fondo porque me interrumpió con frase justa: ¿No me queda derecho ni a la ilusión?

Y la loca ilusión lo llevó al desastre. Tornóse melancólico, reservado, y acabó por negarme su intimidad. Con todo, algún día le dije por indagarlo: Quiera el destino reservarle mi corazón a cualquier mujer cuya parentela no se crea superior, por ningún motivo, a mi gente. Y me replicó: Yo también he pensado en ello. ¿Pero qué hacer? ¡En esa doncella se detuvo mi aspiración!

Al poco tiempo de su fracaso sentimental no lo volví a ver. Supe que había emigrado a no sé dónde, y que la fortuna le fue risueña, según lo predicaban, tácitamente, las relativas comodidades de su familia. Y ahora lo encontraba en las barracas del Guaracú, hambreado, inútil, usando otro nombre y con una venda sobre los párpados.

Gran desconcierto me produjo su pesadumbre, y, por

compasiva delicadeza, no me atrevía a inquirir detalle ninguno de su suerte. En vano esperé a que iniciara la confidencia. El tal Ramiro estaba cambiado: ni un apretón, ni una palabra cordial, ni un gesto de regocijo por nuestro encuentro, por todo ese pasado que en mí renacía y en el cual poseíamos partes iguales. En represalia, adopté un mutismo glacial. Después, por mortificarlo, le dije secamente:

—¡Se casó! ¿Sí sabías que se casó?

Al influjo de esta noticia resucitó para mi amistad un Ramiro Estévanez desconocido, porque en vez del suave filósofo apareció un hombre mordaz y amargo, que veía la vida tal como es por ciertos aspectos. Asiéndome de la mano, interrogó:

—¿Y será verdadera esposa, o sólo concubina de su marido?

—¿Quién lo podrá decir?

—Claro que ella posee virtudes para ser la esposa ideal de que nos habla el Evangelio; pero unida a un hombre que no la pervirtiera y encanallara[61]. Entiendo que el suyo es uno de tantos como conozco, viudos de mancebía, momentáneos desertores de los burdeles, que se casan por vanidad o por interés, hasta por adquirir hembra de alcurnia a beneplácito de la sociedad. Pero pronto la depravan y la relegan, o en el santuario del hogar la convierten en meretriz, pues su ardor marital ya no prospera sino reviviendo prácticas de prostíbulo.

—¿Y eso qué importa? Con tal de llevar apellido ilustre que se cotice en el gran mundo...

—¡Bendito sea Dios, porque aún existe la candidez!

Esta frase me hizo la impresión de un alfilerazo en mi epidermis de hombre corrido. Y me di a acechar el mo-

---

[61] *encanallar:* Corromper, envilecer haciéndole tomar costumbres ruines (DRAE). La crítica de Ramiro Estévanez incluye alusiones a la importancia de la situación social y económica en el matrimonio, pero también habría que interpretar esos comentarios teniendo en cuenta la dicotomía esposa-meretriz, que supone la negación del placer sexual de la mujer en las relaciones conyugales, y que se identifica con la posición de Cova frente a la sexualidad.

mento de probarle a Estévanez que yo también entendía de mordacidad; pero la ocasión no se presentaba y él expuso:

—A propósito de apellidos, recuerdo cierta anécdota de un Ministro, de quien fui escribiente. ¡Qué Ministro tan popular! ¡Qué despacho tan visitado! Pronto me di cuenta de un fenómeno paradójico: los aspirantes salían sin gangas, pero rebosaban de orgullo prócer. Una vez penetraron en la oficina dos caballeros de punta en blanco, elegantes de oficio, profesores de simpatía en garitos y salones. El Ministro, al tenderles la mano, puso atención a sus apellidos:

—Yo soy Zárraga —dijo uno.

—Yo soy Cómbita —murmuró el otro.

—¡Ah, sí! ¡Ah, sí! ¡Cuánto honor, cuánto gusto! ¡Ustedes son descendientes de los Zárragas y de los Cómbitas!

Y cuando salieron, le pregunté a mi augusto jefe:

—¿Quiénes son los antepasados de estos señorones, cuya prosapia arrancó a usted un elogio tan espontáneo?

—¿Elogio? ¡Qué sé yo! Mi pleitesía fue de simple lógica: si el uno es Cómbita y el otro es Zárraga, sus respectivos padres llevarían esos apellidos. ¡Nada más!

Porque Ramiro no advirtiera que su talento provocaba mi admiración, aparenté displicencia ante sus palabras. Quise tratarlo como a pupilo, desconociéndolo como a mentor, para demostrarle que los trabajos y decepciones me dieron más ciencia que los preceptores de filosofismo, y que las asperezas de mi carácter eran más a propósito para la lucha que la prudencia débil, la mansedumbre utópica y la bondad inane. Ahí estaban los resultados de tan grande axioma: entre él y yo, el vencido era él. Retrasado de las pasiones, fracasado de su ideal, sentiría el deseo de ser combativo, para vengarse, para imponerse, para redimirse, para ser hombre contra los hombres y rebelde contra su destino. Viéndolo inerme, inepto, desventurado, le esbocé con cierta insolencia mi situación para deslumbrarlo con mi audacia:

—Hola, ¿no me preguntas qué vientos me empujan por estas selvas?

—La energía sobrante, la búsqueda del Dorado[62], el atavismo de algún abuelo conquistador...

—¡Me robé una mujer y me la robaron! ¡Vengo a matar al que la tenga!

—Mal te cuadra el penacho rojo de Lucifer.

—¿Pero no crees acaso en mi decisión?

—¿Y la tal mujer merece la pena? Si es como la madona Zoraida Ayram...

—¿Sabes algo?

—Me pareció que entrabas en su caney...

—¿De modo que tus ojos no están perdidos?

—Todavía no. Fue una incuria[63] mía, mientras fumigaba un bolón de goma. Prendí fuego, y, al taparlo con el embudo que se habilita de chimenea, una rama rebelde que chirriaba quemándose, me lanzó al rostro un chorro de humo.

—¡Qué horror! ¡Como si se tratara de una venganza contra tus ojos!

—¡En castigo de lo que vieron!

✷ ✷ ✷

Esta frase fue para mí una revelación: Ramiro era el hombre que, según don Clemente Silva, presenció las tragedias de San Fernando del Atabapo y solía relatar que Funes enterraba la gente viva. Él había visto cosas extraordi-

---

[62] Referencia a la leyenda de El Dorado, que desde la época de la Conquista impulsó a la búsqueda de oro y riquezas en tierra americana. Según las crónicas de Fray Pedro Simón, un cacique chibcha de Guatavita (lugar cercano a la actual Bogotá) celebraba un ritual que consistía en cubrirse la piel de oro en polvo, «...y entrando así hasta el medio de la laguna allí hacía sacrificios y ofrendas, arrojando al agua algunas piezas de oro y esmeraldas». Se creyó que podía hallarse El Dorado en muchas otras lagunas y lugares, incluyendo el Amazonas. Con el tiempo, El Dorado dejó de referirse al indio cubierto de oro para ser sinónimo de cualquier región dotada de riquezas. (Cfr. Beatriz Pastor, *Discursos narrativos de la Conquista: mitificación y emergencia.* Hanover, N.H.: Ediciones del Norte, 1988; y Juan Gustavo Cobo Borda (comp.), *Fábulas y leyendas de El Dorado,* Barcelona, Tusquets Editores, 1987.)

[63] *incuria.* Negligencia (DRAE).

narias en el pillaje y la crueldad, y yo ardía por conocer detalles de esa crónica pavorosa[64].

Hasta por ese aspecto Ramiro Estévanez resultaba interesantísimo; y como, al parecer, reaccionaba contra el divorcio de nuestra fraterna intimidad, fuese amenguando en mi corazón el resentimiento y empezamos a hacer el canje de nuestras desdichas, refiriéndolas a grandes rasgos. Aquel día no cambiamos palabra sobre la tiranía del coronel Funes, porque Ramiro no cesaba de hacerme el inventario de sus cuitas, como urgido de protección. Lo que más me dolió de cuanto contaba fueron las inauditas humillaciones a que dio en someterlo un capataz a quien llamaban El Argentino, por decirse oriundo de aquel país. Este hombre, odioso, intrigante y adulador, les impuso a los siringueros el tormento del hambre, estableciendo la práctica insostenible de pagar con mañoco la leche de caucho, a razón de puñado por litro. Había llegado a las barracas del Guaracú con unos prófugos del río Ventuario, y, queriendo vendérselos al Cayeno, convirtióse en explotador de sus propios amigos, forzándolos con el foete a trabajos agobiadores, para demostrar la pujanza física de los cuitados y exigir por ellos un óptimo precio. Gerenciaba también el zarzo de las mujeres, premiando con sus cuerpos avejentados la abyección de ciertos peones, y a fuerza de mala índole ganóse el ánimo del Cayeno, hasta posponer al Váquiro mismo, que lo odiaba y reñía.

En el preciso instante que relataba Ramiro Estévanez tan torpes abusos, principió a llegar a los tambos la desolada fila de caucheros, con los tarros de goma líquida y las armas verdes del árbol massaranduba, que prefieren para fumigar, porque producen humo denso. Mientras unos guindaban sus chinchorros para tenderse a sudar la fiebre o a lamentarse del beriberi que los hinchaba, otros prendían fuego, y las mujeres amamantaban a sus criaturas, que no les daban tiempo para quitarse de la cabeza las tinajas rebosantes de jugo.

---

[64] Se define Ramiro como testigo, víctima del castigo mítico de la ceguera, y próximo narrador ficticio de sucesos históricos.

Llegó con ellos y con el Váquiro un individuo que usaba abrigo impermeable y esgrimía en los dedos un latiguillo de balatá. Hizo limpiar una gran vasija y se puso a medir con una totuma la leche que cada gomero presentaba, atortolándolos con insultos, con amenazas y reclamos, y mermándoles el mañoco a que tenían derecho para cenar.

—Mira —exclamó temblando Ramiro—: ¡mi hombre es aquel sujeto del impermeable!

—¡Cómo! ¿Ese que me observa por bajo el ala del sombrero? No hay tal argentino. ¡Ese es el famoso Petardo Lermes, popularísimo en Bogotá!

Al sentirse objeto de mi atención, multiplicaba las reprensiones y trajinaba de aquí y de allí, como para que yo quedara lelo ante sus portentosas actividades de hombre de empresa y me diera cata de lo difícil que me sería contentar al futuro patrón. Dándolas de afanoso y ocupadísimo, marchó hacia mí, fingiendo escribir en una libreta, mientras caminaba, para tener pretexto de atropellarme.

—Amigo, ¿el nombre de usted? ¿Los informes de su cuadrilla?

Picado por la insolencia del fantoche, volví la cara hacia los caucheros y respondí por soflamarlo:

—Soy de la cuadrilla de los «pepitos». Los envidiosos que me conocieron en Bogotá me apodaron el Petardo Lesmes, aunque hace tiempo que no les pido nada, pese a los desembolsos que ocasiona la sociedad. Prefería empeñar mi argolla de compromiso en cubículos y trastiendas, aun a riesgo de que lo supiera mi prometida, con tal de ser munífico, cual lo requiere mi posición social. Ocupé mis ratos de estudio en dirigir anónimos a mis primas contra sus pretendientes que no eran ricos o que no eran chic. Alegré corrillos de esquinas, señalando con dedo cínico a las mujeres que desfilaban, calumniándolas en mil formas, para acreditar mi cartel de perdonavírgenes. Fui cajero de la Junta de Crédito Distrital, por llamamiento unánime de sus miembros. Los cien mil dólares del alcance no salieron todos en mi maleta: me dieron únicamente el quince por ciento. Acepté la designación con previo acuerdo de firmar recibo por un caudal que ya no existían. Palabra dada, palabra sagrada. Al principio tuve vagos escrúpulos de inexperto, pero la Junta me decidió. Recordóme el ejemplo de tanto pisco que saquea con impunidad habilitaciones, bancos, pagadurías, sin menoscabar su buena reputación. Fulano de tal falsificó cheques; zutano adulteró cuentas y depósitos; perencejo se puso por la derecha un sueldo adecuado a su categoría de novio elegante, en lo cual procedió muy bien, pues no es justo ni humano trajinar con talegas y mazos de billetones, padeciendo necesidades, con el suplicio de Tántalo[65] día por día, y ser como el asno que marcha hambriento llevando la cebada sobre su lomo. Vine por aquí mientras olvidan el desfalco; tornaré presto, diciendo que andaba por Nueva York, y llegaré vestido a la moda, con abrigo de pieles y zapatos de caña blanca, a frecuentar mis relaciones, mis amistades, y a obtener otro empleo fructuoso. ¡Estos son los informes de mi cuadrilla!

Así terminé, remirando a Estévanez y feliz de haber encontrado ocasión de exhibir mi mordacidad. El Petardo Lesmes, sin inmutarse, me argumentó:

—¡Mis tías y mis hermanas pagarán todo!

—¿Con qué, con qué? Ustedes son pobres, hijos de ricos. Dividida la herencia, nos igualamos.

—¿Arturo Cova igualarse a mí? ¿Cómo, de qué manera?

—¡De ésta! —Y rapándole el látigo, le crucé el rostro.

El Petardo salió corriendo, entre el ruido del impermeable, gritando que le prestaran una carabina. ¡Y no me mató!

El Váquiro, la madona y mis compañeros acudieron a contenerme. Entonces un cauchero corpulentísimo sonrió cuadrándose:

---

[65] *suplicio de Tántalo:* El castigo impuesto por Zeus a Tántalo. Condenado a sufrir hambre y sed eternos, tenía el agua a la altura de la barbilla y las ramas cargadas de frutos al alcance de su brazo; pero ambas cosas se retiraban si intentaba alcanzarlas.

—Eso sí no sería con yo. ¡Si usté me hubiera tocao la cara, uno de los dos estaría en el suelo!

Varios del corrillo que nos rodeaban le replicaron:

—¡No se meta de guapetón, acuérdese del Chispita, que en el Putumayo le echaba rejo![66].

—¡Sí, pero onde lo vea le corto las manos!

* * *

—Franco, ¿qué te dice Ramiro Estévanez?, ¿qué se murmura en los barracones?

—Ramiro se entuasiasma por tu ardentía y se apoca ante tu imprudencia. Los gomeros aplauden la humillación del Petardo Lesmes, pero en todos veo cierta inquietud, el presentimiento de alguna cosa sensacional. Yo mismo empiezo a sentir una desconfianza preocupadora. Ayudado por el Catire, he procurado cumplir tus órdenes respecto de la insurrección; pero nadie quiere meterse en sublevaciones, desconfían de nuestros planes y de ti mismo. Suponen que los quieres acaudillar para esclavizarlos cuando pase el golpe o venderlos después. Temo haberles hablado a los delatores. El Petardo Lesmes partió esta mañana en exploración y quería llevarse como rumbero a Clemente Silva. Gracias a que el Váquiro no convino en que éste marchara.

—¡Qué has dicho! ¡Es imperioso que la canoa salga esta misma noche para Manaos!

—Lo lamentable es que sea tan pequeña. Si pudiéramos caber todos...

—¿Pero no comprendes tu desvarío? Aquí debemos permanecer. Nuestra residencia en el Guaracú es la garantía de los viajeros. Si los atajaran, si los prendieran, ¿quién velaría por su destino? Hay que darles tiempo de que desciendan el Isana. Después haremos lo que se pueda para escaparnos. Mientras tanto, nuestro Cónsul estará en viaje y lo avistaremos en el Río Negro. Dos meses de espera,

---

[66] *guapetón:* Arrogante, bravucón (MM).
echar rejo: Azotar con látigo.

porque la madona les presta su lancha a los emisarios y la tomarán desde San Felipe.

—Óyeme: el viejo Silva dice que no quiere dejarte solo, ¡que no puede admitir favores que provengan de esa mujer, quien lo tuvo de esclavo tras de haber sido concubina de Lucianito!

—¡Si eso quedó arreglado desde ayer! ¡Se irán don Clemente con el mulato y dos bogas más! Ya les tengo firmados los pasaportes. Los víveres listos. ¡Sólo me falta escribir la correspondencia!

Alarmado por este informe, corrí luego a buscar al anciano Silva y le rogué con acento apremiante, provocando sus lágrimas:

—¡No se detenga por mis peligros! ¡Váyase, por Dios, con los huesos de su pequeño! ¡Piense que si se queda descubren todo y no saldremos jamás de aquí! ¡Guarde ese llanto para ablandar el alma de nuestro Cónsul y hacer que se venga inmediatamente a devolvernos la libertad! ¡Regrese con él y viaje de día y de noche, en la seguridad de hallarnos pronto, porque para entonces estaremos en el Guainía. Búsquenos usted en Yaguanarí, en el barracón de Manuel Cardoso; y si le dicen que nos internamos en la montaña, coja nuestra pista, que muy en breve nos encontrará. Desde ahora le repito las mismas súplicas de Coutinho y de Souza Machado, cuando, perdidos en la floresta, le besaban los pies: «Apiádese de nosotros. Si usted nos abandona, moriremos de hambre.»

Después, estrechando contra mi pecho al mulato Antonio Correa:

—¡Vete, pero no olvides que merecemos la redención! ¡No nos dejen botados en estos montes! ¡Nosotros también queremos regresar a nuestras llanuras, también tenemos madre a quien adorar! ¡Piensa que si morimos en estas selvas, seremos más desgraciados que el infeliz de Luciano Silva, pues no habrá quien repatrie nuestros despojos!

Y aunque el Váquiro ebrio y la madona concupiscente me esperaban para yantar, me encerré en la oficina del patrón, y, en compañía de Ramiro Estévanez, redacté para nuestro Cónsul el pliego que debía llevar don Clemente

Silva, una tremenda requisitoria, de estilo borbollante y apresurado como el agua de los torrentes[67].

* * *

Esa noche, el Váquiro, deteniéndose en el umbral, interrumpía nuestra labor con impertinencias:

—¡Pida cachaza[68], pida tabaco y tiros de wínchester!

A su vez, el catire Mesa, provisto de una antorcha, se presentaba a repetir:

—La canoa está lista, pero no hay quien entregue el quintal de caucho que deben llevar como dinero para cubrir los costos del viaje.

Y la madona, con fastidiosa desfachatez, entraba en el cuartucho mal iluminado, me interrogaba familiarmente, me servía pocillos de café tinto, que ella misma endulzaba a sorbos, dándome por servilleta la punta de su delantal.

En presencia del casto Ramiro, apoyó la mejilla en mi hombro, viendo correr la pluma sobre las páginas, a la resinosa luz del candil, admirada de mi destreza en trazar signos que ella no entendía, tan diferentes del alfabeto árabe.

—¡Quién supiera escribir tu idioma! Ángel mío, ¿qué pones ahí?

—Le estoy diciendo a la casa Rosas que tienes un caucho maravilloso.

Ramiro, indignado, se retiró.

—Amor, no le digas eso, porque me pedirá que se lo dé en pago.

—¿Acaso le debes?

—¡La deuda no es mía, pero... quisiera que me ayudaras!...

---

[67] La descripción del pliego que le manda al Cónsul evoca el fragmento de la carta que sigue al prólogo de la novela, y se compara con la *vorágine*, «el agua de los torrentes». Lo escribe en el siguiente fragmento, con Ramiro y a pesar de la presencia de la madona.

[68] *cachaza* o *cachaça*: En Brasil, aguardiente que se obtiene mediante la fermentación y destilación de miel o sedimentos de melaza (DA).

—¿Te obligaste como fiadora?

—Sí.

—Pero el deudor te daba lotes de caucho.

—Eran para mí, no para la deuda.

—¡Y lo mató un árbol! ¿No es verdad que lo mató un árbol, el de la ciencia del bien y del mal?

—¡Oh! ¿Tú sabes? ¿Tú sabes?

—¡Recuerda que he vivido en el Vaupés!

La madona, desconcertada, retrocedía, pero yo, sujetándola por los brazos, la obligué a hablar:

—¡No te afanes, no te desesperes! ¿Es tuya la culpa de que el muchacho se matara? ¡No me niegues que se suicidó!

—¡Sí, se mató! ¡Pero no lo cuentes a tus amigos! ¡Tenía tantas deudas! ¡Quería que me quedara en los siringales viviendo con él! ¡Imposible! ¡O que nos casáramos en Manaos! Un absurdo. ¡Y en el último viaje, cuando pernoctamos en el raudal, lo desengañé, le exigí que me dejara, que se volviera! Empezó a llorar. ¡Él sabía que yo cargaba el revólver entre el corpiño! Inclinóse sobre mi hamaca, como oliéndome, como palpándome. ¡De pronto, un disparo! ¡Y me bañó los senos en sangre!

La madona, sacudida por el relato, fue ganando la puerta, con las manos sobre la blusa, como si quisiera tapar la mancha caliente. ¡Y me quedé solo!

Entonces sentí ascender palabras de llanto, juramentos, imprecaciones que salían del caney próximo. Don Clemente Silva y mis camaradas me rodearon enfurecidos:

—¡Me los botaron! ¡Ah, miserables! ¡Me los botaron!

—¡Cómo! ¡Será posible!

—¡Los huesos de mi hijo, de mi hijo desventurado, los tiraron al río, porque la madona, esa perra cínica, les tenía escrúpulo! ¡Ahora sí, cuchillo con estas fieras! ¡Mátelos a todos!

Momentos después, sobre la canoa desatracada, vi erguirse en la sombra el perfil colérico del anciano. Entré en el agua para abrazarlo una y otra vez, y escuché sus postreras admoniciones:

—¡Mátelos, que yo vuelvo! ¡Pero perdone a la pobre

Alicia! ¡Hágalo por mí! ¡Como si fuera María Gertrudis!

Y se fue la canoa, y comprendíamos que los viajeros agitaban los brazos hacia nosotros en la lobreguez del cauce siniestro. Llorando, repetimos las palabras de Lucianito: «¡Adiós, adiós!»

Arriba, el cielo sin límites, la constelada noche del trópico.

¡Y las estrellas infundían miedo!

* * *

Va para seis semanas que, por insinuación de Ramiro Estévanez, distraigo la ociosidad escribiendo las notas de mi odisea, en el libro de Caja que el Cayeno tenía sobre su escritorio como adorno inútil y polvoriento[69]. Peripecias extravagantes, detalles pueriles, páginas truculentas forman la red precaria de mi narración, y la voy exponiendo con pesadumbre, al ver que mi vida no conquistó lo trascendental y en ella todo resulta insignificante y perecedero.

Erraría quien imaginara que mi lápiz se mueve con deseos de notoriedad, al correr presuroso en el papel tras de las palabras para irlas fijando sobre las líneas. No ambiciono otro fin que el de emocionar a Ramiro Estévanez con el

---

[69] Fragmento clave en la estructura de la obra, en donde se precisa el momento de la escritura del manuscrito de Arturo Cova, en las barracas del Guaracú (cfr. Richard Ford, «El marco narrativo de *La vorágine*», TC, págs. 307-316). Cova define sus experiencias como una «odisea», y su narración como «precaria». Sin embargo, tal como la definió Horacio Quiroga en 1927, *La vorágine* sigue llamándose «la epopeya de la selva» (TC, págs. 77-81). Es decir, el sentido que aparentemente da Cova a la palabra odisea, como serie de aventuras peligrosas, se convierte en una prestigiosa y vigente clasificación genérica. Por otra parte, en este párrafo Cova define su propia narrativa como extravagante, pueril y truculenta, con lo que Rivera se adelanta una vez más a las interpretaciones críticas sobre el personaje y sus manuscritos.

Respecto al grupo y a las rutas de los diversos personajes, hay que anotar que en este momento de la narración Clemente Silva viaja a Manaos con el mulato Correa, y se va clamando venganza, sin poderse llevar los huesos de su hijo Luciano. Del grupo que se formó en la segunda parte, solo quedan Cova, Franco y Mesa.

breviario de mis aventuras, confesándole por escrito el curso de mis pasiones y defectos, a ver si aprende a apreciar en mí lo que en él regateó el destino, y logra estimularse para la acción, pues siempre ha sido provechosísima disciplina para el pusilánime hacer confrontaciones con el arriscado.

Todo nos lo hemos dicho y ya no tenemos de qué conversar. Su vida de comerciante en Ciudad Bolívar, de minero en no sé qué afluente del Caroní, de curandero en San Fernando del Atabapo, carece de relieve y de fascinación; ni un episodio característico, ni un gesto personal, ni un hecho descollante sobre lo común. En cambio, yo sí puedo enseñarle mis huellas en el camino, porque si son efímeras, al menos no se confunden con las demás. Y tras de mostrarlas quiero describirlas, con jactancia o con amargura, según la reacción que producen en mis recuerdos, ahora que las evoco bajo las barracas del Guaracú.

Si el Váquiro deletreara las apreciaciones que me suscita, se vengaría soltándome, libre de ropas, en la isla del Purgatorio, para que las plagas dieran remate a las sátiras y al satírico. Pero el general es más ignorante que la madona. Apenas aprendió a dibujar su firma, sin distinguir las letras que la componen, y está convencido de que la rúbrica es elevado emblema de sus títulos militares.

A ratos escucho el taloneo de sus cotizas y penetra en el escritorio a charlar conmigo.

—Calculo que la curiara va más abajo del raudal del Yurupari.

—¿Y no habrán tenido dificultades?... El Petardo Lesmes...

—¡Pierda cuidao! Anda por el Inírida, y en esta semana debe regresar.

—Señor General, ¿él cumple ciertas órdenes de usted?

—Lo mandé a perseguir a los indios del caño Pendare, pa aumentar los trabajadores. Y busté, joven Cova, ¿qué es lo que escribe tanto?

—Ejercito la letra, mi General. En vez de aburrirme matando zancudos...

—Eso tá bien hecho. Por no haber practicao, se me olvidó lo poco que sé. Afortunadamente, tengo un hermano que es un belitre[70] en cosas de pluma. Dicen que era de malas pa la ortogafía, pero cuando me vine lo vi jalarse hasta medio pliego sin diccionario.

—¿Su hermano también estuvo en San Fernando del Atabapo?

—¡No, no! Ni pa qué.

—¿Mi paisano Esteban Ramírez era amigo suyo?

—¡Cuántas veces le he repetido que sí y que sí! Juntos nos le fugamos al indio Funes, porque sabrá busté que el Tomás es indio. Si nos coge, nos despescueza. Y como yo conocía al Cayeno, resolvimos venir a buscarlo. Remontamos el río Guainía, desde Maroa, y por el arrastradero de los caños Mica y Rayao pasamos al Inírida. Y aquí nos ve, establecidos en el Isana.

— General, mi paisano agradece tanto...

—A él le consta que si me vine no fue por miedo, sino por empuercarme matando al Funes. Busté sabe que ese bandido debe más de seiscientas muertes. Puros racionales[71], porque a los indios no se les lleva número. Dígale a su paisano que le cuente las matazones.

—Ya me las contó. Ya las anoté.

* * *

En el pueblecito de San Fernando, que cuenta apenas sesenta casas, se dan cita tres grandes ríos que lo enriquecen: a la izquierda, el Atabapo de aguas rojizas y arenas blancas; al frente, el Guaviare, flavo[72]; a la derecha, el Orinoco, de onda imperial. ¡Alrededor, la selva, la selva!

---

[70] *belitre:* Pícaro, experto (DRAE).

[71] *racionales:* El Váquiro repite aquí la misma expresión con la que Correa se refirió a los blancos, en oposición a los indígenas, en la primera parte. El hecho de que los indígenas sean considerados irracionales y su exterminio ni siquiera digno de tener en cuenta, remite a las discusiones teológicas de la Colonia sobre el alma del indígena y muestra un racismo vigente y de graves consecuencias en este siglo.

[72] *flavo:* De color entre amarillo y rojo, como el de la miel o el del oro (DRAE).

Todos aquellos ríos presenciaron la muerte de los gomeros que mató Funes el 8 de mayo de 1913[73].

Fue el siringa terrible —el ídolo negro— quien provocó la feroz matanza. Sólo se trata de una trifulca entre empresarios de caucherías. Hasta el gobernador negociaba en caucho.

Y no pienses que al decir Funes he nombrado a persona única. Funes es un sistema, un estado de alma, es la sed de oro, es la envidia sórdida. Muchos son Funes, aunque lleve uno solo el nombre fatídico.

La costumbre de perseguir riquezas ilusas a costa de los indios y de los árboles; el acopio paralizado de chucherías para peones destinadas a producir hasta mil por ciento; la competencia del almacén del gobernador, quien no pagaba derecho alguno, y al vender con mano oficial recogía con ambas manos; la influencia de la selva, que pervierte como el alcohol, llegaron a crear en algunos hombres de San Fernando un impulso y una conciencia que los movió a valerse de un asesino para que iniciara lo que todos querían hacer y que le ayudaron a realizar.

Ni creas que delinquía el Gobernador al pegar la boca a la fuente de los impuestos, con un pie en su despacho y el otro en la tienda. Tan contraria actitud se la imponían las circunstancias, porque aquel territorio es como una heredad cuyos gastos paga el favorito que la disfruta, inclusive su propio sueldo. El gobernador de esa comarca es un empresario cuyos subalternos viven de él; siendo sus empleados particulares, tienen una función constitucional. Uno se llama juez, otro jefe civil, otro registrador. Les imparte órdenes promiscuas, les fija salarios y los remueve a volun-

---

[73] La historia de Funes es uno de los relatos de la novela que se ciñe más fielmente a los hechos históricos que tuvieron lugar en la época mencionada. Funes fue fusilado en 1921 y su muerte puso fin a su imperio. San Fernando del Atabapo, población situada en la estrella fluvial que forma el Orinoco con el Guaviare y el Atabapo, está en una situación geográfica privilegiada, comunicada con la navegación del Guaviare y el Inírida, y cerca del Brazo Casiquiare, por donde se puede pasar al río Negro y al Amazonas. De nuevo, parte de la culpa de los crímenes que cometen los hombres es del árbol del caucho, «el ídolo negro», y de la selva, «que pervierte como el alcohol».

tad. Los tiempos del Pretor[74], que impartía justicia en las plazas públicas, reviven en San Fernando bajo otra forma: un funcionamiento plenipotente legisla, gobierna y juzga por conducto de parciales asalariados.

Y no es raro ver en la población a individuos que, llegados de lueñes tierras, se detienen frente a un ventorro y dicen al ventero con urgida voz: «Señor juez, cuando se desocupe de pesar caucho, háganos el favor de abrir la oficina para presentar nuestras demandas», y se les responde: «Hoy no los atiendo. En esta semana no habrá justicia: el gobernador me tiene atareado en despachar mañoco para sus barraqueros del Beripamoni.»

Esto allí es legal, correcto y humano. Cualquiera tiene derecho de preocuparse por las entradas del patrón: las rentas son el termómetro de los sueldos. Bolsillo flojo, pago mezquino.

El gobernador Roberto Pulido, competidor comercial de sus gobernados, no había establecido impuestos estúpidos; sin embargo, fraguábase la conjura para suprimirlo. Su mala estrella le aconsejó dictar un decreto en el cual disponía que los derechos de exportar caucho se pagaran en San Fernando, con oro o con plata, y no con pagarés girados contra el comercio de Ciudad Bolívar[75]. ¿Quién tenía dinero listo? Los guardadosos. Mas éstos no lo ahorraban para prestarlo: compraban goma barata a quien tuviera necesidad de pagar tarifas de exportación. Al principio, los mismos conspiradores entraron en competencia en este negocio; luego sacaron de allí el pretexto para estallar: decir que Pulido dictó su decreto, aprovechando la carencia de numerario[76], para hacerse vender la goma a precio irrisorio, por intermedio de compinches confabulados. ¡Y lo mataron, lo saquearon y lo arrastraron, y en una sola noche desaparecieron setenta hombres!

* * *

---

[74] *pretor:* Magistrado romano que ejercía su función en Roma o en las provincias (MM).

[75] *Ciudad Bolívar:* Ciudad venezolana sobre el Orinoco que, como Iquitos y Manaos, ha sido un importante centro de comercio.

[76] *numerario:* Moneda acuñada o dinero efectivo (DRAE).

—Desde días atrás —me refiere Ramiro Estévanez— advertí los preparativos del ominoso acontecimiento. Ya se decía, a boca tapada, que varios sujetos habían logrado infundirle a Funes la creencia de que era apto para adueñarse de la región y hasta para ser Presidente de la República cuando quisiera. No resultaron falsos profetas los de aquel augurio: porque jamás, en ningún país, se vio tirano con tanto dominio en vida y fortunas como el que atormenta la inmesurable zona cauchera cuyas dos salidas están cerradas: en el Orinoco, por los chorros de Atures y de Maipures; y en el Guainía, por la aduana de Amanadona.

Un día acudí a la casa del Coronel, a tiempo que éste ajustaba la puerta del patio. Aunque intentó cerrarla rápidamente, alcancé a ver que en el interior había considerable número de caucheros, sentados en los pretiles y en los poyos de la cocina, limpiando sus armas. Estos hombres fueron traídos de las barracas del Pasimoni, como después se dijo, y llegaron a media noche a la población, en compañía de otros barraqueros pertenecientes al personal de distintos patrones, que los ocultaron con cautela.

Funes alarmóse al notar que yo había observado a los gomeros y, buscando mi oído, secreteó con patibularia amabilidad:

—¡No los dejo salir porque se emborrachan! ¡Son de los nuestros! ¿Qué se le ofrece?

—Le debo mil bolívares a Espinosa y me tiene fundido a cobros. Si usted quisiera prestármelos...

—¡Yo nací para los amigos! Espinosa nunca volverá a cobrarle. Usted con sus propias manos tendrá ocasión de saldar esa deuda. Esperemos a que llegue el Gobernador.

Y Pulido llegó al atardecer, de regreso del Casiquiare, en una lancha de petróleo llamada Yasaná. En compañía de varios empleados, recogióse pronto porque venía enfermo de fiebres. Mientras tanto, sus enemigos, que habían limpiado de embarcaciones la costa para evitar fugas posibles, quitáronle el timón a la lancha y lo escondieron en la trastienda del Coronel, cuyas tapias dan sobre el Atabapo.

Vino a poco la noche, una noche medrosa y relampagueante. De la casa de Funes grupos armados de wínchesters, embozados en bayetones para que nadie los conociera, tambaleantes por el influjo del ron que les enardecía la animalidad. Por las tres callejas solitarias se distribuyeron para el asalto, recordando los nombres de las personas que debían sacrificar. Algunos, mentalmente, incluyeron en esa lista a cuanto individuo les inspiraba antipatías o resentimientos: a sus acreedores, a sus patrones. Marchaban recostados a las paredes tropezando con los cerdos que dormitaban en la acera: «¡Marrano maldito, me hace caer!»

—¡Chist! ¡Silencio! ¡Silencio!

En el estanco de Capecci, gente indefensa jugaba a los naipes, acaballada en el mostrador. Cinco hombres, entre ellos Funes, quedaron acechándola en lo oscuro, para cuando se abriera el fuego en la esquina próxima. Allá, en la alcoba del sentenciado, ardía una lámpara que lanzaba contra la lluvia lívidas claridades. El grupo de López, felinamente, se acercó a la ventana abierta. Adentro, Pulido, abrigado entre su chinchorro, sorbía la poción preparada por los enfermeros. De repente, volviendo los ojos hacia la noche, alcanzó a sentarse: «¿Quiénes están ahí?» ¡Y las bocas de veinte rifles le contestaron, llenando la estancia de humo y sangre!

Esta fue la señal terrible, el comienzo de la hecatombe. En las tiendas, en las calles, en los solares reventaban los tiros. ¡Confusión, fogonazos, lamentaciones, sombras corriendo en la oscuridad! A tal punto cundía la matazón, que hasta los asesinos se asesinaron. A veces, hacia el río, una procesión consternaba el pasmo de las tinieblas, arrastrando cadáveres que prendían de los miembros y de las ropas, atropellándose sobre ellos, como las hormigas cuando transportan provisiones pesadas. ¿Por dónde escapar, a dónde acudir? Mujeres y chicuelos, desorbitados por un refugio, daban con la pandilla, que los abaleaba[77] antes de llegar. «¡Viva el coronel Funes! ¡Abajo los impuestos! ¡Viva el comercio libre!»

---

[77] *abalear:* Disparar con bala.

Como una saeta, como una ráfaga, empezó a correr una voz: «¡A la casa del Coronel! ¡A la casa del Coronel!» Mientras tanto, en el puerto lóbrego tableteaba el motor de la Yasaná. «¡A dejar el pueblo! ¡A embarcarse! ¡A la casa del Coronel!»

Cesaron los tiros. En su sala, en su tienda, trajinaba Funes, recibiendo a las gentes incautas, separando con sonrisitas a los que pronto serían asesinados en el solar. «¡Usted, a la lancha! ¡Usted conmigo!» En breves minutos colmóse el patio de rostros pavóricos. Tras la puerta del muro que da sobre el río se situó González con el machete. «¡A bordo, muchachos!» Y el que iba saliendo, rodaba decapitado, entre los hoyos que dieron tierra para levantar la edificación.

—¡Ni un grito, ni una queja!

—¡La noche, el motor, la tempestad!

* * *

Asomándome a la ventana del corredor, donde parpadeaba una lamparilla, vi arremolinarse en la oscuridad el rebaño de detenidos, recelosos de desfilar por la hórrida puerta, escalofriados por la intuición del peligro cruento, erizados como los toros que perciben sobre la yerba olor de sangre.

«¡A bordo, muchachos!», repetía la voz cavernosa, desde el otro lado del quicio feral[78]. Nadie salía. Entonces la voz pronunciaba nombres.

Los de adentro intentaron una tímida resistencia: «¡Salga primero!» «¡Al que llaman es a usted!» «¿Pero por qué me acosan a mí?» ¡Y ellos mismos se empujaban hacia la muerte!

En la pieza donde estaba yo comenzaron a descargar bultos y más bultos: caucho, mercancías, baúles, mañoco, el botín de los muertos, la causa material de su sacrificio. Unos murieron porque la codicia de sus rivales estaba clamando por el despojo; otros fueron sacrificados por ser

---

[78] *feral:* Cruel, sangriento.

peones en la cuadrilla de algún patrón a quien convenía mermarle la gente, para poner coto a la competencia; contra éstos fue ejecutado el fatal designio, pues debían fuertes avances, y, dándoles muerte, se asegura la ruina de sus empresarios; aquéllos cayeron, estrangulando el grito agónico, porque eran del tren gubernamental, empleados, amigos o familiares del aborrecido gobernador. Los demás, por celos, inquinas, enemistades.

—¿Cómo es posible que lo encuentre sin carabina? —preguntóme Funes—. Usted no ha querido ayudarnos en nada. ¡Y eso que ya cubrí su deuda! ¡En este machete se lee el recibo!

Y enseñaba contra el farol la hoja sanguinolenta y amellada.

—No se exponga —agregó— a que el pueblo lo considere enemigo de sus derechos y su libertad. Es preciso adquirir credenciales: una cabeza, un brazo, lo que se pueda. ¡Tome ese wínchester y rebúsquese! ¡Ojalá se topara con Dellepiani o con Baldomero!

Y cogiéndome por el hombro, muy amablemente, me puso en la calle.

Por el lado del puerto, hacia la laja de Maracoa, se agruparon unas linternas y descendieron a lo largo de la orilla, alumbrando las aguas y el arenal. Eran unas mujeres que gimoteaban al través de los pañolones, buscando los cadáveres de sus deudos.

—¡Ay! ¡Aquí le arrancaron los intestinos! ¡Lo tirarían a la resaca, pero ha de flotar al amanecer!

En tanto, en los solares, tipos enmascarados movían sus velas, con afán de esconder entre los hoyos llenos de basuras los cuerpos de las víctimas y la responsabilidad de los matadores.

—¡Bótenlos al río! No me los dejen en este patio, que no tardan en ponerse hediondos.

Así clamaba una vejezuela, y, al verse desobedecida, amontonó ceniza caliente en las improvisadas sepulturas.

A veces ambulaba por las esquinas alguna ronda de hombres protervos[79], que se atisbaban con desconfianza

---

[79] *protervo:* Malvado, perverso (MM).

recíproca, disfrazando sus estaturas y sus movimientos por hacer imposible la identidad. Algunos se acercaban para tentarse la manga de la camisa, que debía estar remangada en el brazo izquierdo, pero nadie supo de fijo con quién andaba ni a quién perseguía su acompañante, y se separaban sin interrogarse ni reconocerse. Pasó la lluvia, desaparecieron los cadáveres insepultos, y, sin embargo, el alba indolente se retrasaba en ponerle fin a tan nefanda noche de pesadilla. Cuando el pelotón iba a disgregarse, un hombre inclinó la cara sobre el vecino alumbrándolo con la brasa del tabaco.

—¿Vácares?

—¡Sí!

Y, en oyendo la voz gangosa, le infirió profunda facada en el ancho pómulo.

Hoy me asegura el Váquiro que el mismo Funes fue quien le anduvo por el carrillo queriendo sajarle la yugular. Sólo que en San Fernando no se atrevía a revelar el nombre de su agresor, por miedo a las reincidencias del Coronel, ante quien daba pábulo a la leyenda de que su herida fue ocasionada en osado duelo, al abatir en la oscuridad a diez contendores apandillados.

Y hubieras visto a qué extremos tan deplorables se abajaron los fernandinos por salvar su débil pellejo, haciéndose gratos al déspota y a sus áulicos. ¡Qué adhesiones, qué aplausos, qué intimidades! La delación fue planta parásita que enredaba a vivos y a muertos y el chisme y la calumnia progresaron como peste. Los que sobrevivieron a la catástrofe perdieron el derecho de lamentarse y comentar, so riesgo de que por siempre los silenciaran. Cada cual tornóse en espía, y tras de cerraduras y rendijas hay ojos y oídos. Nadie puede salir del pueblo, ni averiguar por el deudo desaparecido, ni inquirir por el paradero del conterráneo, sin exponerse a ser denunciado como traidor y enterrado vivo hasta la tetilla en la excavación que, forzadamente, lo obligan a hacer en un arenal, donde el calor lo vaya soasando y los zamuros le piquen los ojos.

Mas no sólo a los aledaños del caserío se circunscriben estas tropelías: por selvas, ríos y estradas va creciendo la onda del sobresalto, de la conquista, del exterminio. Cada cual mata por cuenta propia, mientras que muere, y ampara sus crímenes bajo supuestas órdenes del tirano, quien les da su aprobación tácita, para deshacerse de los autores, que deja entregados a su mutua ferocidad.

La especie de que Pulido prosperaba adquiriendo caucho es inicua farsa. Bien saben los gomeros que el oro vegetal no enriquece a nadie. Los potentados de la floresta no tienen más que créditos en los libros, contra peones que nunca pagan, si no es con la vida, contra indígenas que se merman, contra bogueros que se roban lo que transportan. La servidumbre en estas comarcas se hace vitalicia para esclavo y dueño: uno y otro deben morir aquí. Un sino de fracaso y maldición persigue a cuantos explotan la mina verde. La selva los aniquila, la selva los retiene, la selva los llama para tragárselos. Los que escapan, aunque se refugien en las ciudades, llevan ya el maleficio en cuerpo y en alma. Mustios, envejecidos, decepcionados, no tienen más que una aspiración: volver, volver, a sabiendas de que si vuelven perecerán. Y los que se quedan, los que desoyen el llamamiento de la montaña, siempre declinan en la miseria, víctimas de dolencias desconocidas, siendo carne palúdica de hospital, entregándose a la cuchilla que les recorta el hígado por pedazos, como en pena de algo sacrílego que cometieron contra los indios, contra los árboles.

¿Cuál podrá ser la suerte de los caucheros de San Fernando? Causa pavura considerarla. Pasado el primer acto de la tragedia, palidecieron; pero el caudillo que improvisaron ya tenía fuerza, ya tenía nombre. Le dieron a probar sangre y aún tiene sed. ¡Venga acá la Gobernación! Él mató como comerciante, como gomero, sólo por suprimir la competencia; mas como le quedan competidores en siringales y en barracas, ha resuelto exterminarlos con igual fin y por eso va asesinando a sus mismos cómplices.

—¡La lógica triunfa!

—¡Que viva la lógica!

* * *

Calamidades físicas y morales se han aliado contra mi existencia en el sopor de estos días viciosos[80]. Mi decaimiento y mi escepticismo tienen por causa el cansancio lúbrico, la astenia del vigor físico, succionado por los besos de la madona. Cual se agota una esperma invertida sobre su llama, acabó presto con mi ardentía esta loba insaciable, que oxida con su aliento mi virilidad.

Y la odio y la detesto por calurosa, por mercenaria, por incitante, por sus pulpas tiranas, por sus senos trágicos. Hoy, como nunca, siento nostalgia de la mujer ideal y pura, cuyos brazos brinden serenidad para la inquietud, frescura para el ardor, olvido para los vicios y las pasiones. Hoy, como nunca, añoro lo que perdí en tantas doncellas ilusionadas, que me miraron con simpatía y que en el secreto de su pudor halagaron la idea de hacerme feliz.

La misma Alicia, con todos los caprichos de la inexperiencia, jamás traicionó su índole aseñorada y sabía ser digna hasta en las mayores intimidades. Mi encono irascible, mi rencor perenne, el enojo que siento al recordarla, no alcanzan a deslucir esa honestidad que, por fuerza, debo reconocerle y abonarle, aunque hoy la repudie por degradada y pérfida. ¡Cuánta diferencia entre ella y la turca, a quien vence en todo, en gracia como en juventud! Porque esta jamona indecorosa alcanza los límites de la marchitez y de la obesidad. Así lo noté desde que la vi. Aunque pasa de los cuarenta, no se le descubre ni una cana blanca, por milagro de sus cosméticos: ¡pero yo se las adivino!

¡Oh fatiga de la presencia que disgusta! ¡Oh asco de los besos que no se piden! Estaba obligado a disimular, en provecho de nuestros planes, esa repulsión que la madona me produce, y a no tener descanso en mi desabrimiento,

---

[80] Termina la narración de Ramiro Estévanez, escrita por Arturo Cova, y éste retoma el relato. Este fragmento ha sido repetidamente citado como descripción y crítica de la madona, calificada aquí como «loba insaciable» y relacionada con imágenes devoradoras provenientes tanto de las interpretaciones de la selva como de la leyenda de la indiecita Mapiripana.

pues ninguno de mis amigos ha podido sustituirme en el ruin oficio de tenerla propicia. Ella los rechaza porque sabe que el del saldo en la casa Rosas sólo soy yo. Ensayé, para libertarme, el gesto cansado, la frase dura, el desprecio que levanta ampolla. Por fin rompí con ella violentamente. Y hoy no hallo qué hacer para reconquistarla.

Sucede que estas noches los siringueros han invadido el zarzo de las mujeres, para gozarlas como premio de su semana, según vieja costumbre. Hediondos a humo y a mugre, apenas acaban de fumigar, se le presentan al centinela y con gesto lascivo encargan el turno. Los menos rijosos[81] cambian su derecho a los impacientes por tabacos, por goma o por píldoras de quinina. Anoche, dos niñas montubias[82] lloraban a gritos en lo alto de la escalera, porque todos los hombres las preferían y les era imposible resistir más. El Váquiro, amenazándolas con el foete, las insultó. Una de ellas, desesperada, se tiró al suelo y se astilló un brazo. Acudimos con luces a recogerla y la guarecí en mi chinchorro.

—¡Infames, infames! ¡Basta de abusos con estas mujeres desgraciadas! ¡La que no tenga hombre que la defienda, aquí me tiene!

Silencio. Algunas indígenas se me acercaron. En el otro caney sonrieron unos jayanes que estimulan su sensualidad con chistes obscenos. Y, mirándome, continuaron su ocupación, encendidos en la trémula llamarada de los fogones, sobre cuyo humo hacían voltear —como un asador— el palo en que se cuajaba el bolón de goma, bañándolo en leche a cada instante con la tigelina* o con la cuchara.

—Oiga —me dijo uno—, si tanto le duele lo sucedido, hagamos un cambio: préstenos la madona pa probarla.

Y la madona se enfureció porque no castigué al atrevido.

—¿Te quedas manicruzado ante lo que oíste? ¿Para

81 *rijoso:* Lujurioso.
82 *montubia:* Montaraz, salvaje.

mí sí no habrá respeto? ¿Quiere decir que no tengo hombre? ¡Alá!

—¡Los tienes a todos!

—¡Pues entonces me paga lo que me debe!

—¡Nada le debo!

Y esta mañana, cuando por consejo de mis amigos fui a darle satisfacciones y a reconocerme deudor, la encontré ataviada, energúmena, lacrimosa.

—¡Ingrato, decirme que no cumple sus compromisos!

Cogíle las mejillas, sin saber en dónde besarla, cuando de pronto retrocedí descolorido de emoción, y gané la puerta.

—¡Franco, Franco, por Dios! ¡La madona con los zarcillos de tu mujer! ¡Con las esmeraldas de la niña Griselda!

* * *

¿Cómo pintar la impresión penosa que fue ensombreciendo el rostro de Franco al escuchar mis exclamaciones? Sentado en la barbacoa, en compañía de Ramiro Estévanez, miraba tejer mapires de palma al Catire Mesa, quien les explicaba el modo sencillo de urdir la tramazón. Con denuedo instintivo, apenas pronuncié el nombre de su mujer, apretó los puños como apercibiéndose para defenderla; pero luego inclinó la frente, encendida por el rubor de la honra agraviada.

—¿Qué me importa la suerte de esa señora? —afirmó rabioso. Y, destejiendo la canastilla, aparentaba tranquilidad.

De repente, dijo con tono brusco, como una cuchillada en nuestro silencio:

—¡Quiero ver los zarcillos, quiero convencerme! ¿Dónde está la turca ladrona?

—Cállate, que nos pierdes —le suplicábamos, porque Zoraida venía hacia nosotros, trayendo en la boca un cigarrillo sin encender. Franco, taimado, le brindó los fósforos, y cuando la madona se inclinó hacia la llama, lo vi dominar el impulso de agarrarla por las orejas.

—¡Ésos son, ésos son! —repetía al volver. Y se echó boca abajo en el chinchorro, sin decir más.

Definitivamente, desde ese momento me abandonó la paz del espíritu. ¡Matar a un hombre! ¡He aquí mi programa, mi obligación!

Siento en mi rostro el hálito frío, anuncio de las tempestades. A mal tiempo llega la hora tan calculada, tan perseguida. Lo que pedí al futuro es presente ya. Mientras avancé sobre la venganza, el conflicto final me parecía pequeño, por lo remoto; mas hoy, al ver de cerca el desenlace, hallo desmesurada esta aventura, cuando estoy sin salud y sin energías para engallarme y arremeter.

Pero no me verán buscarle la curva al peligro. Iré de frente, contrariando la reflexión, sordo al oscuro aviso que se eleva desde el fondo de mi conciencia: ¡morir, morir!

Lo que más me agrava el aturdimiento es la opinión unánime de mis amigos sobre el modo de rematar la situación:

—Si Barrera está por aquí, ¿cuál es mi deber?

— ¡Matarlo, matarlo!

Y tú mismo, Ramiro Estévanez, sostienes el fatal consejo, a tiempo que yo, tal vez por cobardía, esperaba de tu cordura fórmulas piadosas. Seré inexorable, pues lo queréis. ¡Gracias a vosotros, vendrá la tragedia!

¡Que conste!

* * *

¡La niña Griselda, la niña Griselda!

Franco y Helí la vieron anoche, sobre el puente de un batelón que ha dado en venir al rebalse próximo a embarcar el siringa robado. Alumbraba con un lámpara la faena contrabandista, y si no distinguió a mis compañeros, al menos sabe ya que la buscamos, porque Martel y Dólar se lanzaron a agasajarla, y ella, al partir el barco, se llevó los perros.

Fue Ramiro Estévanez quien primero supo que los indios trasponían la goma de los depósitos, cargándola entre las tinieblas, hacia embarcaderos insospechados. Diole el denuncio mi protegida, cierta noche que le vendaba el brazo enfermo; y, enterados de la ocurrencia, nos apostó la india en un escondite para que viéramos sucederse la línea de bultos por entre la maleza encubridora. Diez, quince, veinte nativos de los que sólo entienden la lengua yeral[83], pasaban con sus cargas, pisando en el silencio como en una alfombra. Para mayor sorpresa, cerraba el desfile la madona Zoraida Ayram.

«¡Cogerla! ¡Secuestrarla! ¡Impedir el viaje!» Así cuchicheábamos viéndola fundirse en la oscuridad. Sin tiempo de echar mano a las carabinas, ocultas desde nuestra llegada, corrimos al tambo de la mujer. La lamparilla de encandilar murciélagos latía como una víscera. El equipaje, intacto. La hamaca, aún tibia, estaba repleta de mantas y cojines, para simular bajo el mosquitero un cuerpo dormido; aquí las chinelas de piel de tigre; allá la colilla del último cigarrillo, humeando todavía en el rincón. Estos detalles nos permitían respirar con sosiego. La madona no había salido para escaparse. Pero debíamos vigilar.

En la noche siguiente dimos comienzo a nuestros planes: Franco y Helí, con taparrabos y con fardo al hombro, entraron desnudos en la fila de los cargadores, por conocer la ruta del incógnito puerto y atisbar las maniobras de los aborígenes. Mientras tanto, Ramiro entretuvo al Váquiro en su caney y yo pasé la noche con Zoraida. Sobrevino una imprevisión adversa o propicia: los perros, viéndose solos, cogieron el rastro de mis compañeros y encontraron a su antigua dueña, que, mañosamente, se los llevó, sin decir palabra.

—A no haber sido por los cachorros —me declaraba Franco al amanecer—, no la hubiera reconocido. ¡Tan espectral, tan anémica, tan consumida! Grave error cometimos al desertar de los indígenas cuando columbramos las

---

[83] *lengua yeral:* Lengua geral. En portugués, *língua geral* o lengua general. Se llama así a la lengua tupi-guaraní sistematizada por los padres jesuitas, hablada hasta el siglo XIX por tribus que habitaban el litoral y hasta hoy por tribus de la región amazónica (DA).

luces del barco. Abiertos de la fila, en la oscuridad, observamos a corto trecho lo que pasaba. Pero si hubieran descubierto nuestra presencia, nos habrían asesinado. La pobre mujer, alzando una luz, miraba angustiosa a todas partes; y en breve desatracaron y se fueron.

—¡Qué desgracia! ¡Corremos el peligro de que ya no vuelva!

Entonces el Catire afirmó:

—Desenterradas nuestras carabinas y en achaques de salir a cauchar, rondaremos estas lagunas desde hoy. Fácil cosa es hallar la guarida del bongo. Si la niña Griselda está con los perros, bastará silbarlos.

¡Hace cinco días que se hallan ausentes, y la incertidumbre me vuelve loco!

* * *

La madona está cavilosa. Su disimulo es incompatible con mi paciencia. A ratos he querido reducirla con amenazas, hablarle de Barrera y de los enganchados, obligarla a revelar todo. Otras veces, desligado de la esperanza, intento resignarme a los caprichos del destino, a la fatalidad de los sucesos sobrevinientes, dándoles la espalda, por sentirlos llegar sin palidecer.

¿En quién esperar? ¿En el anciano Silva? ¡Sábelo Dios si tal curiara habrá perecido! De juro que si bajan hasta Manaos, nuestro Cónsul, al leer mi carta, replicará que su valimiento y jurisdicción no alcanzan a estas latitudes, o lo que es lo mismo, que no es colombiano sino para contados sitios del país. Tal vez, al escuchar la relación de don Clemente, extienda sobre la mesa aquel mapa costoso, aparatoso, mentiroso y deficientísimo que trazó la Oficina de Longitudes de Bogotá, y le responda tras de prolija indagación: «¡Aquí no figuran ríos de esos nombres! Quizás pertenezcan a Venezuela. Diríjase usted a Ciudad Bolívar.»

Y, muy campante, seguirá atrincherado en su estupidez, porque a esta pobre patria no la conocen sus propios hijos, ni siquiera sus geógrafos.

Ante la madona, mientras tanto, es preciso vivir alerta. Siempre odié su idiosincrasia menesterosa, que tiene dos antenas, como los cangrejos: torpeza en el amor y astucia en el lucro. Hoy, más que eso, me desazona su hipocresía, apenas inferior a mi sagacidad. Pero su habilidoso fingimiento data de pocos días.

¿Acaso, como piensa Ramiro, le llegó algún aviso contra mí? ¿Qué será de Barrera, qué del Petardo Lesmes y del Cayeno?

—Zoraida, el que dijera que has cambiado conmigo, tendría razón.

—¡Alá! Como tú prefieres las indias...

—Harto convencida debes estar de lo contrario. Tu desvío tiene por causa el arrebato aquél... ¡Y hasta me reprochaste que no te pagaba! ¿Qué testimonio puedo aducir como garantía de mi honradez? Sólo un hombre, con quien tuve negocios en pasadas épocas y reside en este desierto, podría darte informes de mi rectitud. Cuando regrese la curiara que bajó a Manaos, iré a buscarlo a Yaguanarí porque le debo varios contos. ¡Se llama Barre-ra!

La madona cambió de postura en el catrecillo abriendo los labios.

—¿Narciso? ¿Tu compatriota?

—Sí, que tiene negocios con un tal Pezil. Sin conocerme, hízome el honor de enviarme dinero al alto Vaupés para que les enganchara indios y peones. Más tarde, recibí orden de suspender aquella gestión porque él mismo pensaba contratarlos en Casanare. ¡Hombre raro y emprendedor, de audaces ideas! Me ofrecía, a última hora, cederme a bajo precio cuantos siringueros le sobraran. ¡Sin reparar en que ya le debía las sumas que me confió! ¡Iré a verlo, a devolvérselas y a hacer un buen trato; porque hoy a los caucheros se les gana mucho en el Vaupés. Si pudiera, no negociaría en goma sino en gomeros.

Al oír esto, la madona, poniéndome sus palmas en las rodillas, hizo la emocionante revelación:

—¡Los peones de Barrera no valen nada! ¡Todos con hambre, todos con peste! A lo largo del río Guainía desembarcaban en las casas de los caboclos[84], a robarse cuanto encontraban, a tragarse lo que podían: gallinas, cerdos, fariña cruda, cáscaras de banano. ¡Tosiendo como demonios, devorando como langostas! En algunos sitios era indispensable hacerles disparos para obligarlos a embarcarse. Pezil subió a encontrarlos hasta su fundación de San Marcelino. Allí estaban enfermas varias colombianas, y me dio una a precio de costo.

—¿Cómo se llama?

—¡No sé! ¿Te importa saberlo?

—Sí... No... Si hubiera venido, hablaría con ella, para pedirle datos de esa gente, y, segundo, encarecerle absoluta reserva y circunscripción.

—¿En qué asunto? ¿Por qué?

—No daré mi confianza a quien me la quita.

—¡Dime! ¡Dime! ¿Cuándo tuve secretos para ti?

Entonces aboqué el problema de lleno:

—Zoraida, quiero ser generoso con la mujer que me hizo erótica dádiva de su cuerpo. Pero en ningún caso toleraré que se comprometa, imprudentemente, confiada en mí. Zoraida, aquí todos saben que de noche transportas el caucho de los depósitos del Cayeno a tu batelón.

—¡Mentira! ¡Mentira de tus amigos, que no me quieren!

—Y que una mujer llamada Griselda les ha escrito cartas a mis compañeros.

—¡Mentira! ¡Mentira!

—Y que al Cayeno se le avisó lo que está pasando.

—¡Tus amigos! ¡En eso andan! ¡Tú permitiste!

—Y que algunos gomeros encontraron el escondrijo de tu barco pirata.

—¡Alá! ¡Qué hago! ¡Me roban todo!

Entonces yo, esquivo a la mano que me imploraba, salí del tambo, repitiendo con su sardónica displicencia:

—¡Mentira! ¡Mentira!

* * *

---

[84] *caboclo:* Colono (LC). En portugués, mestizo de blanco e indio, del tupí *kari'boka*, procedente del blanco (DA).

363

Acabo de ver al Váquiro, tendido en su hamaca del caney, donde lo consume una fiebre alcohólica. A su redor, denunciando el soborno de la turca, hay desocupada botillería, cuyos capachos despiden aún el olor a brea, peculiar de los barcos recién arribados. Ramiro Estévanez, quien debe a la condescendencia del capataz su actual descanso, sospechó las repentinas intimidades de la pareja, que a solas se encerraba en el depósito a cambiar palabras de miel: «¡Mi señora!», «¡mi general!» Por orden de éste vino a llamarme, advertido del disgusto con que todos ven la desaparición de mis compañeros. El Váquiro, baboso y amodorrado, parecía dormitar con hipo anhelante, sin admitir otro remedio que la cachaza.

—No lo dejes beber —dije a Ramiro—, porque revienta.

Y el enfermo, clavando en mí sus ojillos idiotizados, me reprendió:

—¡Nada le importa! ¡Basta de abusos! ¡Basta de abusos!

—Mi General, respetuosamente pido permiso para explicarle...

—¡Entréguese preso! ¡O me presenta sus compañeros, o queda preso!

Entonces Zoraida le confesó a Estévanez que el Petardo Lesmes llegaría con el Cayeno en hora imprevista, y que pesaban contra nosotros no sé qué sospechas.

—¿Como cuál? —respondí con reposo fingido—. ¿Es que me calumnia el Petardo por mi adhesión al general Vácares? Pues si así fuere, vengan sobre mí las calamidades, porque tengo el valor de reconocer el mérito ajeno, y seguiré proclamando que el hombre de espada está siempre por encima de los demás. ¡Aquí y dondequiera!

El Váquiro dijo, levantándose del chinchorro:

—¡Eso sí es verdá!

—Si es —agregué— porque mis amigos les comunicaron mis ideas a varios peones y éstos inducen que conspiro contra el Cayeno, la culpa no está en lo que bien se dice sino en lo que mal se entiende. Si es porque despaché a mis camaradas a trabajar en la cuadrilla que escogieran, por el pudor de verlos ociosos, por el deseo de corresponder en cualquier forma a la protección generosa de quien me hospeda, por compensar con algún esfuerzo el descanso que el General le ha concedido a Ramiro Estévanez, castíguese en mí la omisión de no haber pedido permiso previo a quien lo concede, si alguna vez necesitó la delicadeza autorización de manifestarse.

—Eso sí es verdá.

—Si es porque tú, Zoraida, andas repitiendo que jamás estuve en Manaos, según has colegido de mis respuestas a tus preguntas sobre edificios, plazas, bancos y calles, te enredas en tu desconfianza, porque nunca he dicho que conocí esa capital. Para ser cliente de la casa Rosas no es indispensable pasar el umbral de sus almacenes; al menos, yo no necesité de tal requisito. Le debo al Cónsul de mi país el honor de ser afiliado a tan rica firma. Al Cónsul, ¿oyes?, al Cónsul, quien a la fecha surca el Río Negro y viene a corregir con su autoridad no sé qué desmanes, como me lo anuncia en la última carta que recibí.

La madona y el Váquiro repitieron a dúo:

—¡El Cónsul! ¡El Cónsul!

—¡Sí, el amigo mío, que al saber mi viaje a San Fernando del Atabapo, me recomendó tomar, con sigilo, informes de los abusos y asesinatos que en tierras colombianas ha cometido Funes!

Así dije, y cuando salí haciendo campear mi falso orgullo de hombre influyente, el Váquiro y la madona no cesaban de barbotear:

—¡El Cónsul! ¡Y son amigos!

* * *

—¿Podría decirme busté —me rogaba el Váquiro— si en estas cosas del indio Funes habrá de resultarme complicación alguna?

—¿Pero acaso mi General tomó parte activa en la noche aciaga?...

—¡Obligao! ¡Obligao!

Y la madona nos interrumpía:

—¿El señor Cónsul podría ayudarme a cobrar mis créditos? Ya ves, el Cayeno niega la deuda y se fue del tambo para no pagarme. Descríbeme en tu libro las cuentas.

—Acaso el caucho que sacaste de los depósitos...

—Es un sernambí* de pésima clase. Por fuera, el bolón duro y pulido; por dentro, arenas, trapos y basuras. Perdí el transporte de esa goma, porque no resistió la prueba: al ponerla en el agua se hundía. Si escuchara mis quejas el Cónsul...

—Habría que ir a donde está él.

—Y si no ha venido...

—Viene, viene, y ha llegado a Yaguanarí. Esa mujer llamada Griselda dice en sus cartas no sé cuántas cosas. Hay que interrogarla.

—Le tengo recelo. Es de malos hígados. Entre ella y la otra le cortaron la cara al pobre Barrera.

—¡Al pobre Barrera!

—Por eso no le permito andar conmigo.

—Conviene interrogarla inmediatamente.

—¿Te atreverías?

—¡Sí!

Y la niña Griselda vino.

* * *

Jamás en la vida volveré a sentir tan asfixiadora expectación como la que embarazó mi ánimo aquella tarde, al oscurecer, cuando la madona Zoraida Ayram colgó su linterna en la puerta del cuarto que domina el río. Era la señal. Sobre la linfa trémula del Isana corrían los reflejos, ordenando el arribo del batelón, en cuya prora[85] se alistarían los tripulantes para la medianoche.

Con certeza no puedo decir en qué momento convencí a la madona de que debíamos fugarnos juntos. Mi cerebro ardía más que la lámpara del dintel, fulgía como el faro que convida las naves a entrar en el puerto. Una frase, una sola frase zumbaba frenética en mis oídos, proyectando en mis ojos imágenes lúcidas: «Entre ella y la otra le cortaron

---
85 *prora:* En lenguaje poético, proa (MM).

la cara al pobre Barrera.» ¿La otra, la otra, quién podía ser? ¿Y por qué motivo? ¿Por celos, por venganza, por escaparse? ¿Alicia, era Alicia? ¿Cuál de las dos se había anticipado con mano débil a marcar el trazo mortífero que mi encono másculo debía ensanchar? ¡Y mientras me agobiaba la agitación, bailaba ante mis retinas la mueca de un rostro herido, que no era rostro, ni era mueca, sino mandíbula de Millán, partida por el golpe de la cornada, que se reía injuriosamente, con risa enigmática y dolorosa como la de Barrera, como la de Barrera!

¡Bebí, bebí, bebí y no me embriagué! Mis nervios resistían la acción maléfica del alcohol. Le arrebataba la copa al Váquiro, y, al apurarla, veía que el farol le prestaba al vidrio tonalidades lívidas de puñal. Impaciente por la tardanza del bongo, iba del tambo al río y avizoraba en el cielo claro la hora de la medianoche, viendo viajar la estrella tardía, calculando su llegada al cenit. Seguíame por doquiera el Váquiro tambaleante, acosándome con chismes y preguntas:

Le entregó a la madona el caucho de los depósitos por saber que yo respondería de su valor.

«¡Muy bien, muy bien!»

¡Ella había instigado al Petardo Lesmes a montar resguardo en el rápido de Santa Bárbara para que detuviera la embarcación de Clemente Silva; pero la curiara pasó!

«¿Verdad, verdad?»

Si el Cayeno notaba las mermas en el caucho del almacén, sindicaría a Zoraida como ladrona.

«¡Muy bien, muy bien!»

¿Había maliciado yo que la madona intentaba fugarse? Pues pondría guarniciones para cerrar el río, a menos que el Cónsul pensara subir hasta el Guaracú y yo garantizara que él no intentaría...

«Pierda cuidado, que sólo viene a recoger informes para acogotar al tirano Funes.»

¿Por qué les avisaba el Petardo Lesmes que exhibiría testimonios de que no éramos gomeros sino bandidos?

«¡Calumnias, calumnias! ¡Somos amigos del señor Cónsul, y eso basta!»

—Zoraida, Zoraida —decíale yo, apartándome del borracho—, cuando mis camaradas regresen, abandonaremos este presidio. —Y ella insistía:

—¿Pero de veras no los han mandado a indisponerme con el Cayeno? ¿Me quieres, me quieres?

—¡Sí, sí! —y cogiéndole por los brazos, la apretaba nervioso, hasta hacerla gritar, y la miraba con ojos alucinados, y la figura de la mujer borrábase de mi presencia, quedando sólo un paño sangriento sobre el busto lascivo, que la sien de Luciano Silva empapó de cálida púrpura.

La noche era azul y los barracones estaban desiertos. Ramiro Estévanez, que no se apartaba de la orilla, vino a avisar que por el río bajaban ramas. El batelón debía de hallarse arriba, en el atracadero desconocido, enviando señales.

Al oír esta nueva, operóse en mí un fenómeno orgánico: mis plantas se enfriaban, mis pulsaciones se moderaron y empecé a sentir un vago reposo que me llenaba de indolencia, a pesar de la fiebre súbita que prestaba a mi piel ardores de brasa. ¿Emocionarme yo porque una aventurera llegara al tambo? ¡Ya no tenía interés en verla, ni en saber de nadie! ¡Si quería protección, que me buscara! Y me embocé en un desdén irónico.

—No me invites al puerto, Zoraida, porque no voy. ¡Si aún insistes en que interrogue a tu sirvienta, ha de ser a solas y en este caney!

Minutos más tarde, cuando advertí que las dos mujeres llegaban, quise moverme a velar la llama del farol. Di algunos pasos, y el pie derecho se me resistía: un leve hormigueo, una especie de parálisis cosquillosa me estremeció. Lerdamente avancé sin sentir el suelo, como si pisara en algodones. ¡La niña Griselda corrió a abrazarme! Rechazándola con el gesto, le dije a secas, ante la madona:

—¡Salud!

* * *

Hoy escribo estas páginas en el Río Negro[86], río sugestivo que los naturales llaman Guainía. Desde ha tres semanas, en el batelón de la turca, huimos de las barracas del Guaracú. Sobre la cresta de estas ondas retintas que nos van acercando a Yaguaraní, frente a estas orillas que vieron bajar a mis compatriotas esclavizados, sobre estos remolinos que venció la curiara de Clemente Silva, hago memoria de los sucesos aterradores que antevinieron a la fuga, inconforme con mi destino, que me obligó a dejar un rastro de sangre.

Aquí va la niña Griselda, de sabrosa palabra y espíritu enérgico, cuyo rostro, desgastado por el dolor, aprendió a sonreír entre lágrimas. Cariño y coraje infúndeme al par esta desgraciada, que no se inmuta ante el peligro y supo desarmar mi cólera estúpida la noche que nos hallábamos, frente a frente, solos, en el caney de la madona.

—¡Salud! —repetí, haciendo ademán de salir del cuarto.

—Esperáte, desconocío. ¡Aquí me han treído a garlar con vos!

—¿Conmigo? ¿De qué? ¿Viene usted a contarme cómo le ha ido?

—¡Lo mismo que a vos! ¡Fregaíta[87], pero contenta!

—¿Y su negocio? ¿Cómo va la asistencia de las peonadas? ¿A cómo tiene amasijo fresco?

—Pa vos no tengo, porque no fío. Pero como te veo la necesidá, vení y arreglamos.

Conmovido, al verla taparse el rostro con el pañuelo, le pregunté:

—¿Te enseñó a llorar el niño Barrera?

—¿Yorar? ¿Y por qué? Es que desde el día que me pegaron un pescozón quedé resabiáa[88] a tarme limpiando.

---

[86] En este fragmento se plantea un significativo corte espacial y temporal en el acto de la escritura de Cova. De «memorias», el texto se convierte en «diario», y a partir de este momento será cada vez más deshilvanado, con menos perspectiva y más inmediatez. Los últimos tres fragmentos de la novela pasarán de «diario» a «carta».

[87] *Fregaíta:* Fregadita (adj.). De estar fregado, estar pasando por un momento difícil.

[88] *resabiáa:* Resabiada, con el vicio o mala costumbre.

Reprochándome de esta suerte la brutal escena de La Maporita, intentó reír, pero, de repente, convulsionada por los sollozos, cayó a mis pies:

—¡Déjate de burla, mirá que somos tan desgraciaos!

Casi maquinalmente inclinéme para levantarla, con secreta satisfacción de verla rendida. Sentíame anodadado ante aquel dolor, pero mi orgullo se irguió como una esfinge, y enmudecí: ¿Preguntar por Alicia, averiguar por su paradero, demostrar interés por saber de ella? ¡Jamás! Sin embargo, creo que, inconsciente, balbucí alguna pregunta, porque Griselda, sonriendo entre su llanto, replicó:

—¿A cual de eyas te referís, a tu Clarita?

—¡Sí!

—Pues recibime el pésame ma sentío, porque ahora la tiene don Funes. Barrrera se la dio en pago del permiso pa transitá por el Orinoco y el Casiquiare. De ver su suerte yoraba la pobre, y nosotras también yorábamos, pero, metía entre una canoa, sin entregarle ni la ropita ni el baulito, se la yevaron pa San Fernando del Atabapo, con una carta y algunos presentes.

—¿Y la otra, la otra, cuál fue la de la cortada?

—¡Ah, descarriao! ¡Conque al fin preguntás por eya! Confesame primero que la Clarita fue concubina tuya cuando tabas en Hato-Grande. ¡Si nosotras supimos tóo!

—¡Nunca! Pero dime, aquel miserable...

—Personalmente nos yevó ese cuento, y toas las noches mandaba a Mauco a afligí a la niña Alicia; ¡que te la pasabas enchinchorrao[89] con la tal mujé, que te la yevabas pa Venezuela y no sé qué má! Decí, pue, si la otra tuvo razón en desesperarse. ¡Por eso se vino! ¡Por eso me la traje, porque yo también queaba en el viento! ¡Fidel quería desenyugarse![90]. ¡Me trataba mal...!

---

89 *enchinchorrao:* Enchinchorrado, acostado en el chinchorro o hamaca.

90 *quedar en el viento:* El viento es una metáfora recurrente en la novela, desde el fragmento de la carta de Cova que sigue al prólogo. El viento es otra forma de vorágine, remolino y tormenta. Pertenece a las fuerzas de la naturaleza y de lo inevitable, de lo incontrolable, del sinsentido.

desenyugarse: Quitarse el yugo, dejar al compañero o compañera.

—Te advierto que no me importan esas fábulas. ¡Cada cual merece su sino! ¡Lo que no acepto es que compliques a Barrera en esa intriga, queriendo dártelas de inocente! ¿Y los paseítos en la curiara? ¿Y las entrevistas a la media-noche?

—¡Pero no eran pa náa malo! ¡Tenés razón en juzgarme así, por haberme chanceao[91] con vos! ¡Ese fue mi pecao, pero ha sío más grave la penitencia! ¡Yo necesitaba de alguna ayúa, y como la niña Alicia quería volverse pa su casa de Bogotá con don Rafael, me sobrevino la tentación! ¡Pero harto me pesa! ¡Jamás de los jamases le falté a Franco!

—¡Ah, si hablara el espectro del Capitán!...

—¡No me lo recordés! ¡La pagó caro por atrevío! ¡Preguntale a Fidel, si querés detayes, pero no me lo recordés! ¡He sufrío tanto! ¡Imaginá lo que fue pa mí tenderlo boqueando al pie de mi honra! ¡Y dejé que Fidel se lo echara encima pa salvarme, pa defenderme! Y luego, el suplicio de ve a mi hombre, triste, desamorao, arrepentío, dejándome sola en La Maporita días y semanas, pa no mirarme, pa no tené que darme la mano, repitiéndome que deseaba largarse lejos, a otros países, onde nadie supiera lo sucedío y no tuviera que tar de peón jugándose la vida con las toráas. ¡En ésas el tal Barrera se presentó, y Franco me daba rienda pal entusiasmo, como queriendo salir de mí, diciéndome, unas veces, que nos veníamos, otras, que él se queaba; hasta que Barrera, pa obligarme a cogé camino, me cobró los regalos que me había hecho, y yo no tenía con qué pagá, y me amenazaba con demandá al pobre Fidel! ¡Ésas eran las entrevistas! ¡Eso es lo que vos suponés de malo!

—¿Y quisiste saldar esa cuenta entregando a la niña Alicia?

—¡Ponéle conciencia a lo que decís! ¡Cómo me vas a hacé ese cargo! ¡Yo le di al Barrera cuanto era mío, sortijas, zarciyos, y hasta quise vendé mi máquina pa pagale! Después de tóo, volvió a decirme que vos eras rico, que te pi-

---

[91] *chanceao:* Chanceado. De chancearse, hacer bromas.

diera plata prestáa. La niña Alicia, que me sentía yorá de noche, ofreció ayuarme, hablando con él, pa conseguir que me rebajara siquiera el saldo. ¡En ésas, me pegaste y querías matarnos, y te fuiste pa onde Clarita, y Barrera me fue a advertir que no esperara a Franco, porque vos le ibas a meté no sé cuántos chismes y me podía molé a palos! ¡Y huyendo, eya de vos y yo de Fidel, nos vinimos solas ponde pudimos: ¡a buscá la vida en el Vichada!

—El cariño y el viento soplan de cualquier lado.

—Hice mal en decirte eso. Como vos me gustabas y la niña Alicia quería regresá... Pero ya ves qué viento tan inhumano, tan espantoso: cayó sobre tóos y nos ha dispersao que ni basuras, lejos de nuestra tierra y de nuestro cariño.

La infeliz mujer principió a llorar y una ternura desbordante inundó mi pecho:

—¡Griselda, Griselda! ¿Dónde está Alicia?

—Tras la camorra con el Barrera, me separaron de eya y me vendieron. ¡Debe tar en Yaguanarí! Afortunadamente, la enseñé a amarrarse las naguas[92], a sabé portarse. No la desamparaba en tóo el camino: si salíamos del bongo, salíamos juntas, si dormíamos en la playa, una contra otra, bien tapáas con la cobija. El Barrera taba chocao, pero sin atreverse a ser abusivo. Una noche, entre el bongo, destapó boteya por emborracharnos. ¡Como náa le recibíamos, les mandó a los bogas sacarme a empeyones, y se lanzó a forzá a la niña Alicia; pero ésta defondó la boteya contra la borda, y le hizo al beyaco, de un golpe, ocho sajaduras en plena cara!

Cuando la mujer acabó de hablar, había partido yo mis uñas contra la mesa, creyendo que mis dedos eran puñales. Fue entonces cuando noté que mi mano derecha estaba insensible. ¡Ocho sajaduras! ¡Ocho sajaduras! ¡Y con llameantes ojos buscaba al infame en la habitación para ultimarlo, para morderlo, para mascarlo!

La niña Griselda me suplicaba:

---

[92] *amarrarse las naguas:* Amarrarse ias enaguas, hacerse valer, actuar con energía y autoridad.

—¡Cálmate, cálmate! Vámonos por eya a Yaguanarí. ¡Esa es una mujé honráa! ¡Te juro que no la han comprao, porque ahora no sirve pa los trabajos, porque ta encinta!

Al oír esto, ya no supe de mí. Como eco lejano llegaba a mis oídos la voz de la patrona, que decía:

—¡Vamonós, vamonós! ¡Fidel y el Catire me toparon esta mañana y tan en el bongo! ¡Tóos reconciliaos!

* * *

Indudablemente, di alarmantes quejidos porque aparecieron en el umbral Ramón Estévanez y la madona.

—¿Qué pasa? ¿Qué pasa?

Y la niña Griselda, viéndome afónico, les repetía:

—¡Nos vamos! ¡Nos vamos! ¡Dijeron los bogas que el Cayeno púee yegá!

Afanosa, Zoraida empezó a arreglar los bártulos, abrumando a su sierva con órdenes perentorias de ama gruñona. Ramiro, desconcertado, se acercó a tomarme el pulso. Las mujeres trajinaban haciendo envoltorios, y en breve, la madona, bajo su gran sombrero, me preguntó:

—¿Tienes alguna cosa que llevar?

Señalando difícilmente el libro desplegado en la mesa, el libro de esta historia fútil y montaraz, sobre cuyos folios tiembla mi mano, acerté a decir:

—¡Eso! ¡Eso!

Y la niña Griselda se lo llevó.

—Dime, ¿alcanzaste a poner en claro la cuenta que te pedí? ¿La detallaste bien para mostrársela al señor Cónsul? Ya ves que Barrera todavía me debe, pues me engañó dándome joyas ordinarias. Entrégame las sumas que le tienes. ¡Podías firmarme una obligación! ¿Qué te dijo la mujerzuela? ¡Vámonos, tengo miedo!

Y Ramiro advirtió haciendo una seña:

—¡El Váquiro está despierto, en el corredor!

No acierto a describir lo que fui sintiendo en esos instantes: me parecía que estaba muerto y que estaba vivo. Evidentemente, sólo la zona del corazón y gran parte del lado izquierdo daban señales de perfecta vitalidad; lo demás no era mío, ni la pierna, ni el brazo, ni la muñeca; era algo postizo, horrible, estorboso, a la par ausente y presente, que me producía un fastidio único, como el que puede sentir el árbol que ve pegada en su parte viva una rama seca. Sin embargo, el cerebro cumplía admirablemente sus facultades. Reflexioné. ¿Era alguna alucinación? ¡Imposible! ¿Los síntomas de otro sueño de catalepsia? Tampoco. Hablaba, hablaba, me oía la voz y era oído, pero me sentía sembrado en el suelo, y, por mi pierna, hinchada, fofa y deforme como las raíces de ciertas palmeras, ascendía una savia caliente, petrificante. Quise moverme y la tierra no me soltaba. ¡Un grito de espanto! ¡Vacilé! ¡Caí![93].

Ramiro exclamó, inclinándose presuroso:

—¡Déjate sangrar!

—¡Hemiplejia! ¡hemiplejia! —le repetía desesperado.

—¡No! ¡El primer ataque de beriberi![94].

* * *

Toda la madrugada estuve llorando, sin más compañía que la de Ramiro, quien, sentado a mi diestra en el chinchorro, no profería palabra. El hálito fresquísimo de la aurora me restauraba el cuerpo, y por la heridilla que la lanceta hizo en mi brazo, escapó la fiebre. Probé a caminar y la pierna torpe se retrasaba, desnivelándome, pues en realidad voluminosa, era en apariencia menos pesada que una pluma. Ahora sí comprendía por qué algunos gomeros, al sufrir los síntomas del beriberi, bregan, enloquecidos, por amputarse de un hachuelazo el tobillo insensible, y corren, desangrándose, hacia la barraca, donde mueren comidos por la gangrena.

—No permito que nadie salga de aquí —recalcaba el Váquiro en el caney próximo, donde altercaba con la ma-

---

[93] Famosa escena en la que Arturo Cova se convierte en árbol, y su pierna en caucho.

[94] *beriberi:* Enfermedad caracterizada por polineuritis, debilidad general y rigidez dolorosa de los miembros. Es una forma de avitaminosis (DRAE).

dona—. Aunque esté borracho, me doy cuenta de lo que pasa. ¡Busté me conoce!

—¿Oyes? —decía Ramiro—. Es aventurado pensar en fugas. ¡Al menos, yo no lo intentaré!

—¡Cómo! ¿Piensas quedarte aquí, donde la timidez te remachó cadenas?

—La timidez y la reflexión, es decir, lo que tú no tienes. Y puedes añadir estas otras causas: el fracaso, la decepción.

—¿Pero no te entusiasma la libertad?

—Ella no me bastó para ser feliz. ¿Volver yo a las ciudades, desmedrado, pobre y enfermo? El que dejó sus lares por conquistar a la fortuna no debe tornar pidiendo limosna. Por aquí siquiera nadie conoce mis vicisitudes, la miseria toma aspectos de obligatoria renunciación. Vete, la vida nos amasó con sustancias disímiles. No podemos seguir el mismo camino. Si algún día ves a mis padres, cúrate de decirles dónde estoy. ¡Caiga el olvido sobre el que nunca puede olvidar!

Estas frases con que Ramiro se despedía de la ilusión y de la juventud, nos hicieron llorar otra vez. Todo por el amor a aquella Marina cuyo dulce nombre le escribió el destino entre dos palabras:

¡Siempre! ¡Jamás!

* * *

—¿Por qué discuten? —le pregunté a Ramiro cuando volvía, al amanecer.

—Por el caucho de los depósitos. El Váquiro sostiene que faltan más de ciento cincuenta arrobas, y afirma que le fueron robadas, porque las embarcaron sin su venia. La madona promete que tú responderás.

—¿Qué hago, Ramiro?

—Es una terrible complicación.

—Aconsejémosle a la madona que lo devuelva y nos fuguemos. ¡O si no, prendamos al Váquiro! ¡Llama a Fidel y a Helí que están en el bongo! ¡Diles que traigan las carabinas!

—El bongo está encostado en la orilla opuesta. Los que llegaron venían en canoa.

—¿Qué hago, Ramiro?

—Esperemos a que el Váquiro duerma la siesta.

—Pero te irás conmigo, ¿verdad? ¡A seguir mi suerte! ¡A encentrarnos en el Brasil! ¡Trabajaremos como peones, donde no nos conozcan ni persigan! ¡Con Alicia y nuestros amigos! ¡Esa varona[95] es buena y yo la perdí! ¡Yo la salvaré! ¡No me reproches este propósito, este anhelo, esta decisión! No tomes a mal que sea mi querida; hoy es sólo una madre en espera de su propio milagro. ¡Tantos en el mundo se resignan a convivir con una mujer que no es la soñada, y, sin embargo, es la consentida, porque la maternidad la santificó! ¡Piensa que Alicia no ha delinquido, y que yo, despechado, la denigré! ¡Ven, sobre el cadáver de mi rival habrás de vernos reconciliados! Vamos a buscarla a Yaguanarí. Nadie la compra porque está encinta. ¡Desde el vientre materno mi hijo la ampara!

De repente, Ramiro, desencajado, exclamó alejándose:

—¡El Cayeno! ¡El Cayeno!

* * *

Aún me estremezco ante la visión de aquel hombre rechoncho y rubio, de rubicunda calva y bigotes lacios, que apercollando al general Vácares, lo trincó sobre el polvo, urgiendo que lo colgaran de los pies y le pusieran humo bajo la cara.

—¡Rediablos! —repetía mascando las erres—. ¡Rediablos! ¿No mandé que montaras guarniciones en el raudal? ¿Quién despachó canoa para el Brasil?

Y mientras los verdugos ejecutaban el suplicio, rugió rapándole a la madona su fresco sombrero:

—¡Cocota! ¿No te descubres? ¿Qué haces aquí? ¿No te probé que nada te debo? ¿Dónde tienes el caucho que me robaste?

---

[95] *varona:* Mujer varonil (DRAE). Cova la define así, elogiosamente, después de conocer su comportamiento agresivo con Barrera.

Y como la madona me señalaba, el gabacho[96] alevoso marchó contra mí:

—¡Bandido! ¿Sigues alebrestándome los gomeros? ¡Ponte de pie! ¿Dónde se hallan tus dos amigos?

Intenté levantarme y resistirle, pero la pierna hinchada me lo impidió. Entonces el hombre, a patada y foete, me cayó encima, llamándome ladrón, llamándome aliado del indio Funes, hasta dejarme exánime en el suelo.

Cuando me enderecé, cubierto de sangre, sentí que el Cayeno andaba en los depósitos. A la sazón, la antigua peonada invadió el patio, donde había una patrulla de indios prisioneros, con los puños engusanados bajo las sogas. Por entre ellos zanganeaba el Petardo Lesmes, apresurando a los capataces, que examinaban el rebaño recién cogido para distribuirlo entre sus cuadrillas. Sorda algarada llenaba el ámbito cuando vi sacar del montón de hombres, con las manos atadas, al Pipa, al Pipa, que venía a identificarme, de acuerdo con instrucciones del Petardo. Acercóse a mí, y afirmando sobre mi pecho su pie inmundo gritó:

—¡Este es el espía de San Fernando!

—¡Y vos, animal —replicóle el cauchero corpulentísimo que lo seguía—, sos el Chispita de la Chorrera, el que, rasguñándolos, mataba los indios a su sabor, el que tantas veces me echaba rejo! ¡Préstame las uñas pa examinártelas!

Y tirándolo de la coyunda lo llevaba de rastra, entre las rechiflas de los gomeros, hasta que, furibundo, le cercenó los brazos con el machete, de un solo mandoble, y boleó en el aire, cual racimo lívido y sanguinoso, el par de manos amoratadas. El Pipa, atolondrado, levantóse del polvo como buscándolas, y agitaba a la altura de la cabeza los muñones, que llovían sangre sobre el rastrojo, como surtidorcillos de algún jardín bárbaro.

Apenas el Cayeno reapareció, quedaron en silencio los barracones del Guaracú.

—¡Colombiano! ¡A decirme dónde está el bongo! ¡A de-

---

[96] *gabacho*: En lenguaje despectivo, francés. En la segunda parte, al mencionar a este personaje, se indica que es corso.

volverme el caucho escondido! ¡A entregarme tus compañeros!

Y cuando me metieron en la canoa y cruzábamos el río hacia el batelón, vi por última vez a Ramiro Estévanez y a la madona Zoraida Ayram, sobre la barranca del puertecito, llorosos, trémulos, espantados.

* * *

La niña Griselda, al verme contuso, adivinó lo que había pasado y salió a recibirnos en la borda. El Cayeno, apagando la pipa contra la suela del zapato, pareció vacilar ante repentina sospecha, porque ordenó a los bogas de la curiara que costearan el bongo. Los perros, iracundos, defendían el puente a grandes ladridos.

—Mujer —prorrumpí—, encadena a tus animales, que el señor viene a requisar esa embarcación.

—Explicale al amo que aquí no tenemos ma que la mercancía. Toa la goma queó tapáa en los rebalses. ¡Si el amo quiere, vamos ayá!

El Cayeno, de un salto, se instaló en prora y mandó que desatracaran, apenas logré subir yo.

—¿Cuánta gente tienen aquí? ¿Dónde están los otros bribones?

—Mi amo, yo toy solita con los tres indios: dos pa los canaletes y el del timón.

El tirano gritó a los marineros de la canoa:

—¡Upa! ¡Vuélvanse a las barracas a traer cargueros!

Mientras tanto, el bongo seguía agua abajo y la niña Griselda vino a colocarse ante el Cayeno, barbullando contritas explicaciones, para impedirle reparar en los fardos de mercancía. Allí estaban ocultos mis compañeros, mal tapados con un costal, bajo cuyo extremo les salían los pies. Por mi cara corría un sudor de muerte. El Cayeno los vio, y, montando el revólver, bajó hacia ellos.

—Señor —balbucí—. ¡Son dos muchachos que están con fiebres!

El déspota inclinóse para descubrirlos, y, súbito, Fidel le agarró el arma con ambas manos, mientras el Catire lo sujetaba por la cintura. Salté como pude para arracimármeles, pero el ex presidiario, liso como un pez, se nos zafó repentinamente, lanzándose al río. La niña Griselda le alcanzó a dar en la cabeza un canaletazo. Sobre las burbujas que el fugitivo provocó en el agua cayeron los perros. El Cayeno se sumergió. Listas, en las bandas, acechaban las carabinas. «¡Aquí está, aquí está, prendido al timón!» ¡Uno, dos, diez disparos! El hombre se puso a flote, haciéndose el muerto, mientras se alejaba de los fusiles, y después los cachorros no podían alcanzarlo. «¡Allí, allí! no lo dejen tomar respiro!» Bogábamos en el bongo furiosamente, y la cabeza desaparecía, rápida como pato zambullidor, para emerger en punto impensado, y Martel y Dólar seguían la ruta en la onda carmínea, aullando presurosos en pos de la presa, hasta que presenciamos sobre la costa el cuadro crispante: ¡uno de los perros cabestreaba el cadáver por el remanso, al extremo del intestino, que se desenrollaba como una cinta, larga, siniestra!

¡Así murió aquel extranjero, aquel invasor, que en los lindes patrios taló las selvas, mató los indios, esclavizó a mis compatriotas!

* * *

El domingo tocamos en el villorrio de San Joaquín, frente a la boca del Vaupés, y no nos permitieron desembarcar. Nos creen apestados, nos ven hambrientos, temen que les robemos víveres y gallinas. Mezclando el castellano al portugués, nos ordenó el alcalde salir del puerto, en tanto que la gente agrupada en el arenal, viejos, mujeres, niños, nos amenazaban blandiendo escopetas, escobas y palos. «¡Colombianos no, colombianos no!» Y lanzaban maldiciones sobre Barrera, que les llevó al Río Negro tan dañina plaga.

Y en San Gabriel, pueblo edificado sobre el congosto[97] por donde el río gigante se precipita, hubimos de abandonar el bongo para no arriesgarlo en el raudal. El Prefecto Apostólico, Monseñor Masa, nos acogió benévolamente y

_____
[97] *congosto:* Desfiladero (MM).

nos ha ofrecido la gasolina de la Misión para seguir a Umarituba. Él me dio la noticia que nos ha llenado de júbilo: don Clemente bajó hace tiempos, y el Cónsul de Colombia subirá, a fines de la semana, en el vapor Inca, que hace el recorrido entre Manaos y Santa Isabel.

* * *

¡Umarituba! ¡Umarituba! João Castanheira Fontes, no contento con regalarnos ropa, mosquiteros y provisiones, está equipándonos una canoa para el viaje a Yaguanarí. El martes seguiremos por el Río Negro, radiantes de esperanza, trémulos de ansiedad. El beriberi me dejó la pierna dormida, insensible, como de caucho. Pero el alma rebrilla en mis ojos, poderosa como una llama. ¡Yo no sé lo que va a pasar!

¡Hoy, agua abajo! Aquí está el solemne cerro cuya base lame el río Curicuriarí, el río que buscaron Clemente Silva y los siringueros cuando andaban perdidos en la floresta.

* * *

¡Santa Isabel! En la agencia de los vapores dejé una carta para el Cónsul. En ella invoco sus sentimientos humanitarios en alivio de mis compatriotas, víctimas del pillaje y la esclavitud, que gimen entre la selva, lejos de hogar y patria, mezclando al jugo del caucho su propia sangre. En ella me despido de lo que fui, de lo que anhelé, de lo que en otro ambiente pude haber sido. ¡Tengo el presentimiento de que mi senda toca a su fin, y, cual sordo zumbido de ramajes en la tormenta, percibo la amenaza de la vorágine![98].

* * *

[98] La carta mencionada, como la de la nota 67 de la tercera parte, evoca la del fragmento que sigue al prólogo de la novela.

¡Ánimo! ¡Ánimo! Hoy llegaremos a Yaguanarí, y bogamos a todo músculo porque supimos que mi rival sale para Barcelos. Es posible que se lleve a Alicia.

Aquí el río se divide en inmensos brazos, para estrechar mejor las islas incultas. En esa península del lado derecho, se ve el caney de los apestados, detenidos en cuarentena. Por detrás desemboca el Yurubaxí.

—Catire, algún capataz puede reconocerte. ¡Toma mi revólver! Guárdalo en la pretina.

¡Vamos a llegar!

* * *

Esto lo escribo aquí, en el barracón de Manuel Cardoso, donde vendrá a buscarnos don Clemente Silva. Ya libré a mi patria del hijo infame. Ya no existe el enganchador. ¡Lo maté! ¡Lo maté!

Aún me veo saltando de la curiara sobre el escueto patio que precede al caney de Yaguanarí. Circundados por hogueras medicinales, tosían los apestados entre el humo, sin darme razón de mi enemigo, por quien yo preguntaba anheloso, antes que me viera. En tal momento me había olvidado de buscar a Alicia. La niña Griselda la tenía abrazada al cuello y yo me detuve sin saludarla: ¡sólo quería mirarle el vientre!

No sé quién me dijo que Barrera estaba en el baño, y corrí inerme entre el gramalote[99] hacia el río Yurubaxí. Hallábase desnudo sobre una tabla, junto a la margen, desprendiéndose los vendajes de las heridas, ante un espejo. Al verme, abalanzóse sobre la ropa, a coger el arma. Yo me interpuse. Y empezó entre los dos la lucha tremenda, muda, titánica.

Aquel hombre era fuerte, y, aunque mi estatura lo aventajaba, me derribó. Pataleando, convulsos, arábamos la

---

[99] *gramalote* (*Panicum spp.; Echinocloa spp.*): Llamado también *pasto de chigüiro*. Gramíneas altas que crecen silvestres en las vegas de los ríos de estas áreas sujetas a inundaciones (AC).

maleza y el arenal en nudo apretado, trocándonos el aliento de boca a boca, él debajo unas veces, otras, encima. Trenzábamos los cuerpos como sierpes, nuestros pies chapoteaban la orilla, y volvíamos sobre la ropa, y rodábamos otra vez, hasta que yo, casi desmayado, en supremo ímpetu, le agrandé con mis dientes las sajaduras, lo ensangrenté, y, rabiosamente, lo sumergí bajo la linfa para asfixiarlo como a un pichón.

¡Entonces, descoyuntado por la fatiga, presencié el espectáculo más terrible, más pavoroso, más detestable: millones de caribes acudieron sobre el herido, entre un temblor de aletas y centelleos, y aunque él manoteaba y se defendía, lo descarnaron en un segundo, arrancando la pulpa a cada mordisco, con la celeridad de pollada hambrienta que le quita granos a una mazorca. Burbujeaba la onda en hervor dantesco, sanguinosa, túrbida, trágica; y, cual se ve sobre el negativo la armazón del cuerpo radiografiado, fue emergiendo en la móvil lámina el esqueleto mondo, blancuzco, semihundido por un extremo al peso del cráneo, y temblaba contra los juncos de la ribera como en un estertor de misericordia!

Allí quedó, allí estaba cuando corrí a buscar a Alicia, y alzándola en mis brazos, se lo mostré.

Lívida, exánime, la acostamos en el fondo de la curiara, con los síntomas del aborto.

* * *

Antenoche, entre la miseria, la oscuridad y el desamparo, nació el pequeñuelo sietemesino. Su primer queja, su primer grito, su primer llanto fueron para las selvas inhumanas. ¡Vivirá! ¡Me lo llevaré en una canoa por estos ríos, en pos de mi tierra, lejos del dolor y la esclavitud, como el cauchero del Putumayo, como Julio Sánchez!

* * *

Ayer aconteció lo que preveíamos: la lancha de Naranjal vino a tirotearnos, a someternos. Pero le opusimos fuerza a la fuerza. Mañana volverá. ¡Si viniera también la del Cónsul!

Franco y Helí vigilan sobre la peña, para impedir que encosten las montarías* de los apestados. Allá escucho toser la flotilla mendiga, que me clama ayuda, pretendiendo alojarse aquí. ¡Imposible! En otra circunstancia me sacrificaría por aliviar a mi coterráneos. ¡Hoy no! ¡Peligraría la salud de Alicia! ¡Pueden contagiar a mi hijo!

* * *

Es imposible convencer a estos importunos, que me apellidan su redentor. Hablé con ellos, exponíendome al contagio, y están resistidos a regresar. Ya les repetí que no tengo víveres. Si me acosan, nos obligarán a tomar el monte. ¿Por qué no se van al caney de Yaguanarí en espera del vapor Inca? De hoy a mañana arribará.

* * *

Sí, es mejor dejar este rancho y guarecernos en la selva, dando tiempo a que llegue el viejo Silva. Improvisaremos algún refugio a corta distancia de aquí, donde sea fácil a nuestro amigo encontrarnos y se consiga leche de seje para el niño.

¡Que preparen la parihuela donde vaya acostada la joven madre! La llevarán en peso Franco y Helí. La niña Griselda portará la escasa ración. Yo marcharé adelante, con mi primogénito bajo la ruana.

¡Y Martel y Dólar, detrás!

* * *

Don Clemente: Sentimos no esperarlo en el barracón de Manuel Cardoso, porque los apestados desembarcan. Aquí, desplegado en la barbacoa, le dejo este libro, para que en él se entere de nuestra ruta por medio del croquis, imaginado, que dibujé. Cuide mucho esos manuscritos y póngalos en manos del Cónsul. Son la historia nuestra, la desolada historia de los caucheros. ¡Cuánta página en blanco, cuánta cosa que no se dijo!

* * *

Viejo Silva: Nos situaremos a media hora de esta barraca, buscando la dirección del caño Marié[100], por la trocha antigua. Caso de encontrar imprevistas dificultades, le dejaremos en nuestro rumbo grandes fogones. ¡No se tarde! ¡Sólo tenemos víveres para seis días! ¡Acuérdese de Coutinho y de Souza Machado!

¡Nos vamos, pues!

* * *

¡En nombre de Dios!

---

[100] *caño Marié:* En esta área se fugó Silva y por estos parajes se perdió con el grupo de caucheros, tal como lo relatan Cova y Silva al principio de la tercera parte. El caño Marié se encuentra en Brasil, en la margen derecha del río Negro, entre el Curicuriari y el Yurubaxí.

EPILOGO

El último cable de nuestro Cónsul, dirigido al señor Ministro y relacionado con la suerte de Arturo Cova y sus compañeros, dice textualmente:

«Hace cinco meses búscalos en vano Clemente Silva.
Ni rastro de ellos.
¡Los devoró la selva!»[1].

FIN

---

[1] Este cable remite al prólogo, en donde el autor ficticio sugiere no publicar los manuscritos de Cova hasta recibir nuevas noticias de Manaos. «¡Los devoró la selva!» se ha convertido en el resumen literal y metafórico de la obra, y en el final abierto de una narración polifónica.

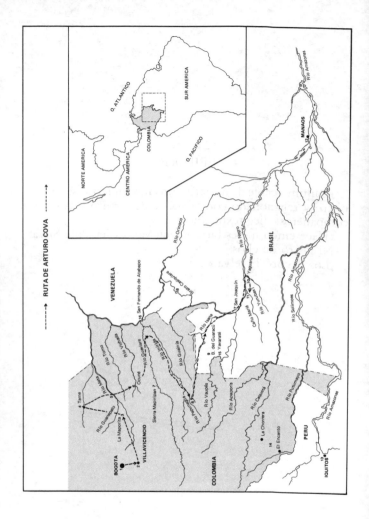

Vocabulario[1]

ACOCHINAR, acobardar.

AFILAR, tragar el anzuelo.

ALEBRESTADO, mujeriego.

ALERTADO, alerto.

ARRIMADO, amante.

ATAJO, conjunto de animales.

ATRAVESADO, belicoso.

ATRAVESARSE, interponerse.

BAGRE, cierto pez.

BALATÁ, especie de caucho.

BANCO, extensión plana de terreno.

BARAJUSTAR, huir en tropel.

BARAJUSTE, dispersión atropellada.

BARBACOA, aparador de guadua.

BATELÓN, lanchón.

BAYETÓN, gran poncho de lana.

BELDUQUE, cuchillo pequeño.

BONGO, lanchón de madera.

BOTALÓN, poste para domar animales.

BUFEO, delfín de agua dulce.

BUNDE, cierto baile zapateado.

BURRIAR, abundar.

CABOCLO, colono.

CACHACA, elegante.

CACHIBLANCO, cuchillo pequeño.

CACHICAMO, armadillo.

CACHO, cuerno.

CACHONES, toros adultos.

---

[1] José Eustasio Rivera incluye el vocabulario a partir de la tercera edición (Bogotá, Minerva, 1926) y lo amplía en la quinta edición (Nueva York, Andes, 1928). Los vocablos enumerados no siempre aclaran el texto ni coinciden con las acepciones más comunes, además de que la lista es insuficiente, incluso para colombianos. Por estas razones, este vocabulario ha sido una de las partes de la novela que ha sufrido más variaciones, correcciones y ampliaciones en las diversas ediciones de la obra. Hay que considerar esta lista, sin embargo, como parte de los textos que Rivera, como el autor ficticio del prólogo, prepara para su publicación. Se reproduce aquí, por lo tanto, el vocabulario de la quinta edición, corrigiendo únicamente cuatro casos de inconsistencia en el orden alfabético.

CAMBUR, pequeño plátano muy dulce.

CANAGUAY, de plumaje dorado y verdoso.

CANDONGAS, zarcillos.

CANEY, cobertizo grande.

CAÑO, río menor.

CARAMERO, palizada.

CARIBE, cierto pez muy voraz.

CARICARI, especie de halcón.

CATIRE, rubio.

CAZABE, torta de afrecho de yuca brava.

COLEAR, derribar la res por la cola.

CONGA, hormiga venenosa.

CONSUMIR, sumergir.

CONUCO, sementera.

COQUIS, muchacho cocinero.

COROTO, trasto, baratija.

CORRIDO, poema llanero.

COSCOJERO, caballo que tasca el freno.

COYABRA, vasija de calabaza.

CUMARE, especie de palma.

CURARE, veneno vegetal activísimo.

CURIARA, canoa.

CHANCHIRA, harapo.

CHIGÜIRE, carpincho, capibara.

CHINCHORRO, hamaca de cabuyas.

CHINGUE, camisón de baño.

CHIRINOLA, zafarrancho.

CHIROS, andrajos.

CHUCHERÍAS, baratijas.

CHUCHERO, buhonero.

CHUCHO, buhonería.

CHUSCAL, vegetación de chusques.

CHUSQUE, especie de bambú delgado.

CHUZO (de), embaucador.

EMBARBASCADO, extraviado.

EMBEJUCAR, desorientar.

EMPAJAR, regañar.

EMPELOTAR, desnudar.

ENRAMADA, cobertizo.

ENSOROPADO, muro de hojas de palma.

ENVAINAR, sucumbir.

ESPADILLA, timón.

ESTERO, terreno bajo y lagunoso.

FALCA, gran canoa techada.

FÁBRICO, fábrica.

FREGANCIA, molestia.

GABELA, ventaja en la apuesta.

GUADUA, especie de bambú grueso.

GUAJIBERA, tribu de guahibos.

GUANDO, parihuela.

GUAPO, valiente.

GUARAL, cuerda del anzuelo, cordel.

GUARICHA, mujerzuela.

GUATE, hombre del interior.

GUAYUCO, taparrabo.

GUIÑA, maleficio.

GÜÍO, enorme serpiente acuática.

IGARAPÉ, riachuelo.

IRACA, palmicha.

Jagüey, hoyo lleno de agua.
Jebe, caucho.
Jedentina, hediondez.
Jején, mosquito minúsculo.
Joropo, baile llanero.
Juerga, jolgorio.
Juerguear, jaranear.

Kerosén, petróleo.

Lambón, chismoso.
Lapa, paca, roedor.

Llorado, canción llanera.

Macetear, golpear con un cuchillo de palo.
Macundales, trastos.
Madrina, ganado manso que guía al bravío.
Manaca, palmito.
Mañoco, afrecho de yuca tostado.
Mañosear, resabiar.
Mapire, cesto de palma.
Maraca, calabacín lleno de piedrecitas.
Marma, marmita.
Mata, islote de bosque en la llanura.
Mecate, cuerda de fibra.
Menestar, necesitar.
Miriti, especie de palma.
Montaría, piragua.
Morichal, sitio poblado de moriches.
Moriche, especie de palmera.
Morocha, escopeta de dos cañones.

Morrocota, moneda de oro de veinte dólares.
Motoso, peligrifo.
Mueco, pescozón.
Mucharejo, muchacho.
Mulengue, mula despreciable.

Orejano, que no tiene señaladas las orejas.
Otoba, cierto árbol medicinal.

Pajonal, vegetación de paja brava.
Palmicha, palma para techar y para tejer sombreros.
Palmito, cierta palma comestible.
Palo a pique, cerca de troncos clavados.
Parada, apuesta.
Paro (en), de una vez.
Patojo, piernicorto.
Pechugona, indelicada.
Pelado, desnudo.
Pensare, cierta pasta resinosa.
Pepito, gomoso.
Peramán, especie de resina.
Percha, trapecio para colgar cosas.
Perraje, jauría.
Petaca, cierto baúl de cuero.
Petriva, mujer, en dialecto guahibo.
Piapoco, tucán.
Pica, trocha.
Picure, prófugo.
Picurearse, fugarse.
Pirarucú, cierto pez.
Pisco, individuo.

POLLONA, india jovencita.

PUESTEAR, acechar.

PUNTA, grupo de animales.

PUNTERO, el que abre el desfile.

RAMADA, cobertizo.

RANCHO, casucha, choza.

RANGO, rocín.

RASGARSE, morirse.

RASGADO, generoso.

RASTRILLAR, encender el fósforo.

RAYA, cierto pez.

REBUSCARSE, tratar de hacer algo.

REINOSO, hombre del interior.

REJO, soga de cuero torcido, látigo.

RELANCE (de), al contado.

REQUEMADO, de color rojo oscuro.

RODEO, rebaño.

RUMBERO, el que sabe orientarse.

SACA, movilización de ganados.

SAQUERO, el que compra y moviliza ganados.

SEJE, cierta palma.

SERNAMBÍ, caucho de mala calidad.

SIRINGA, cierto caucho fino.

SIRINGO, árbol de siringa.

SOCHE, especie de venado.

TABARÍ, cierto árbol.

TALANQUERA, cerca de guaduas horizontales.

TAMBO, especie de caney.

TAPADA (a la), escogiendo sin ver.

TAPARA, calabaza.

TERECAY, especie de tortuga.

TERRONERA, pavor.

TIGELINA, tazuela metálica.

TIPLE, especie de guitarra.

TOLIMA, Departamento de Colombia.

TOPOCHERA, platanal de topochos.

TOPOCHO, cierto plátano.

TRAMBUCAR, naufragar.

TRAMBUQUE, naufragio.

TRANQUERO, puerta de trancas.

VACAJE, conjunto de vacas.

VAINA, molestia, desgracia.

VAQUÍA, destreza.

VÁQUIRO, marrano montés[2].

VELORIO, velatorio.

VOLADA, hazaña.

YOPO, polvo vegetal que embriaga alucinando.

YUCUTA, especie de brebaje.

ZAMBAJE, conjunto de zambos.

ZAMURO, gallinaza.

ZURAL, inmensa red de acequias naturales.

---

[2] Como se señaló en la nota 169 de la primera parte (*vaquía*) y en la 77 de la segunda parte (*váquiro*), estos dos vocablos se escriben con «b». Rivera los escribió con «v», inclusive en el vocabulario, y así aparecen tradicionalmente en todas las ediciones de *La vorágine*.